三浦悦子の世界〈21〉

「裸足の男の子」

きょうは　くらすのいじめっこぐるーぷに
はいらないかってさそわれたよ。
でも　ぼくはいやだったから　ことわったよ。
がっこううらで　10にんぐらいにかこまれて
つきとばされてけられたの。
ぼく　ろぼこんぱんちでてをぐるぐるして　がんばったよ。
でもまけちゃった。
ないちゃった。

れば
いじめってなおるのかなってきいたら
ままは　やさしいかおで
なにもいわなかった。

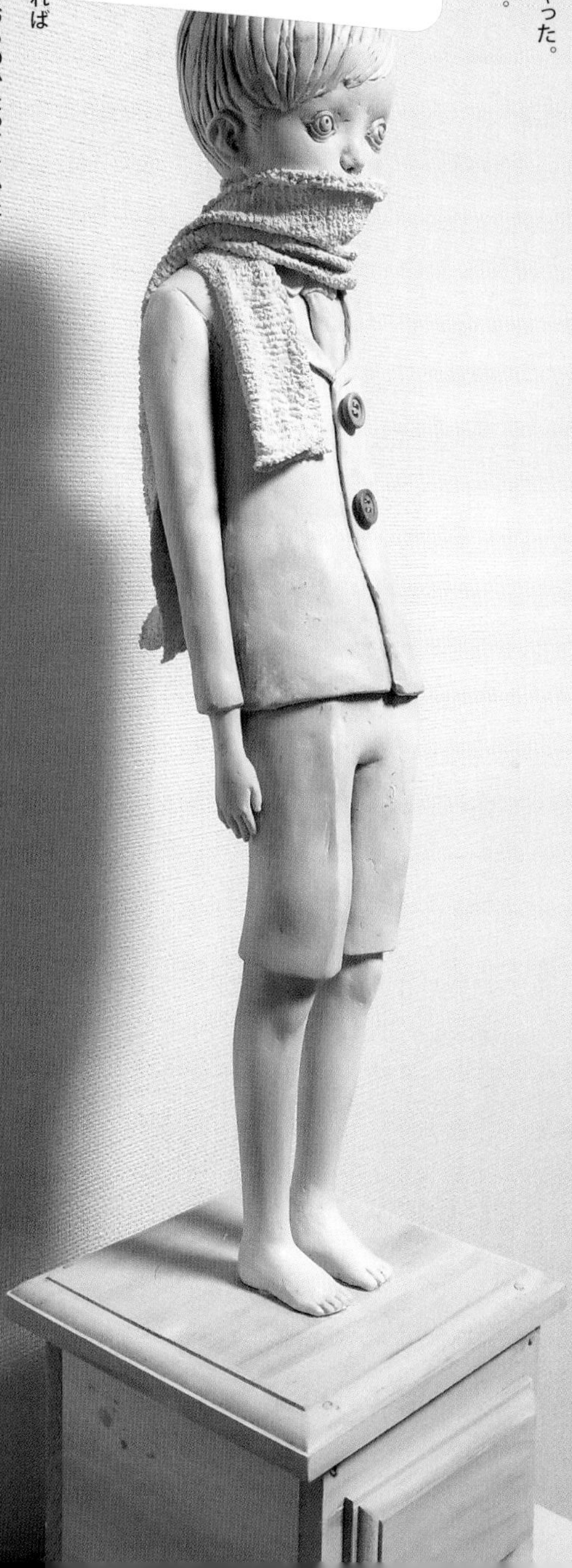

人間は、身体の大部分の毛を失って皮膚を露出するようになった。
そして、そのうえで衣服をまとい、皮膚を隠すようになった。
そして……隠された身体の部分を人目に晒すことは、タブーとなった。

そのタブーを犯した状態を、たぶん「はだか」というのでしょう。

西洋絵画では長らく、神話や歴史上の出来事を扱う際にのみ、
裸体を描くことが許されてきたところがある。
その裸体は理想化されたもので、
たるんだり太ったり痩せたりしていない、
均整の取れた肉付きをしていた。
だから19世紀半ば、マネが「草上の昼食」
「オランピア」を発表したとき、
過去の絵画の構図を借用しながらも、
その裸体が現実の女性のものだったから
スキャンダルとなった。

マネが描いたのは「はだか」だった。

「はだか」はだから、それをタブー視する社会や体制への、
反抗の意思表明ともなる。
ポルノもそういう側面があったし、
そういえば、現代美術家ゲルハルト・リヒターをモデルにした映画
「ある画家の数奇な運命」でも、
「はだか」でピアノを弾く女性エリザベトが出てくるが、
当時政権にあったナチスを忌む彼女の思いを、
その「はだか」が代弁していると思えたりする。

もちろん、レニ・リーフェンシュタールの「NUBA」や、ヘルムート・ニュートンによる同じモデルの同じポーズで着衣姿と裸を対比させた写真シリーズのように、圧倒的な野性の力を放つ裸体もあるが、エリザベトの「はだか」はそのようなメッセージ性とは無縁な自然な「はだか」だった。
だが一方、リーフェンシュタールもニュートンも、価値観の転覆（または圧倒）を「はだか」でもって表現しようとしたのも事実。

かように「はだか」は、タブーと背中合わせであるからこそ、多くの物語を喚起するフックになり続けてきた。
「はだか」そしてそれに至る過程「はだけること」をめぐって、文化の諸相を逍遥していこう。

書店に勤めながら、ストリッパーとしても活動している新井見枝香氏は、ネットのインタビュー記事※で、自分の身体は価値がとても低いと考えていたが、ストリップに出会うことで、人の身体には「生きてきた蓄積がとてつもなく詰まっている」ことに気づかされたという。
そして、インタビューの最後に引かれていた言葉が印象的だった。
「ストリップに出会わなければ、私はずっと、自分の身体を粗末に扱い続けただろう」

さまざまな「はだか」の世界に、ようこそ。

――沙月樹京

※47NEWS https://www.47news.jp/47reporters/5690916.html

★写真：堀江ケニー、モデル：十三花

珠かな子

TAMA Kanako（写真）
モデル：七菜乃

少女が原初的に持つ力と可愛らしさの表現としての「はだか」

珠かな子と今の写真との関わりは、まず村田兼一のモデルをすることから始まった。自分は自分が憧れる少女とは程遠いと残念に思っていたが、村田の世界では少女として愛でられる存在になれたような気がした。「美少女ではなくても可愛くありたい」、その思いで「少女」を演じ、やがてその延長線上でセルフポートレートも撮るようになった。少女に擬態し、コンプレックスを克服するかのようなファンタジーを生み出した。

だが、村田や珠の作品を知っている方ならお分かりのように、少女を演じるといっても少女的な服で着飾ったわけではなく、惜しげもなく「はだか」を見せる。なぜ「はだか」なのか。そこには自分そのものと向き合い、肯定するという思いもあったろう。隠すのではなく晒すことで、しかも写真という図像に定着させることで、自分そのものを客観視し向き合うこと。

そして珠の少女への信奉は「可愛さ」だけにあるのではなかった。それは「強さ」。生きるものが持つ原初的な強さと気高さの象徴として、熊の毛皮をまとい、熊と一体化していくかのような写真も撮影した。自分にまとわりついているものをすべて取り去って、素に、原初の姿になって熊と同化する——珠の「はだか」は、そうした望みに到達するための必然でもあろう。

珠が自身ではなく他のモデルを撮るようになっても、その原初的に

★珠かな子「肌に降る七星」出版記念展
2021年10月15日(金)〜24日(日) 月・火休
13:00〜19:00 入場無料
場所/東京・神保町 神保町画廊
Tel.03-3295-1160
http://www.jinbochogarou.com/

★珠かな子 写真集「肌に降る七星」 モデル:七菜乃
B5判・カバー装・80頁・予価税別2500円
発行・アトリエサード/発売・書苑新社 2021年8月末発売予定!

備わった可愛らしさと力をカメラに収めたいという欲求は変わっていないに違いない。以前の個展のステートメントでは、「女の子として生まれた私たちには、幸せの魔法と呪いがかかっている」としてそれを「蜜の魔法」になぞらえていたが、それもやはり生まれつき素に備わった力の喩えだろう。そしてその力がもっとも純粋に写し出される状態として、やはり「はだか」がある。

今回、珠が七菜乃を撮影した写真集が発売され、その出版記念展も開催される。ともに村田兼一のモデルであり気が置けない仲であるふたりが生み出す世界。七菜乃の放つ原初の力と「蜜」を漏らさず受け止めようとする珠の視線、さらにそれによって浮き彫りにされる素の「はだか」にあなたは何を感じ取るだろう。(沙)

七菜乃

NANANANO（写真）

ヌードを、「おうち」という
プライベート空間から連れ出す

　家で裸になることはもちろん許されるし、さほど不自然ではないかもしれない。だがそれは、家や部屋という他人の目に触れないプライベート空間だからこそ。七菜乃の「おうちヌード」は、その既成概念を覆す。

　七菜乃は写真家として、セルフポートレイトの他は、SNSなどで広く一般からモデルを募った集団でのヌード撮影などをおこなってきた。だが新型コロナの流行が広がり大人数を集めることができなくなる。会うことができないなら、ということでリモート撮影という試みもおこなったりしたが、そこからもう一歩踏み込んで、自宅まで足を運んで撮影させてもらう「おうちヌード」のシリーズを始めた。モデルとなる女性には知人もいるが、SNS等で応募してきた初対面の人も少なくないという。

　七菜乃の撮影の特色は、集団ヌードのときからそうだったが、裸体に美醜の価値観を投影しないことだ。ヌードに美しい醜いはなく、そして恥ずかしいと隠すものでもない。だから希望者であれば、どんな人でも歓迎する。「ヌードは着衣のひとつ」と彼女が言うのは、服が自分表現の手段なら、ヌードだって立派にその選択肢のひとつだということだろう。そしてその裸体は、その人だけしか持ち合わせていない唯一無二のものなのだ。

　「おうちヌード」は、モデルとなった女性の部屋で、自然光で撮影された。自然光というのはこだわったポイントで、陽射しが部屋に入る時間帯を聞いてそれに合わせて撮影に赴いたという。自然光はもちろん、窓から入ってくる。部屋という閉じた空間であるから許された裸という状態が、その光を浴びて外に開かれる。

　これらの写真を見て、他人の部屋の秘密を覗き見ているかのような感覚にもなるかもしれない。だがそうした好奇の視線をあぶり出すことも、七菜乃が意図するところではなかろうか。こうした写真を数多提示することで、その視線からは好奇や禁忌の感覚は薄れていくにちがいない。するとやがて裸はふつうのものになり、陽の光あふれる屋外にあっても自然なものになるかもしれない。服を選ぶ選択肢のひとつに、裸が加えられるかもしれない。

　そういえば七菜乃は以前、私はいつも私服が変なんです、と言って、確かにいつもちょっと変わった格好をしていた。今思えば、裸という着衣の上に服を着ることは、屋上屋を架すような感覚だったのかもしれない。その違和感ゆえ、そのような格好になっていたのかもと、ふと思った。（沙）

★七菜乃の「おうちヌード」のシリーズは、「女体22人おうちヌード 週刊ポストデジタル写真集 Kindle版」で鑑賞可能（2021年4月に神保町画廊で開かれた「#おうちヌード」展や冊子版とは内容は異なる）
★「おうちヌード」は引き続き撮影中で、モデルも募集中。インスタ@nananano.nano

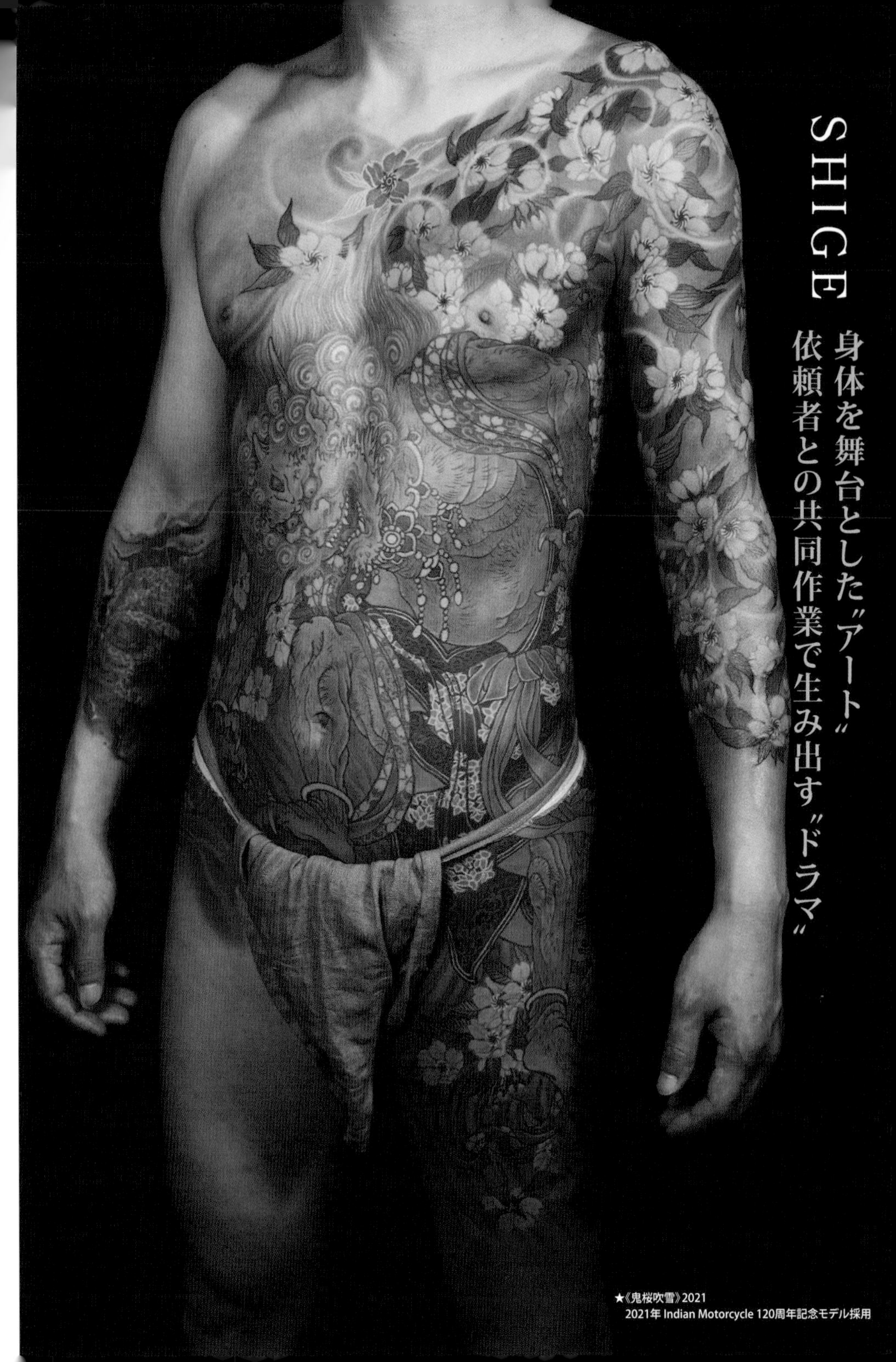

SHIGE

身体を舞台とした〝アート〟
依頼者との共同作業で生み出す〝ドラマ〟

★《鬼桜吹雪》2021
2021年 Indian Motorcycle 120周年記念モデル採用

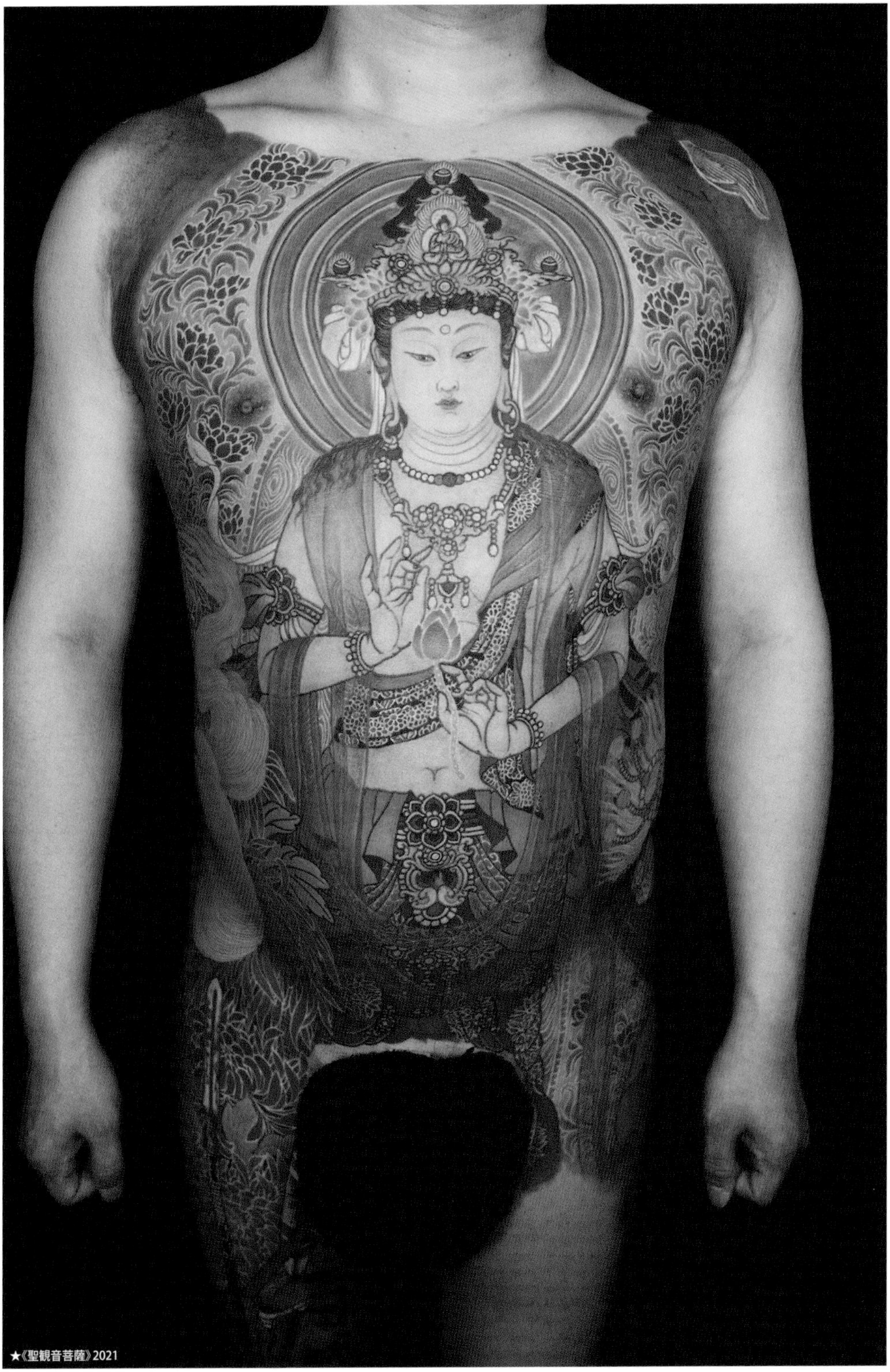

★《聖観音菩薩》2021

★《釈迦降魔の相》2019

★《鍾馗》2019

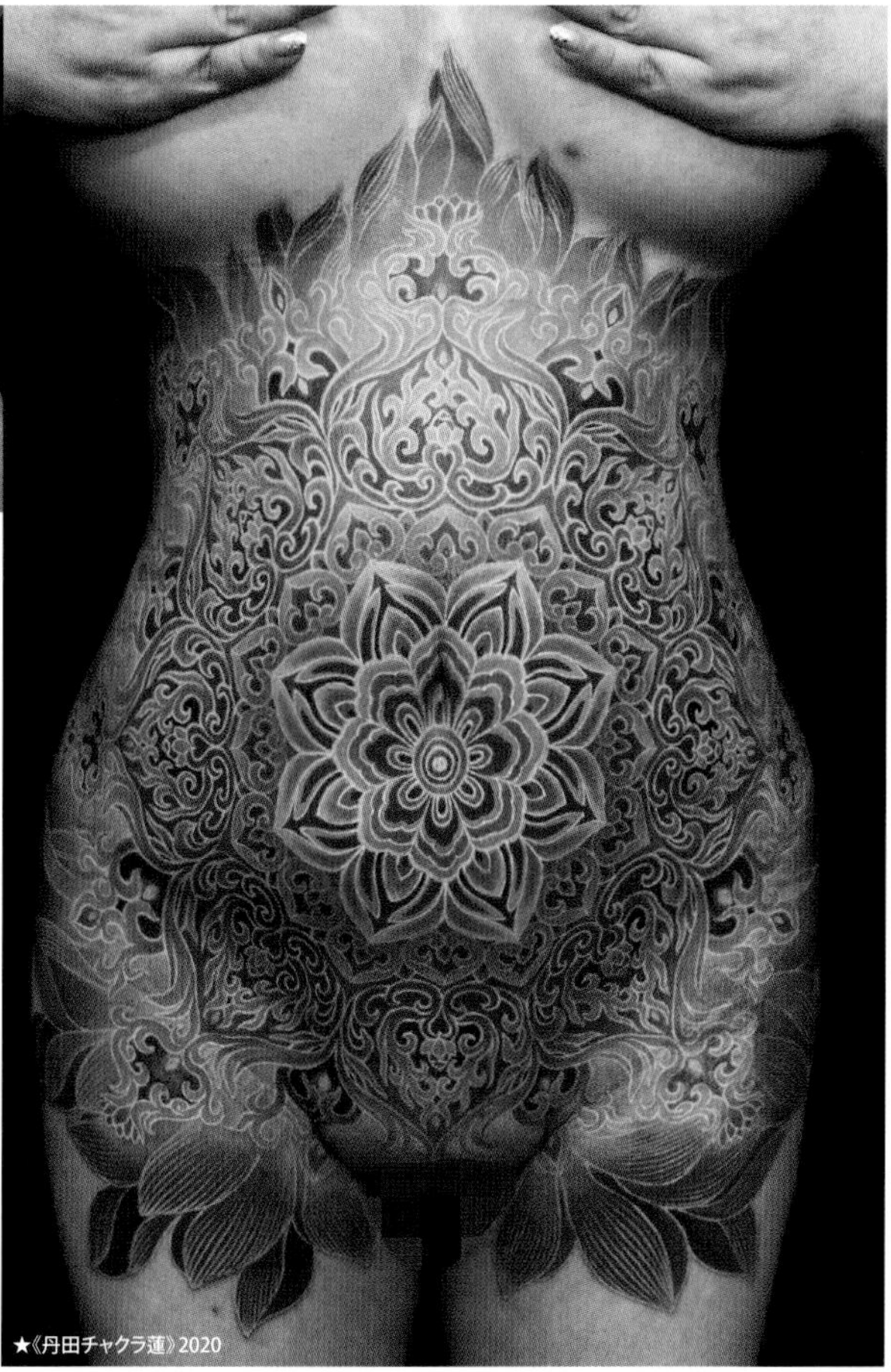

★《丹田チャクラ蓮》2020

SHIGEインタビュー

◉取材・文＝ケロッピー前田

コロナ禍にあって、昨年11月、タトゥー大会「キング・オブ・タトゥー」が復活し、日本を代表する彫師たちや全国のタトゥー愛好者たちがひさびさの再会を果たした。同年9月、タトゥー裁判が最高裁で無罪確定したことで数年ぶりの大会開催となったのだ。そんななかでも一際目立った存在となっていたのが、ジャパニーズスタイルで国際的な人気を誇るSHIGEと、彼の刺青作品で全身を飾る愛好者たちであった。

ゼロ年代以降の日本のタトゥーカルチャーを振り返るとき、SHIGEはジャパニーズスタイルのけん引役者として、世界中から注がれた日本の刺青文化への強い関心に応えてきた。彼は海外彫師と積極的に交流し、世界トップレベルのタトゥーテクニックを身につけ、絵画作品の制作を通じてタトゥーの表現やデザインの可能性を広げて、伝統的な題材を独自のジャパニーズスタイルに昇華し、国際的に開かれたものにしてきた。

世界が激変するなかで、日本のタトゥーカルチャーもまた新しい一歩を踏み出しそうとしている。タトゥー新時代に向けて、SHIGEの最新インタビューをお届けする。

＊　＊　＊

――SHIGEさんといえば、絵画作品も手がけ、日本美術や仏教美術を大胆にタトゥーに取り入れ、伝統的な題材をジャパニーズスタイルへと変換してきました。まずは最近の絵画作品についてお聞かせください。

◉2年前になりますが、河鍋暁斎記念美術館で開催されたグループ展『勇の鍾馗展』に『鍾馗』を出展しました。古くからある日本画の画材をいろいろと使って、かなりの時間をかけて仕上げています。暁斎からも影響を受けているので、彼の膨大なコレクションを誇る美術館での展示は光栄でした。

（以下、108ページに続く）

次はあなたが見せる番
2021 こやまけんいち

こやまけんいち絵本館 no.45

四方山幻影話 48

●写真・文：堀江ケニー
モデル：十三花（p.18-19）Rott（p.20-21）

撮影協力:WOLFSSCHUTZ

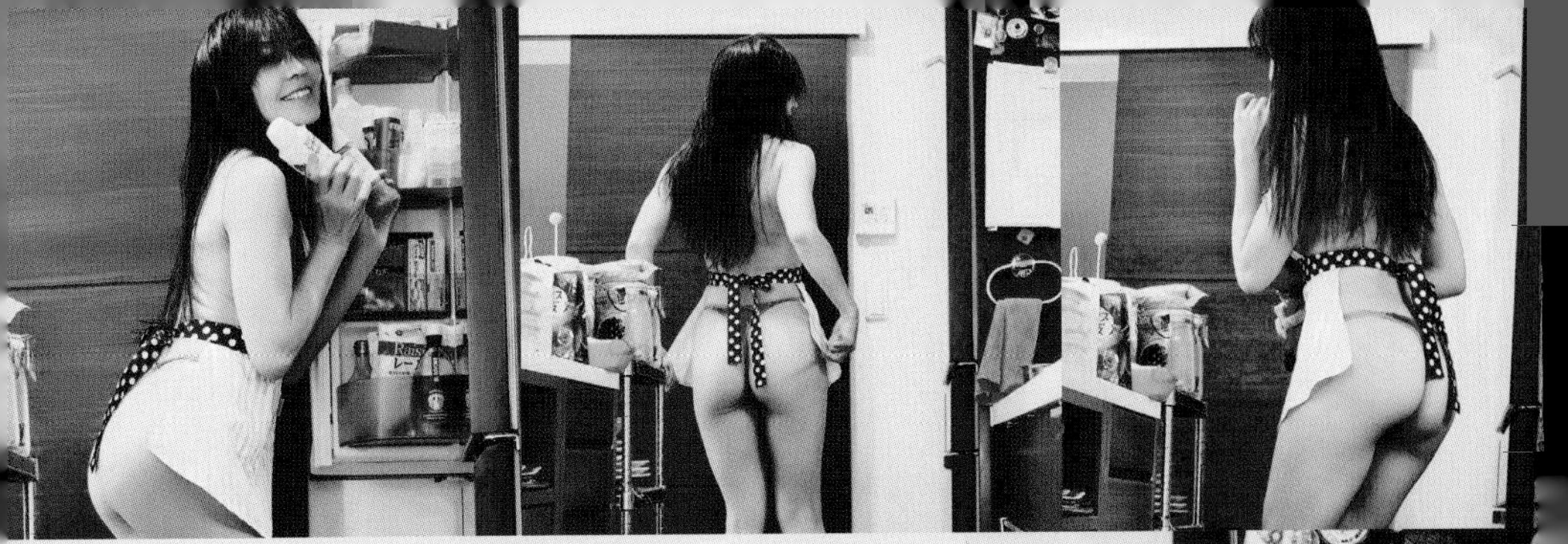

自分は、はだかをエロいものとして撮影しようと思ったことは今のところない。廃墟とはだか、自然とはだかでも、エロいからというより絵面的にヌードだった方がイケてると思ったので、ヌードで撮影したまでで。人も風景の一部として撮りたかったというのが正直な気持ち。

そもそも個人的には、全裸より何か着ていたり、見えそうで見えない方が遥かにエロスを感じてしまう。まぁ～それは自分の中のフェティシズムだったりするんだろうけど。その、見えるか見えないかに命の炎を漢は燃やすのです。知らんけど。

例えばそれを分かりやすく言えば、自分は以前、ストリップの撮影をしていた時期がある。日本全国、劇場から劇場へ旅芸人のように渡り歩く踊り子さんを追って、全国のストリップ劇場へと撮影に向かった。ストリップを撮っているとあることに気付いた。

それは、ガッツリとあからさまに惜し気もなく次々とはだかを見せられていくと、何故か全くエロく感じなくなるということ。ストリップは個人的には、思うほどエロくない。ってか、ほぼエロスを感じない。ストリップはその名の如し、段々と脱いでいくんだが、はだかになるまでの、未だ微妙に衣装を羽織っている時の方がエロティックなのだ。やはり、想像力が大事ってことだ。隠すという行為にエロスがある。丸出しではなく、隠す方がエロティック。インビなのだ。そこで、今回の撮影ではマッパではなく、なんか着てるのにエッチぽい～、ってのをテーマで撮ってみた。

ラバーはSecond Skin、第二の皮膚と言われるように、そのピタッと感が着てるのに着てないよりかなりエッチいし、裸にエプロンはめちゃくちゃベタでむしろコミカルな感じもするが、王道なエッチ。そしてTattoo。これも肌を露出してるんだけど、絵のキャンバスみたいで何だかエロい。

はだかは秘めるからエッチイのだ。

未確認生物は
人々の希望を映す

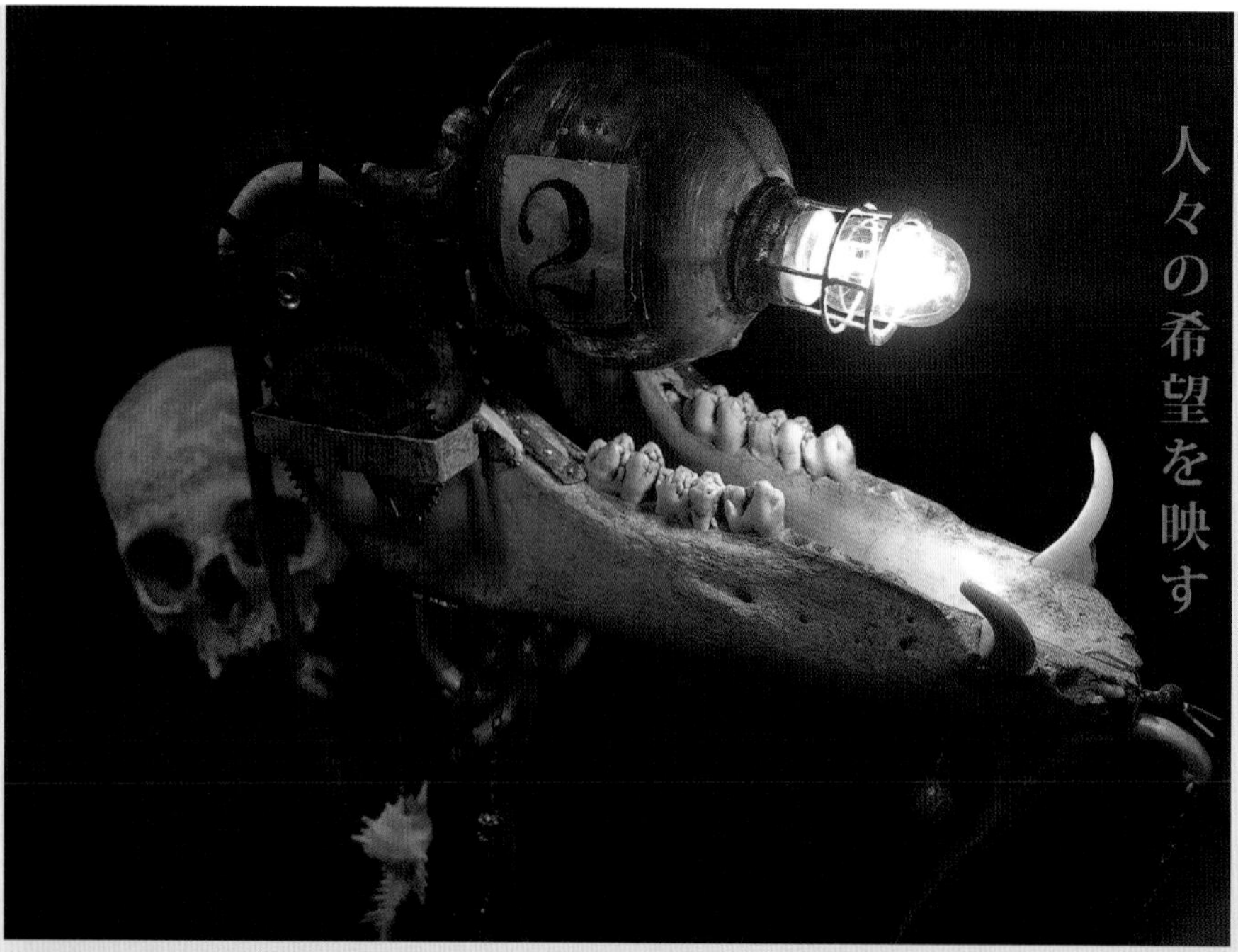

★上と左下はマンタム、
右下は太田翔の作品

コロナ禍にあって展示や骨董市などの活動を制限され、それでも、地べたに這いつくばるようにしてでも生き抜こうと奮闘しているマンタム。8月に開く個展のタイトル「溺れる犬は藁をも食べる」からも、その思いがうかがえる。今回の個展も、驚異の異形の数々で画廊スペースが埋め尽くされるだろう。

そのマンタムは9月には「未確認生物展」を開催。「存在しない未確認生物は、人々の願いであり希望」だという。世界的な災禍の中で、人々は何を望み、何に希望を託そうとしているのか。現代のアーティストが未確認生物を創り出すことにより、現代の人々の希望を現出させようとする展覧会だ。横浜人形の家での「人形写真家・田中流の眼差し」展(p.●参照)と一緒に回るのもおすすめ。(沙)

★未確認生物展 in コロナ

2021年9月18日(土)～26日(日) 会期中無休 11:00～20:00

参加作家／阿部光太郎、愛実、Angie、大石容子、太田翔、さちこ、雛菜雛子、NeQro、根本敬、林美登利、真子、マンタム、向川貴晃、森園みるく

場所／横浜・中華街 ギャラリーソコソコ
Tel.045-232-4980 https://socosoco.jimdofree.com/

★マンタム個展「溺れる犬は藁をも食べる」

2021年8月11日(水)～21日(土) 会期中無休
13:00～19:00(最終日～17:00)
2階画廊は入場無料、喫茶は1階でご利用になれます
※1階喫茶室にて「夏の骨董市」開催
※8月12日～19日の毎夜19:00～
石野竜三 語り芝居「夜の海に沈む犬」上演
前売2,000円・当日2,200円 詳細・チケット http://pru.nu/3/katari

場所／東京・初台 画廊・珈琲Zaroff
Tel.03-6322-9032 http://www.house-of-zaroff.com/

立体画家 はが いちよう の世界《第33回》

ゆうさんの鍍金工場

ストップモーションアニメによる「ねじ式」の映画化が進んでいる。そんななか今回は、「ねじ式美術部はがいちようチーム」の岸本ゆうさんがつくった作品を紹介する（上の写真）。いかにもつげ義春らしい、静かな貧しさに溢れた美しい作品である。縮尺7分の1。

写真では全体像がわからぬが映画に映るのはここだけ。原画（右下）では中央のグラインダーが猛スピードで回転し、椅子に腰掛けた老婆が尖った金物を研いでいる。一体何を研いでいるのか、ここがなんの工場なのか、わからない。だが原作者による別の物語にもこれと同様の絵があり、そこにはハッキリ「鍍金工場」と書いてある。鍍金とはメッキのこと。ではなんでメッキ屋の入口に床屋のサインポールがあるのか。これについては諸説があり、簡単には説明できない。

このあと作品に合わせて人形作家が老婆やねじ君を制作し、グラインダーの火花や、風に煽られたカーテンなどはCG合成によってつくられる予定だ。映画公開日は未定。

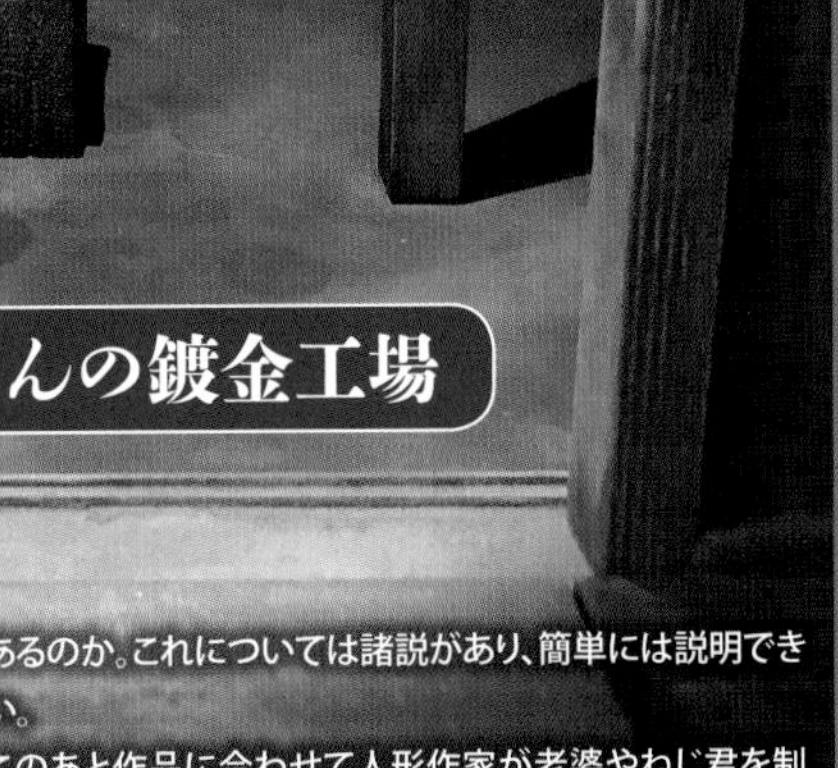

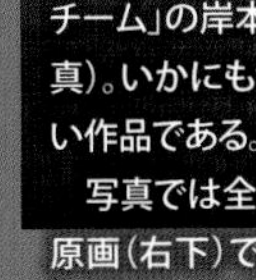

芳賀一洋（はが・いちよう） https://ichiyoh-haga.com/
1948年、東京に生まれる。1996年より作家活動を開始し、以後渋谷パルコ、新宿伊勢丹、銀座伊東屋などでの作品展開催や、各種イベントに参加するなど展示活動多数。著作に写真集「ICHIYOH」（ラトルズ刊）などがある。

辛しみと優しみ〈45〉

人形・文＝毎偶 doll & text by Yogu

聖者の悪魔
悪魔の聖者
ヒトの罪を受け止め受け止め
この身全てで痛みを請け負うヒトガタ

衣装制作◎伊藤聡美
撮影◎サト・ノリユキ / SATOFOTO

★蕾

★月

★櫻井紅子

★ようし

★土谷寛枇

★垂狐

★泥方陽菜

★FREAKS CIRCUS

★千代田梓

写真に、人形の放った一瞬のきらめきをとどめる

★En

★森下ことり

★清水真理

人形は、何を見つめ続けているのだろう。その視線と向き合い、または視線の先を追うことで、人は、人形の持つ物語に触れる。そして、人形が永遠に秘め続ける思いのひとしずくが、観る者の心を揺らす。

四半世紀以上にわたって多くの人形作品を撮り続け、一昨年には写真集「Dolls～瞳の奥の静かな微笑み」を上梓した田中流。写真によって、そうした人形の持つ物語を丁寧に掬い上げ、記録し続けている写真家だ。とりわけ球体関節人形は、ポーズ等によって表情が変わる。人形の放った一瞬のきらめきをとどめてくれるのも、写真ならではの魅力だ。

その田中流の世界に浸れる展覧会が横浜人形の家にて開催される。写真とともに12人の人形作家の作品も展示され、球体関節人形の世界を存分に味わえる企画だ。期間中は清水真理による人形製作ワークショップや田中流によるフォトワークショップも開催。展示される人形作家の作品を収録した写真集「Dolls in labyrinth――田中流・人形写真館」も発売されるので、ぜひ合わせてお楽しみいただければ！（沙）

★「人形写真家・田中流の眼差し」

2021年9月11日（土）～10月31日（日） 9:30～17:00
月曜休※9月20日（月・祝）は開館、翌火曜休
※期間中、ワークショップ・サイン会あり。詳細は横浜人形の家HPへ。

観覧料／大人〈高校生以上〉600円、子ども〈小中学生〉300円
※入館料（大人400円、子ども200円）含む、未就学児は無料

場所／横浜・元町・中華街 横浜人形の家2階多目的室
Tel.045-671-9361 https://www.doll-museum.jp/

※本写真展は著作権保護／作品保護の理由から展示室内での写真撮影を禁止させていただきます。※諸事情により掲載の人形作品が展示されない／別の作品が展示される場合もございます。

★招待券を5組10名様にプレゼント！

郵便番号・住所・氏名・本誌のご感想・お買い上げ書店名を明記の上、件名を「田中流展・招待券希望」として、本誌奥付記載のメールアドレスまで、メールでご応募ください。※抽選および当選者への発送は9/2予定。※当選者の発表は発送をもって代えさせていただきます。

★「Dolls in labyrinth――田中流・人形写真館」

2021年9月上旬発売予定！ 発行・アトリエサード／発売・書苑新社
横浜人形の家でも販売。10月3日（日）には会場にて田中流サイン会あり！

人形、ドレス等含めて表現される
マジカルな幻想世界

人形作家にもさまざまな表現をおこなっている者がいるが、jabawocks（ジャバウォックス）は人形を制作するだけでなく、ドレスやアクセサリーなども自作し、さらにジオラマに配置することで人形の住まう世界観までをも表現している作家だ。自然や鉱石をテーマにすることが多いといい、マジカルな力漂うファンタジー世界は、幻惑的な物語性に満ちている。そのjabawocksの初個展が開かれる。華麗なドレスに身を包んだ「女神」が放つ魔力に魅惑されたい。（沙）

★jabawocks個展「女神」 イメージサウンド:夢中夢（Y.D）、空間装飾:さくらあんず

2021年10月7日（木）～17日（日） 12：00～19：00（最終日～17：00） 入場無料 ※下記サイトにて要予約

場所／東京・銀座 アモーレ銀座ギャラリー、ミ・アモーレGallery（奥野ビル515,513号室）

Tel.03-6263-0957 https://www.gallery-amoreginza.jp/

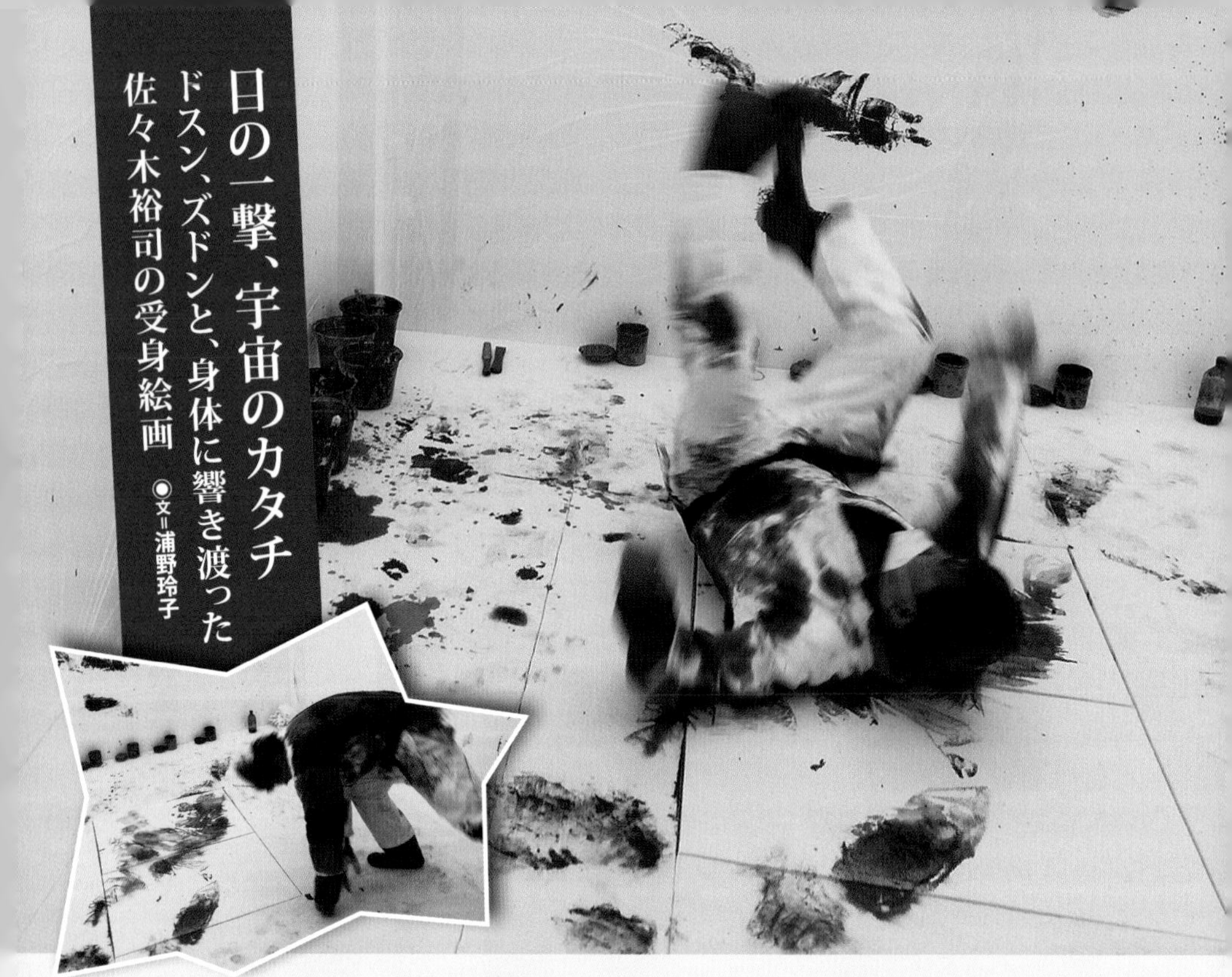

日の一撃、宇宙のカタチ
ドスン、ズドンと、身体に響き渡った佐々木裕司の受身絵画

◉文＝浦野玲子

◉宇宙を内包する、生命の痕跡

新型コロナウイルス対策の緊急事態宣言が再々延長され、どんより閉塞感が漂う原宿で5月15日、佐々木裕司の『シャペロン』と名付けられた受身絵画のパフォーマンスを見た（於 ギャラリーKTO）。これが、ずしんと心と身体に響いた。「受身絵画」とは、佐々木独自の身体を用いた新しい絵画表現だ。佐々木は、世界各地でこのパフォーマンスを続けてきた。

佐々木によれば、「シャペロンとは、社交界にデビューする若い女性の躾役のこと。転じて、20世紀に生物学用語となり、タンパク質を正しく生成する分子化合物の呼称となった。シャペロンが正しく機能しないと、認知機能や運動機能に障害を及ぼし、生体を死に至らせる」という。そして、今回の受身絵画のテーマは、「アートがアフターコロナ社会のシャペロン足りうるか」を問いかける試みという。

会場は、体感的には四畳半くらいのスペース。油絵の具の匂いがマスクを通しても鼻を刺激する。パフォーマンスが始まると、佐々木は正座して一礼。「受身絵画」の受身とは、主に柔道の前方回転受身のことという。「礼に始まり、礼に終わる」という柔道の基本動作。これが、日本人の身のこなし＝躾として、いまや新鮮に感じられる。

この一礼のあと、佐々木はいったん道着を脱ぎ、ポットに入った赤・青・黄…の絵の具を恭しく塗りつけていく。そして、絵の具たっぷりの道着を纏うと、会場の床中央に置かれたキャンバスめがけて身体を投げ出した。

佐々木の体が宙を舞い、床板にその身体が打ちつけられるたび、ドスン、ズドンという音が響く。思わず「痛い、痛い…」とマスクの中でつぶやいてしまった。柔道の心得がない素人にはとても痛そうに感じられたのだ。

何回も受身が繰り返され、しだいに床面のキャンバスにペインティングが施されていく。狭い空間でキャンバスに狙いを定めて身体を投げ出し、道着の絵の具を塗り分けていく。これは偶然性のように見えるが、実は講道館柔道有段者である佐々木の柔道の技に裏打ちされているということに気づいた。

同時に、日本刀の「鍛錬」という言葉が浮かんだ。日本刀は、砂鉄から玉鋼をつくり、それを叩いて叩いて、打ち鍛えることで、鋼の不純物を飛ばしていく。この工程を経て、日本刀は強度と柔軟さを兼ね備え、「折れず、曲がらず、よく切れる」ようになるのだという。

この鍛錬という工程は、かねがね不思議に思っていた。叩くという物理的行為によって、化学反応を起こして素材の組

★写真は、左下2点は展示風景（画廊提供）
それ以外は、5月15日におこなわれた
「受身絵画 公開制作 パフォーマンス」（撮影：浦野玲子）

成が変性していく。

シャペロン絵画は、まさに佐々木の生身の体による鍛錬によって生み出されたものだろう。身体の重量と熱量、落下の衝撃、瞬時の画布への擦過によって化学反応を起こしたものといえるのではないか。それはチベット仏教の「五体投地」さながらの宗教性を帯び、粛々と繰り返される佐々木の行為そのものが祈りのようだ。

また、シャペロン絵画は、イヴ・クラインの有名な「人体測定」にも通じるものだろう。「人体測定」は、クライン自身が開発した絵の具「IKB（インターナショナル・クライン・ブルー）」を使用。これを全身に塗りたくった数人のヌードモデルがキャンバスに体を押し付け、その痕跡をキャンバスに写しとっていく。

そもそも「人体測定」は、柔道修行のため来日したクラインが、ヒロシマの原爆から着想を得たという。いわゆる「ピカ！」の閃光で壁に残った人影。そして放射線の青い光を想起させるIKBの神秘的な色。これらは、2011年の「フクシマ」以降、われわれ日本人により身近に感じられるはずだ。

佐々木の生身の身体が床板に当たる鈍い音、絵の具の人工的な匂い、キャンバスに殴打された瘢痕のように塗り重ねられていく絵の具……。

これは、筆者にとって「目の一撃」であり、脳天からつま先まで電流が走るような体感だった。さまざまな要素が視覚・聴覚・嗅覚、そして空間に響く波動となって五感を刺激する。身体を通して思考する。いや、もはや、こむずかしい能書きやコンセプトは不要だ。

佐々木の身体感覚を揺さぶるようなパフォーマンスの余韻に包まれ、軽いトランス状態で疑似灯火管制下の薄暗い表参道界隈（にもかかわらず〝人流〟は多い）を歩き、副都心線・明治神宮前駅に着いた。ふと見ると、佐々木が一度「受身絵画」を観ていただいたことがあるという御年100歳の巨匠、野見山暁治の原画をもとに作製された巨大ステンドグラスが目に飛び込んできた。

その作品名は『いつかは会える』。陳腐かもしれないが、救われるような気がした。コロナ禍に見舞われた今こそ、響く言葉ではないか。

身体を打ち鍛えるような佐々木のパフォーマンスと絵の具のレイヤー。そして野見山の幾億回も重ねたであろう筆の動きから生まれた色とカタチ。それらがシャペロンとなり、今生では出会うことのない人々や山川草木、有機・無機の物質ともいつかは会える。宇宙生成のサイクルの過程で、分子レベルで「梵我一如」となれるような気がした。

※佐々木裕司 個展「シャペロン」（新作 受身絵画）は、2021年5月15日〜6月1日に、東京・神宮前のGALLERY KTOにて開催された。

歴史あるカウンターカルチャー都市 テキサス州オースティンを行く！

◎文・写真＝ケロッピー前田

★オースティンの音楽の歴史を振り返る壁画（by ティム・カー）

★ロックポスターコレクション

★地元の活動家たちの写真が並ぶ
※下4点の写真はいずれも
オースティン・ミュージアム・オブ・ポピュラー・カルチャー

★地元住民のミニコンサート

★廃材を寄せ集めたアート作品

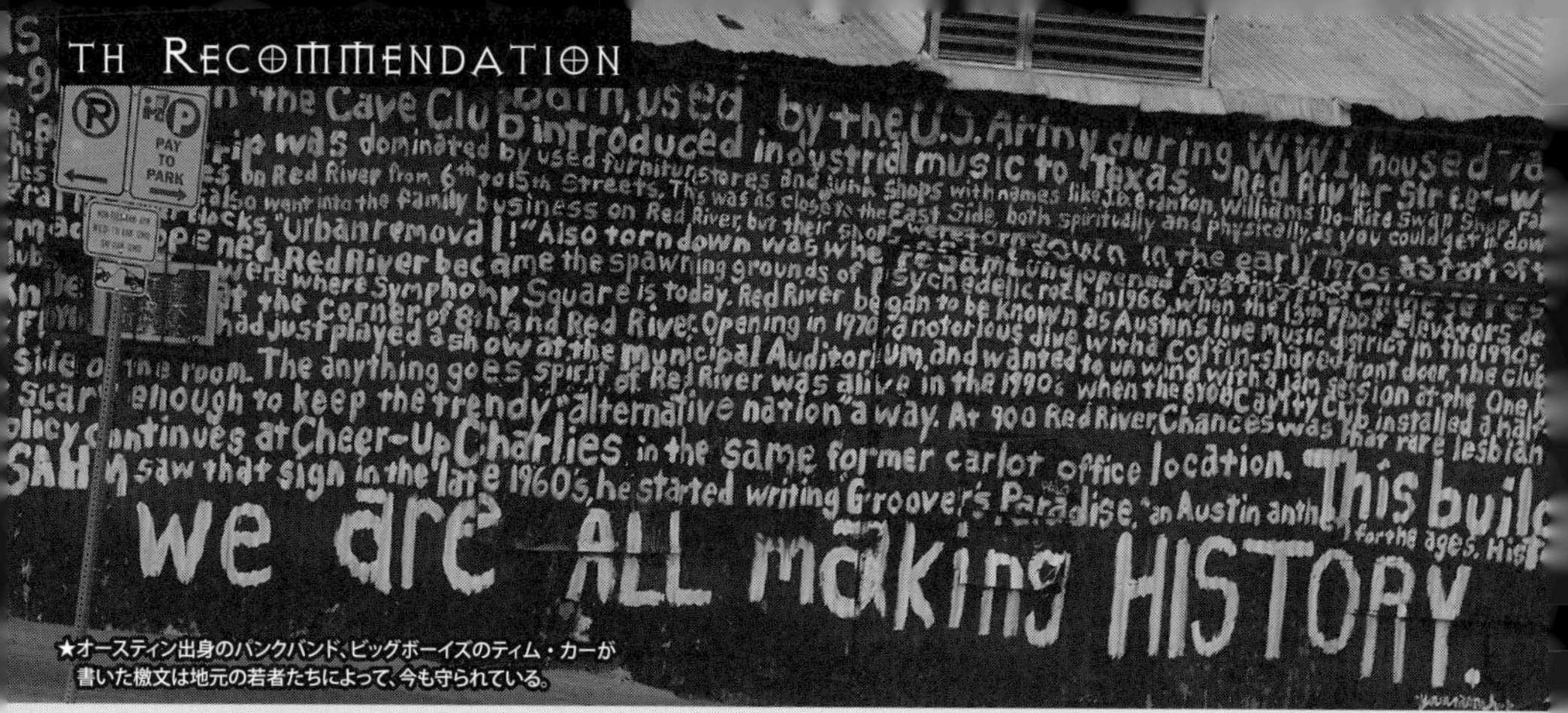

★オースティン出身のパンクバンド、ビッグボーイズのティム・カーが書いた檄文は地元の若者たちによって、今も守られている。

日本でテキサス州オースティンというと、20万人以上の観客を集め、世界最大規模と言われる最新テクノロジーとエンターテインメントの祭典「SXSW（サウス・バイ・サウスウェスト）」が有名だ。とはいえ、実のところ、オースティンは歴史ある反骨精神の街であり、古くは1836年に独立したテキサス共和国の首都であり、9年後に米国に併合されるも、カントリーミュージックが盛んで、60年代以降は独自のロックムーブメントを生み出したDIYパンクスの街でもある。

昨年はコロナ禍にあって、億万長者の起業家イーロン・マスクが電気自動車メーカーのテスラや民間宇宙事業の草分けスペースXの重要拠点を、民主党が主流のカリフォルニア州から共和党（トランプ）支持者が多いテキサス州に移転させたことで話題となった。

日本国内ではあまり語られることのなかったドメスティックでマニアックなカルチャー都市オースティンをレポートする。

筆者は2018年のボディハッキングの取材とその翌年のトカゲ男のインタビューのために2回ほどオースティンを訪れている。正直、小さな街だが、第2のシリコンバレーと言われるほどのハイテク都市で未来チックな高層建築ビル群を眺めながらも、ストリートにはカウンターカルチャーの臭いが漂っているのが嬉しい。

街の盛り場と言われる「レッド・リバー・ディストリクト」の歴史的な名所として目を引くのが、7丁目にあるライブハウス跡地の建物「エリジウム（Elysium）」に書かれた「ミュラル（壁画）」である。これは、来日経験もあるパンクバンド「ビッグボーイズ」のメンバーでペインターでもあるティム・カーが描いたもの。「私たち皆が歴史を作っているんだ」と始まる檄文《げきぶん》には、その地がオースティンのパンクムーブメントの発祥地であり、ここからDIY（自主独立）の文化活動が広まっていったと書かれている。過去にその場所にあったライブハウスはいまは閉店し、同じ建物には数軒のライブハウスとクラブが同居している状態にある。それでも、その壁画の番人のごとく、ストリートにたむろす若者たちは、オースティンを自分たちの街として誇っていることが伝わってくる。

オースティンと言えば、先にあげたSXSW以外にも、ウィリー・ネルソンが主催するカントリーミュージックの祭典「ラック・リユニオン（Luck Reunion）」が人気で、近年では「オースティン・シティ・リミッツ（Austin City Limits）」なども熱狂的な音楽マニアたちの関心を集めている。街中には土産物屋も兼ねて、ミュージシャングッズを多数扱うショップがいくつもある。

その中でも群を抜く品揃えの「ワイルドアバウトミュージック」で街の歴史について尋ねると、すぐさま市外にあるプラ

★1972年、カントリーミュージックの大御所ウィリー・ネルソンがヒッピーカルチャーとの融合を宣言し、オースティンに移住したことから、保守的思想が自主独立精神と結びついたテキサス独自のカウンターカルチャーが生まれた。

★オースティンのカウンターカルチャーの歴史資料館
Austin Museum of Popular Culture
https://www.southpop.org

イベート博物館「オースティン・ミュージアム・オブ・ポピュラー・カルチャー」を教えてくれた。

この博物館は、２００４年に60年代から現在までのロックフェスポスター３０００点のコレクションを基礎に設立されたもので、さらに地域のムーブメントを支えた地元のロック活動家たちの写真や記録が膨大に収集されている。筆者が訪れたときにも、地元住民たちによるミニコンサートが行われていた。

地元の活動家ホーウィー・ピチュー（Howie Pichey）の著書『パーティ・ワイアード（Party Weird）』によれば、オースティンのロックムーブメントは、カントリーとヒッピーカルチャーが融合したことから生まれ、オースティンにあるテキサス大学は多くの学生を全米から集め、そのことがカウンターカルチャーの時代に新しい文化運動が巻き起こす下地となったという。

オースティンにおける大きなターニングポイントとなったのは、１９７０年にライブ会場「アルマジロ・ワールド・ヘッドクォーターズ」がオープンし、その場所で72年、オースティンに移住したカントリー・ミュージックの大御所ウィリー・ネルソンがヒッピーカルチャーとの融合を宣言したことだった。同会場でのフランク・ザッパの演奏は、ライブ盤「AUSTIN 1973」で聞くことができる。ちなみに、ジャニス・ジョプリンもテキサス大学オースティン校出身で、当時のムーブメントを支えた一人だ。

再び、市内に戻って、オースティンの観光スポットのひとつ、見世物小屋博物館こと「ミュージアム・オブ・ザ・ウィアード」を覗いてみたい。正直、ちょっと子供騙しな内容ではあるが、なんといっても驚かされるのはビッグフットのコレクションである。

ビッグフットとは、ヒマラヤの雪男が世界を大きく騒がせていた時期にアメリカ国内でも人間に似た巨大類人猿が目撃されたとしてニュースとなった事件である。その決定的な証拠とされたのが、１９６７年にカリフォルニア北部の山林で撮影された「パターソン・ギムリン・フィルム」と呼ばれる映像である。ノシノシと歩きながら、おもむろにこちらを振り向くビッグフットの姿に誰もが驚嘆させられたものである。現在では、背中にジッパーが見えるなど、捏造されたものの可能性が高いが、それでもアメリカにおけるビッグフット伝説を決定付けた貴重なものである。そして、同時期に複数寄せられたビッグフットの目撃報告において、その証拠として取り上げられたのが、石膏で型取られたビッグフットの足跡であった。オースティンのミュージアムには十数点の石膏による足型がコレクションされていた。なぜ、足型なのか、それはヒマラヤの雪男の決定的な証拠とされたのが、有名な登山家シプトンが撮影した足跡だったことも影響しているだろう。

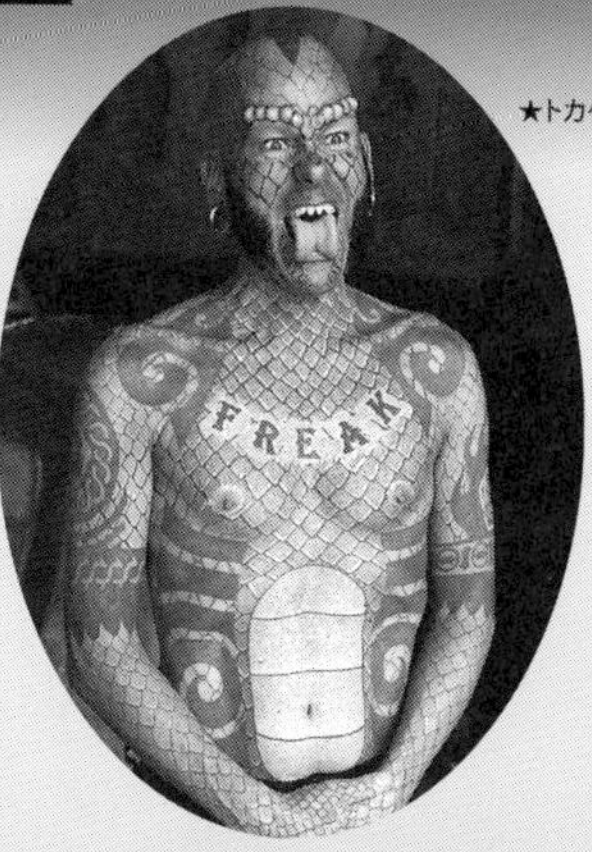

★トカゲ男ことリザードマン

最後にリザードマンについて補足するなら、彼がオースティンに住み着くようになった理由は、活動休止中の伝説の改造人間サーカス団「ジムローズサーカス」の拠点となっていた時期があったからだ。このサーカス団には、猫になりたい女性の改造人間カッツェンや全身をジグソーパズルのタトゥーで覆ったパズル男ことエニグマらが在籍し、90年代後半に爆発的な人気を誇ったが、カッツェンとエニグマが離婚して団体を去ったあと、改造人間の枠を埋めて大活躍したのがリザードマンだった。

そのような意味でもこの土地の随所にカウンターカルチャーの足跡がはっきりと残されていることに驚かされる。

パンデミックの激変の時期を経て、次なる未来を担うカルチャー都市として注目されるであろう、テキサス州オースティンの名をぜひとも覚えておいて欲しい。

★北米にも巨大類人猿がいた！左下2点はビッグフットの足型や手型コレクション

★ドクロ海賊が目印

★フリークショーの有名な興行師P・T・バナーム（1810-91）

★下６点の写真はミュージアム・オブ・ザ・ウィアード
Museum of the Weird https://www.museumoftheweird.com

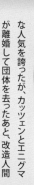

歪んだ悪夢のエロス

★相良つつじ×近藤宗臣 二人展

2021年10月18日(月)～24日(日) 会期中無休 12:00～19:00 入場無料

場所／東京・小伝馬町 みうらじろうギャラリーbis

Tel.03-6661-7687 http://jiromiuragallery.com/bis.html

裸婦コレクターとして知られる小泉清氏の推薦による2人展。選ばれたのは、京都のギャラリーソラトの運営としても活躍している近藤宗臣と、その所属作家の相良つつじ。どちらも素朴な画風だが、歪んだ幻想性が特色で、近藤は死の気配が色濃く漂い、相良はそれに比べるとポップだが異様さがにじむ。それらから表出する悪夢のエロスの競演だ。(沙)

顔のない、奇異な情景

顔が白く消し込まれている。その先に角ようなものが見え、同じ側に腕が2本、そしてもう片方から鋭い爪を持った爬虫類の手のようなものが覗く——奇異な情景を油彩で描くXie、その初個展が開かれる。顔が描かれないがゆえに、観る者の想像力を喚起する作品だ。(沙)

★Xie個展「虚ろのゆりかご」

2021年11月7日(日)～21日(日) 月・火休

15:00～22:00(最終日～19:00)

場所／大阪・東部市場前 Gallery cafeBar 冥

Tel.06-4306-3108 https://www.gallerycafebar-mei.com/

★ろくでなし子《3Dまんこドール（まんこちゃん、なしこ、ピーポくん、けいさつ4種）》2020

★ろくでなし子《押収されたデコまん3点》2021 東京地方裁判所の書類や「このエアキャップは証拠品にあらず」のシールが貼られたエアキャップとともに展示された。

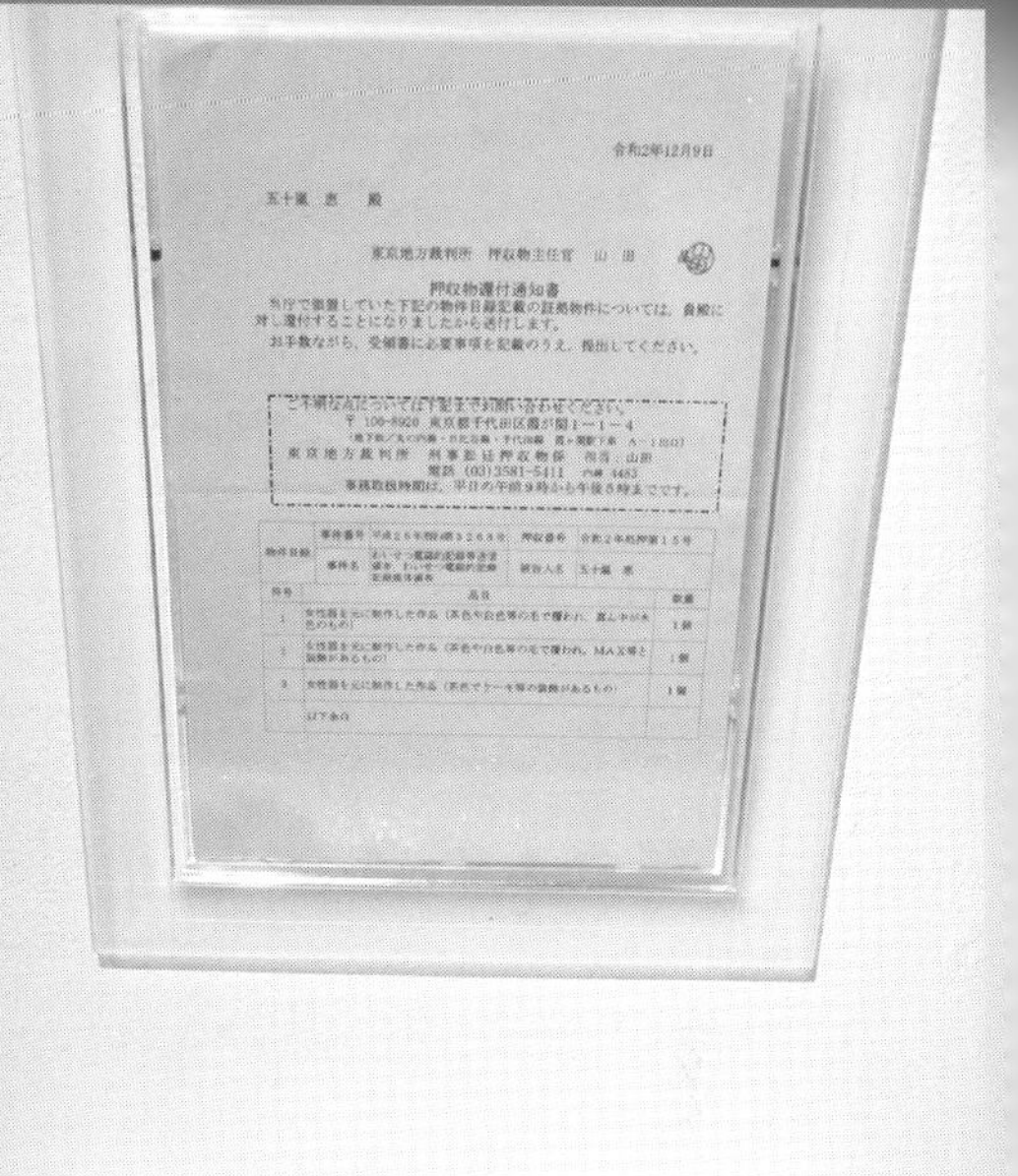

★ろくでなし子《3Dまんこトレイン+3Dまんこエアプレイン+Dまんこオープンカー》2021

萎縮した日本社会をポップでユーモラスな性表現で揺さぶった「美術ヴァギナ」展

◉文・写真＝ケロッピー前田

京都を拠点に著作権や表現規制といったタブーに挑み続ける現代美術家・岡本光博が、またもや物議を醸す展示会「美術ヴァギナ」展を仕掛けた。

岡本光博といえば、有名ブランドLV社のモノグラム柄生地をバッタの形に仕上げて展示不可などの騒動に発展した作品《バッタもん》（2010）、N社のカップ焼そばを連想させる巨大なオブジェを飛行物体の落下現場のように展示した作品《未確認墜落物体 UFO Unidentified Falling Object》（2015）などでよく知られる。岡本の作品は、どれもユーモラスで親しみやすいものだが、同時に現実社会を痛烈に皮肉った危険な要素も大いに含んでいるのが特徴だ。

さらに、2019年のあいちトリエン

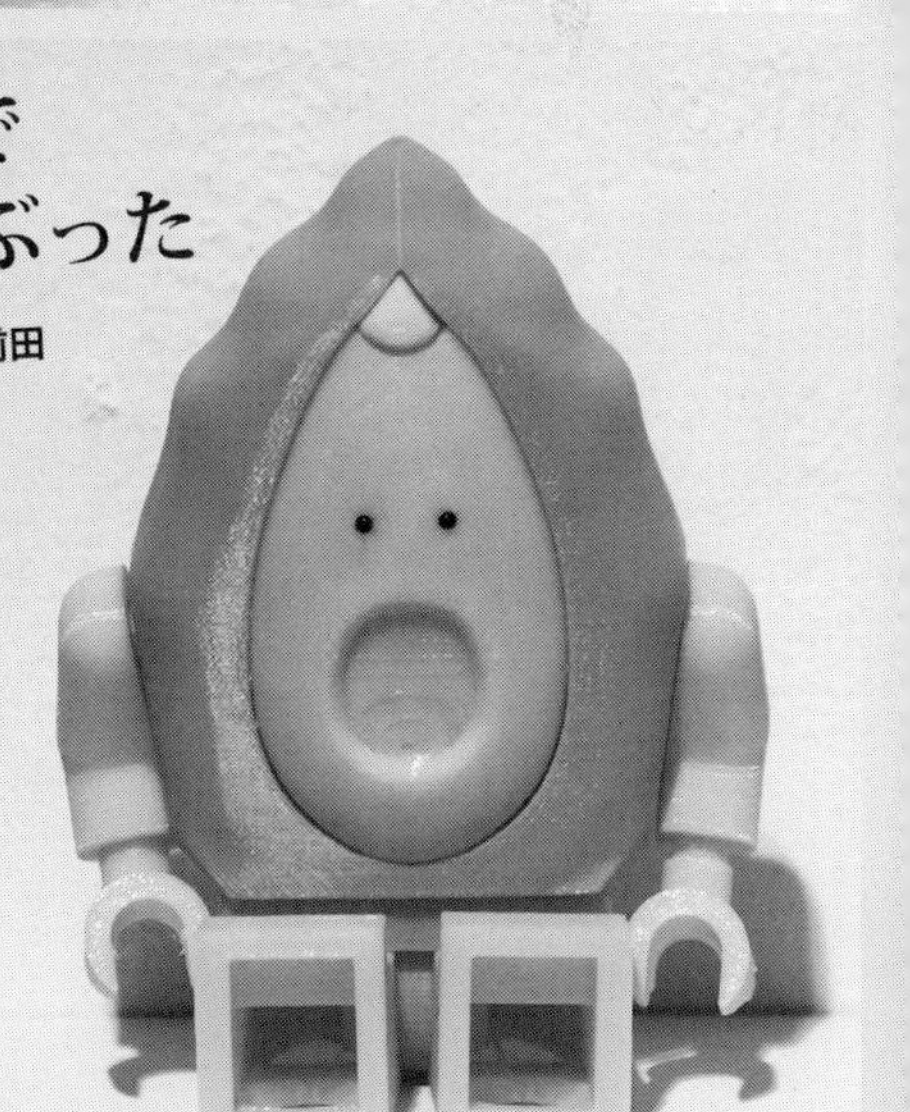

★ろくでなし子《Big3Dまんこちゃん》2020

★宮川ひかる《マンネイルサンプルチップ》2021

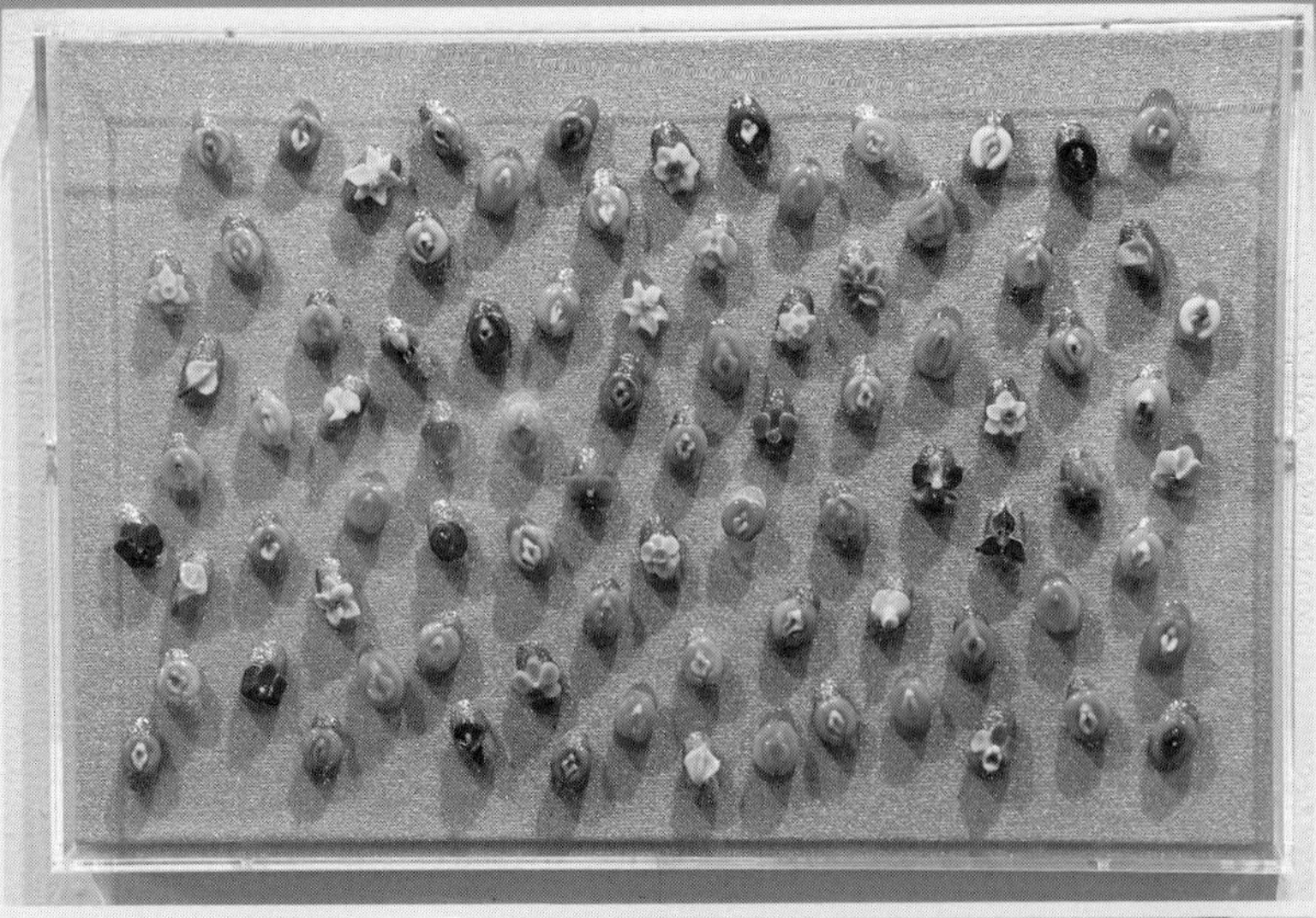

ナーレでは政治家や大手メディアまで巻き込んで大きな論争となった「表現の不自由展・その後」においても、沖縄・うるま市の「イチハナリ・アート・プロジェクト＋3」で展示拒否された作品《落米のおそれあり》（2017）で参加しており、岡本は現代美術における表現規制の最前線に常に挑んできた。

「不自由展の騒動に巻き込まれましたけど、あの展示は最初から性的なものは排除していたそうです。不自由展はとても挑戦的な投げかけではあったけれど、正直違和感も感じてはいました」

そう、岡本は語る。

確かに「表現の不自由展・その後」では性的なテーマは全く取り扱われていなかった。また、岡本は「美術ヴァギナ」に先行して、2013年に「美術ペニス」というグループ展を開催しており、今回の展示はそれと対をなすものでもあるという。

「8年前に美術ペニスをやったときから、もう片方をテーマにしたものもやるべきだと思っていました。ろくでなし子さんに出品してもらえるならぜひやりたいと思っていたんですが、昨年、彼女が日本に帰ってきていたこともあって、一気に動き出した感じですね」

ご存知の通り、ろくでなし子は、2014年7月に自分の女性器の3Dデータをクラウドファンディングの支援者に頒布したところ、わいせつ物と認定されて逮捕された。同年12月、都内アダルトショップで、自分のまんこをかたどった石こうに着色や装飾を施した作品「デコまん」を展示し、猥褻物陳列罪を問われて2度目の逮捕となった。デコまんに関しては、東京高裁での二審で無罪となったが、3Dデータの配布については、昨年7月16日、最高裁で「わいせつ電磁記録頒布」の有罪判決が確定した。

今回の展示では、有罪判決を受けた3Dデータを使用した新作、無罪確定後に裁判所から返却されたデコまん3点を還付通知書とともに展示している。デコまん3点は「このエアキャップは証拠品にあらず」のシールが貼られたエアキャップの上に並べられることで、表現規制を巡って当局と闘った証としての存在感を増していた。

宮川ひかるは、プロのネイリストとしても活躍しており、爪上に様々な立体造型を可能にするジェルネイルの技術を駆使して、多数のマンネイルのサンプルチップを発表した。それらは実際に人間の爪に装着できるものだ。さらに、ギャラリー内でブラジリアンワックスによる女性のVIO（デリケートゾーン）脱毛のワークショップを行い、そこで採取したワックスを花びらに見立てて、作品化している。花

★宮川ひかる《VIOアレンジメント》と《VIOローズ》ともに2021

★荒川朋子の《おもいいし》と《ふさふさ》ともに2014

びらの繊細な凹凸はすべてリアルなヴァギナの形状を写し取ったもので、そのことは花びらに付着した陰毛からもよくわかる。ブラジルでは、サンバとワックスが結びついていて、毛の処理が文化の違いを映し出している点も鑑賞のポイントだろう。毛に着目した点については、本展に出品されている、女性のアンダーヘアを入れることで完成する岡本の作品《まんげ鏡》にも通じている。

荒川朋子は、水晶や貝、毛をモチーフに日本の古来からあるシャーマニックな拝む対象としての女性器を想起させる作品を発表しており、「直感で閃いたことを形にできる人、作品はどれも霊気を帯びていて、スピリチュアルなものを感じさせてくれます」と岡本も絶賛する。

山里奈津実は、アダルトグッズTengaの断面図を掛け軸にし、男性を天国を導く行為として、X染色体とY染色体を表す赤白の2色にした。また、金の額は、精子と卵子が受精した瞬間に発光するという生命の誕生の神秘を象徴し、主題となるイスラム圏の文様は女性器のようにも見える。彼女は日本画材の研究者として博士課程に在籍し、出産や生命の誕生をテーマに宗教的なアイコンや現代的なイメージを気品ある作品に仕上げている。

本展には、前述した《まんげ鏡》に加え、《処女航海》など、岡本自身の作品も並んでいる。4人の女性作家に男性作家がキュレーターとしても関わったことで、ウェットになりがちなテーマをポップでミニマルな展示としてまとめている。

「性的なテーマについて、世界的には、ポール・マッカシー、ジェフ・クーンズ、ルイーズ・ブルジョワら有名な作家たちがやり切っています。それに比べると、日本の現代美術は萎縮していて、素直じゃないんです。エロと片付けるのではなく、人間の大切な欲求のひとつですから、身体的な表現として自然に堂々と露呈していっていい。そんな気持ちを投げかけられたらいいなと思います」

そう熱く語る岡本だが、スケベ心やサービス精神を忘れず、気さくに応じてくれる。そんなオープンマインドな態度が作家ばかりか、鑑賞者も自由な気分にしてくれると思うのだ。

ネット時代にあって、世の中はどんどん自由になるはずだったが、一方で他人の目を気にして、ぎこちない不自由さを感じることも多くなっている。もともと女性器とは、自分たちが生まれ出てきた場所でもある。性器そのものがタブーになってしまった日本の歪んだ状況をリセットするため、もう一度、自分たちのスタート地点に立ち返って、生きる自由を取り戻したいものである。

★山里奈津実《Patterns》2016

★山里奈津実《No.23 y》2020

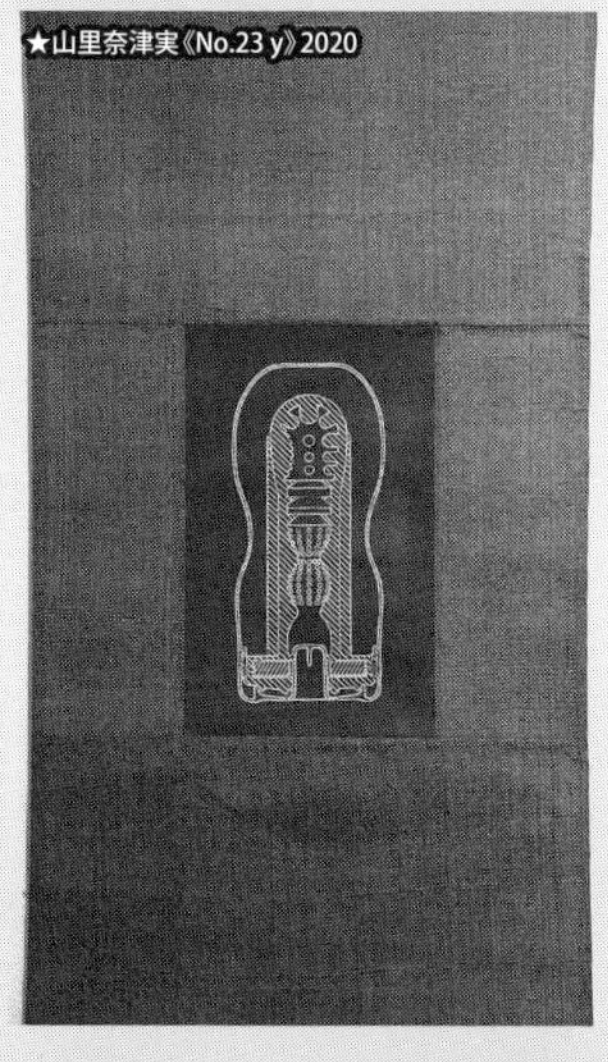

★岡本光博氏と自作の《処女航海》2017

★岡本光博《まんげ鏡》1999

※「美術ヴァギナ」展は、2021年4月23日～ 5月9日に、京都・東山のKUNST ARZTにて開催された。

陰翳逍遥《第43回》

志賀信夫

身体と死と詩 ～マーク・マンダース

▽「マーク・マンダース～マーク・マンダースの不在」21年3月20日～6月22日、東京都現代美術館

大きさのインパクト

初めて見た個展で、これほど引き込まれるものは、滅多にない。東京都現代美術館のワンフロアが中心の展示だが、一つひとつが見たことがないインパクトがあり、さらに身体的な感覚・魅力を与えてくれる。このようにただ素直に見ても入り込める作品は、希有だろう。それは、作家の感性なのか、技術なのだろうか。

代表作ともされる、ヴェネツィア・ビエンナーレに出展された『四つの黄色い縦のコンポジション』（二〇一七～一九年）を見てみよう。まず、その大きさに驚かされる。二六六×三九一×四九一センチ、つまり三～五メートルの立体である。そして、彫刻デッサンで使われるような、いわゆる胸像がベースなのだが、灰色の粘土でつくったかに見える色と触感、崩れるか、つくりかけのようで、左の目から頬にかけて、黄色い細い板が打ち込まれている。だが無表情で、めり込んだ縁の黄色い板という異物が異質な感覚を主張する。

★マーク・マンダース『4つの黄色い縦のコンポジション』(2017～2019)

フリーダ・カーロのように、事故で身体を鉄棒が貫通し、それを描いたというものでもない。つまり、このイメージを思いついたから、というだけなのだろう。これは強く作家をとらえたようで、このイメージ、モチーフの作品をいくつも偏執的につくっている。そして黄色に対する偏執も窺い知れる。だが、眼が対象なのは、見えないということか、見たくないということか。

胸像は四つあり、前に二つ、後ろにずらして二つある。いずれもほとんど同じ形で、目に黄色い板がめり込んだ胸像だが、粘土を捏ねた荒い感じから、それぞれが少し違って見える。つくりかけのような雰囲気は、周囲の粘土、そして台座を支える板や鉄具にもよるものだ。

小さい作品でもこのモチーフは衝撃的だろうが、この巨大さは、見る者に言葉を失わせる。写真展で、しばらく巨大なポートレートが流行った。あるいは、ロン・ミュエクの巨大な人物彫刻にも、大きさのインパクトとリアリティの点では通じるところがある。つまり、異様に巨大であることで、「見たことがない」感が強まるのだ。特に、身体的な表現であると、その異常な大きさは、人に包み込まれるような、あるいは侵犯されるような身体感覚を与える。また、縦半分の巨大な頭部が傾いた状態の『乾いた土の頭部』（二〇一五～一六年）からも、巨大さからくる身体への一種の暴力性を感じられる。それは、大仏などの巨大さのみでなく、つくりかけ、あるいは崩壊を感じさせるからだ。そこには静かな死も感じられる。「見えない」のは、頭が分断されているからだろうか。

わからなさを探る

『夜の庭の光景』（二〇〇五年）という切断された黒猫の入った黒いガラスケース、粘土状の狐と鼠『狐／鼠／ベルト』（一九九二～九三年）、黄色い鉛筆が目の上にぶら下がった、くるまれた死体のような『黄色い鉛筆のある土の像』（二〇一九年）など、身体の死を感じさせるものがいくつもある。さらに、『マインド・スタディ』（二〇一〇～一一年）や『椅子の上の乾いた像』（二〇一一～一五年）などに、たびたび登場する女性の身体

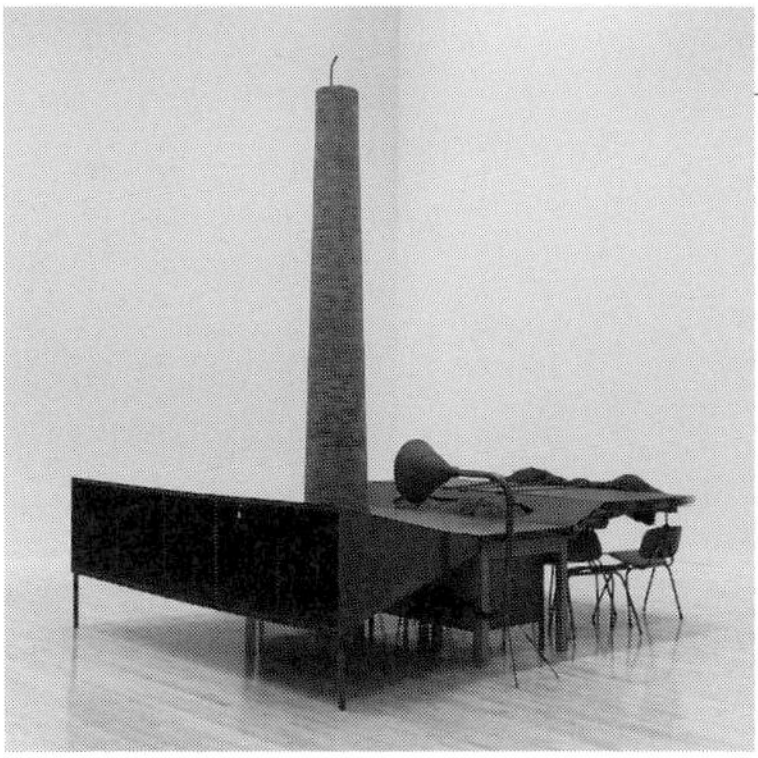

★（上から順に）マーク・マンダース『夜の庭の光景』（2005）
マーク・マンダース『マインド・スタディ』（2010〜2011）
マーク・マンダース『舞台のアンドロイド（88%に縮小）』（2002〜2014）

は、死体ではなさそうだが、腕はなく、脚が真っすぐ伸びた胴体に切った首を載せたような奇妙なもの。このモチーフも何度もつくっている。

　そのなかで、特にわからないと気になったのは、『舞台のアンドロイド（八八%に縮小）』（二〇〇二〜一四年）である。人間の身体は見えないが、暖炉の煙突やスピーカーなどが組み合わさった、不思議な家具のようなオブジェだ。劇場のようなタイトルがついているが、舞台美術ということなのか。しかし、奥には何か動物のようなオブジェがくくりつけてある。これも死体だろうか。また、中央の盛り上がった部分、そして下の区切られた空間など、暖炉のような家具のような不思議な作品だ。

　これを含めて、いくつかの作品には、八八%といったクレジットがついている。これは、どういうことだろうか。一〇〇%の実物に対する縮小したレプリカのような設定なのだろうか。八八%である意味もわからない。ただ、資料によると、マンダースは一時、五という数字にとりつかれて、五にまつわる作品をつくり続けたことがあるという。ならば、明確な理由はなく、八八も何かのきっかけがあっての偏執なのだろう。

　通路の空間に示されたドローイングの数々『ドローイングの廊下』（一九九〇〜二〇二一年）という展示もおもしろい。作家のアイデア、思考の痕跡がわかるのみならず、そこで描かれたちょっとした形、それぞれが引きつける。つまり、アイデアから生まれる形が、いずれも芸術的、作品的なのだ。変な動物、ちょっとエロな身体、人間の絡まる姿など、一つひとつじっくり見てしまう。作家自身、「ドローイングは観察の探索より思考の探索に近い」と述べているが、それが作品と見る者をつなげてくれるようにも思える。

自画像の意味

　この作家は、これらの作品すべてがセルフポートレート、自画像だというコンセプトをもっている。もちろん、どんな作品でも作者を自然と反映しており、顔などが作者に似ることはしばしばあるのだが、マンダースは意図的に、すべて自画像として、計画的に提示する。十八歳のときに、自伝を書こうとして、それを思いついたという。最初は、部屋に見取り図のようなものを文具を並べてつくったところから始まったようだ。それ以来、ずっと物や創作物をインスタレーション的に展示して、「建物としてのセルフポートレート」、作品全体が自画像であるとする。だがそれも、マーク・マンダースという架空の存在の自画像らしい。実際に、想像上の建物であり、想像上の部屋なのだが、展示の場合は、今回のように美術館空間を仕切って、部屋として見せることになる。その展示方法も、向こうが透ける半透明のビニールを壁にした、工事現場のようなつくりなのだ。

　自画像とは何か考えてみる。絵を基本として考えると、描く対象は、人物については身近な人、そして自分が原点だろう。モデルを頼むのも、相手の時間を拘束する。そうなると、まずは自画像が基本だ。東京芸大が、卒業制作のテーマを自画像としているのも、描くやすく、かつ本質があらわれると考えるからだろう。自画像には作家の内面がもっとも反映されやすいと考えられる。

　また、ゴッホやエゴン・シーレを例にとるまでもなく、美術の歴史の中でも自画像の傑作は多い。そして、高村光太郎の彫刻『手』（一九一八年）のように、自らの手や身体の部分を対象にするものは、自

★マーク・マンダース『3羽の死んだ鳥と墜落する辞書のある小さな部屋』（2005〜2019）

画像の延長とも考えられる。写真でも、セルフポートレートは多く、特にセルフヌードが多いだろう。これも、コストと手間がかからず、また自分を残したいという欲望とも重なって、取り組む人が多い。女性ヌードが多いのは、見るのが男性という需要があることも一因だろう。

つまり、自画像、セルフポートレートは美術家の原点であり、かつ美術家の内面が現れやすい作品といえる。それをふまえて、マンダースの作品を見る場合、仮に巨大な胸像が自画像的な作品と考えると、個人を特定できない顔貌である。それは他の作品も同様で、首の直立した女性像、男性の立像なども、ニュートラルな顔、表情である。ギリシャ彫刻をよりシンプルにした感じだ。そして、作家はその個別の作品ではなく全体をセルフポートレートだとする。するとそれは、自分の姿のみならず、自分の心象、思考、感情、哲学、行動なども含めた自分自身すべての自画像なのだが、ニュートラルな顔は、マンダースの求める虚構性、あるいは物語性の現れといえるかもしれない。

身体と死と詩

展示は会場の三階から始まって、二階に一つ、野外にも一つあるが、二階の作品『三羽の死んだ鳥と墜落する辞書のある小さな部屋』（二〇二〇年）は、区切られた小さい画廊のようなスペースに一点、絵画がかけてあるだけだ。だが、立ち入ると床の感触がふわり、ねっとりして奇妙である。キャンバス地が床に敷き詰めてあって少し浮いていて、詰め物が入っているのだろう。そこを歩きながら、絵を見て戻って外の説明を見て、驚く。そこには、三羽の鳥の死体が埋まっているらしい。ただ、それとわからずに、踏んでしまって、絵を見て帰ってくる。後にそれを知って、足の感触に死を感じることになる。

実は、多くの土地に死が眠っている。事故物件はもちろん、普通の家庭でも、人は病気により家で亡くなるのが普通だった。また、例えば東京では江戸時代の度重なる火災、関東大震災、東京大空襲を考えれば、たぶん山手線の内側はほとんどだれかが亡くなっているだろう。都内の公園の多くは、避難して亡くなったり、死体が集められたりしている。こういった土地や大地の記憶を体験させようというのが、マンダースの意図だろうか。

おそらくそれは、自画像と重なっている。マンダース自身は、自画像は個別の記憶、私小説的な世界ではないと述べているが、身体や生と死の感覚は共有しているはずだ。

ほとんどが粘土に見える彫刻作品だが、実は着色したブロンズというのも興味深い。もっとも、一般に知られるブロンズ像のブロンズとは異なる。独自の手法があるのだろう。また、この「墜落する辞書」の絵画など、いくつかの絵画作品は、キャンバスにあたる支持体が実は紙の張り子状態で、壁から浮き上がっている。これもマンダースの意図する虚構性であるのだろう。カフカの作品に一時耽溺したというマンダースは、おそらく不条理やシュルレアルなものへの関心・感覚がある。だが、それは既存の形ではない。例えば、単語をランダムに組み合わせて文とした新聞をいくつもつくっているが、その「無意味」さは、シュルレアリスムや不条理とは異なるもので、マンダース独自の虚構性だろう。

マンダースの作品は、彼のコンセプトと切り離せないのだろう。だが、それを知らなくても、見る人を引きつける力がある。それは、一つには身体性、もう一つは死の匂いだ。オランダ出身だが、ドイツのヨーゼフ・ボイスの作品と共通するところもある。粘土＝ブロンズのもたらす素材感、そして既成品と創作物との組み合わせ、さらにインスタレーションという見せ方だ。ボイスも、ガラスケースで作品をいくつか組み合わせて展示していたことが想起される。マンダースの部屋＝建築は、ボイスのガラスケース、あるいは黒板にも当たるのかもしれない。そして、マンダースの場合は、そこに死と破壊への欲望が感じられる。具体的な死体のみならず、身体の破壊、崩壊感は、見えない力による破壊を感じさせる。

身体、死と虚構、そしてもう一つ感じるのは、詩である。マンダースの作品は、どことなく詩的なのだ。初期に、詩を書き自伝を書こうとした彼は、それを美術と物で表現している。それは筋書きのある「物語」ではなく、言葉が空間に投げられたような「詩」なのだ。

ボイスの作品にも黒板などで言葉が登場し、タイトルなどに詩的な感覚を感じることもある。だが、ボイスの作品は、アクティヴ、力動性を感じるのに対して、マンダースの作品は静的、スタティックである。それがより、思考の深さや、詩的感覚を感じさせる。そして、その思考の断片に触れながら、作品を感じることが、マンダースの作品を見る愉しみなのだ。

並列の前衛性～間島秀徳

▽「FUSION～間島秀徳 Kinesis／水の宇宙&大倉コレクション～」21年6月15日～8月15日、大倉集古館

アクションペインティング

たびたび作品を見てきた作家の作品が、古典的作品とともに展示されることで、まったく新しい世界を獲得することがある。今回の展覧会は、まさにそういう体験だ。

間島秀徳は、東京芸大の日本画を出て信州大学教授をつとめ、二〇二一年から武蔵野美術大学教授となった。この経歴からは、正統派日本画家と思えるのだが、まったく違う。作品はほとんどが百号以上で、横に並べたり、屏風状にしたりするだけでなく、円形に描く、円筒にして展示するなど、その見せ方も大胆かつ常識を超えている。いわば、作品展示自体がインスタレーションなのだ。

また、間島の描き方も独特である。伝統的な日本画というより、アクションペインティングに近いといってもいい。最初に水を敷き、墨を落としてぼかして、下絵のようなものをつくるが、通常の下絵とは異なり、その絵柄が最後の画面に反映されるわけではない。そこに青や白の絵の具、顔料を載せていくが、その時点でも筆で描くのではなく、絵の具を流すようにしていく。その偶然性によって、形をつくる。筆で描く恣意性を極力廃して、できあがった形に色を加えていくというものだ。また、絵の具の前にメディウムとして、溶岩や砂などを入れ、質感をつくりつつ、立体化するようなものも多い。

そして特徴的なのは、色である。基本は青と白、藍色、緑っぽい青、緑など、日本語で「あお」といわれるような色が中心だ。一般的には、これは海の色でもあり、空の色でもある。白の鮮やかさは大理石を砕いた顔料らしい。

これらは、間島が茨城の海岸沿いに居を構え、日常的に空と海に触れていることと、まったく無関係ではないだろう。だが、空や海そのものを描いているわけではない。この限られた色の絵の具の生み出す質感、マチエールから見えない形を生み出そうとする。それは虚であり実である。おそらく、間島の中に漠然と存在するもの、カオスの中にある形、それを追い求めている。それが、自然と生まれてくることを求めるために、この技法をとっているのだろう。

いや、それは推測にすぎない。作家の意図や動機はともあれ、その抽象性、色とか描き方、マチエールそのものに惹かれるということがある。間島の作品は、その欲望を誘引する。

また、タイトルにあるように、福島への追悼を動機とする作品『Kinesis No.511 (requiem)』(二〇一二年)もある。津波の危険もある鹿島に近い海沿いに住み、日常的に波と海を見ているリアリティは大きいだろう。

インスタレーションとコラボレーション

間島の展示がインスタレーション的だと述べた。そして、それがこのように、古典作品とともに展示されると、その感覚はより強まる。ところで、日本には、室町時代から、インスタレーションの伝統がある。茶の湯である。

茶の湯、茶道は、狭い茶室の床の間に、絵画や文字の軸をかけ、花を生けて、茶器を飾る。これ自体がインスタレーションだ。見る者は掛け軸、花と花器、茶器を観賞し、季節との関係、その組み合わせの妙を楽しむ。さらにその茶器を利用して、亭主が茶を入れるパフォーマンスに接して、たてた茶や茶菓を嗜む。つまり、美術や工芸、文学・文化、花などのインスタレーションに、さらにパフォーマンスと食が組み合わさった総合的な芸術行為で、客はそれに接するのだ。

茶道はそのように人々が生の美術に

★間島秀徳『Kinesis No.478 (divers eye)』(2011)と川合玉堂の屏風『奔潭』(1929)

触れる場でもあった。その場合、通常茶掛けは一点だが、茶器、花器、生け花とのコラボレーション、対比が行われる。今回の間島の展示には、その要素も感じられた。

　間島のオブジェ性の高い円筒形の絵画『Kinesis No.478 (divers eye)』(二〇一一年）と川合玉堂の屏風『奔潭』（一九二九年）、立方体の作品『Kinesis No.697 (cosmic cuboid)』(二〇一七年）と生物の自在置物、円形の絵画『Kinesis No.702 (water scope)』(二〇一七年）と月が象眼された『須磨の浦蒔絵棚』（十八世紀の取り合わせなどだ。

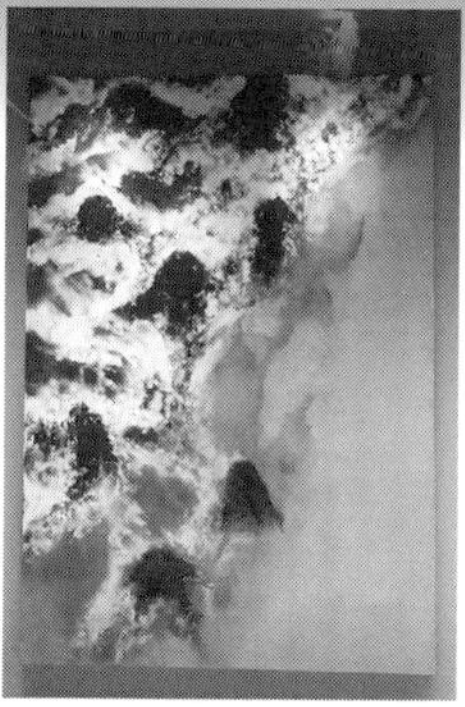

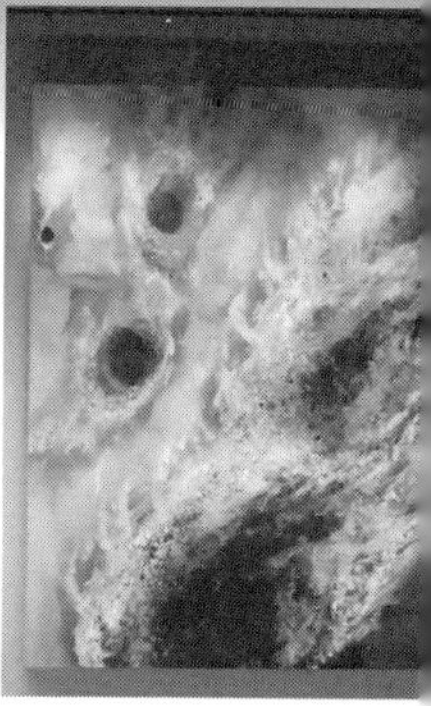

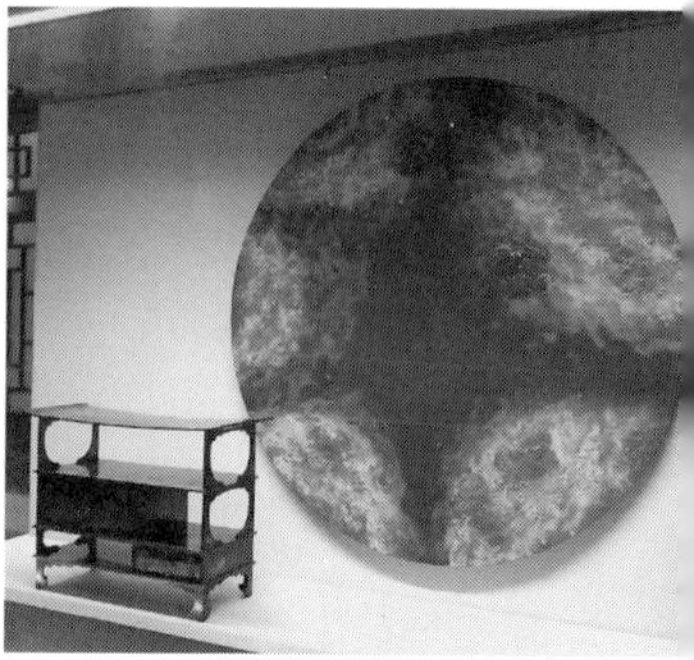

★（上の3点）間島秀徳『Kinesis No.719 (mount yun)』『Kinesis No.720 (vortex)』(2017年）と曽我二直庵『龍虎図』(17世紀)
（右下）間島秀徳『Kinesis No.702 (water scope)』(2017)と『須磨の浦蒔絵棚』(18世紀)
（左下）間島秀徳『Kinesis No.703 (sansui)』(2017)と横山大観『瀟湘八景』の「烟寺晩鐘」(1927)

　そして、強い対比や類似性も見いだせる。間島の『Kinesis No.719 (mount yun)』と『Kinesis No.720 (vortex)』（共に二〇一七年）に、曽我二直庵の龍虎図（十七世紀）の対比は絶妙だった。さらに、山水画というコンセプトに触発されて間島が墨で描いた『Kinesis No.703 (sansui)』(二〇一七年）と横山大観の『瀟湘八景』（一九二七年）。

　こういうコラボレーション作品は、その空間とともに楽しむものだ。伊東忠太設計の特異な意匠の施された建築のみならず、古くからの美術館の静謐とそこに馴染んだ古典的美術に、現代の美術が持ち込む匂い、感触の遭遇、反発、類似などさまざまな要素を楽しむことが、この展覧会の意味・趣旨だろう。「FUSION」という言葉は、八〇年代に使い古されたが、新たな意味を持ちうる企画だった。

身体に対するアプローチ

▽「BankART Under 35 2021 第3期：諫山元貴、菅実花」21年6月4日〜20日、BankART KAIKO

　横浜BankART（バンクアート）は、二〇〇四年の立ち上げのときから接してきた。美術・ダンス・舞踏の団体の三者で受注して始まったことから、実験的な舞台も、会場を飛び出してまでつくってきた。現在はほとんど美術中心だが、新しいものを求めるスタンスは継続している。

　横浜の都市開発の過程で、古い建物を生かすという発想から、みなとみらい線の馬車道駅は、旧第一銀行に高層階の建築を接合した。そして付近の旧富士銀行も活用したため、BankART1929という名称で始まった。だが、何度も移動し、旧日本郵船倉庫のBankART NYK時代は長かったが、そこも解体され、現在は、BankART STATIONとして、新高島駅の地下に中心が移った。そして、一九二六年の帝蚕倉庫の一棟を復元した複合施設の中に、BankART KAIKOが入った。ここで今回、興味深い展覧会が開催された。

　菅実花と諫山元貴の二人展だ。二〇〇八年に始まった「アンダー35」という企画の今年の第三期で、三十五歳以下のアーティストを取り上げる展覧会だ。第一期にはＴＡＲＯ賞で注目した井原宏蕗、第二期にはパフォーマンスも手がける敷地理などの注目すべきアーティストがいた。そして今回の展示は、どちらも身体感覚溢れるものだった。

　菅実花は、ラブドールを妊娠させた写真作品『ラブドールは胎児の夢を見るか？』（二〇一六年）で注目された美術家で、本誌でも何度か取り上げてい

★(右)菅実花『The Making of Untitled』と『注意深く見るための機械』の一部(2021)
(左上)菅実花『#selfiewithme』(2020)
(左下)菅実花『Calla 019』(2021)

る。今回の展示は、菅自身の顔を型どりしたラブドールを撮影スタジオ的に展示し、LED照明の変化で見せるインスタレーション『The Making of Untitled』(二〇二一年)。これはさらに、周囲に大きいプラスティックレンズをモビール的に吊した『注意深く見るための機械』(同年)を通して、変化を体感させる。さらに小さい画面の映像作品も流れている。

そして写真作品で、その自分そっくりのラブドールとのツーショットによる作品とスライドショー『#selfiewithme』(二〇二〇年)、造花と生花の百合の花をLED照明で色を変えて撮った連作『Calla』(同年)などが並ぶ。そこでは、菅が追求している人形と自分、虚と実の世界がさまざまに展開している。

菅の展示もスタティックだったが、諫山元貴の展示は、さらにスタティックだ。展示物はマネキンを型どりした身体の部分。これがいくつも並ぶ『Dummy』(二〇二〇年)。そして、奥の壁いっぱいに映像展示の『Order#7』(二〇二一年)。白っぽい画面は最初何かわからないが、見ていると物体が静かに崩れていき、最後は完全に崩壊する。CGと思えるような映像だが、実際に撮影したもの。型どりして石膏でつくったパイプなどを水の中に入れて、静かに崩壊していく様を撮影したという。つくったものを敢えて崩していくという、崩壊を企図とした作品づくりのコンセプトが独特である。

型どりしたマネキンの身体も、表面ではなくその内側にこだわっているが、それも外部と内部というコンセプトによる作品づくりとして、注目に値する。マネキンは人間の似姿だが、工業製品化したため、人形よりも抽象度が高い。それを敢えて型どりすることで、人間の身体から何段階も複製化・抽象化したものの内側にリアルを探る。それは、身体でも、パイプでもいいのだ。その器官と器械的なものに、リアルな身体感覚を感じているのだろう。

菅実花の作品にも共通するところがある。ラブドールは人間の身体を極めてリアルに再現したもので、名前の通り、性器までつくる。それは、身体の外部と内部をつなげる部分だ。だが、そのリアルさも、美しさという抽象性を求めている。さらに、素材のシリコン、化学製品が、身体のリアルを求めるのだ。菅が自分と人形のツーショット写真を撮るとき、それは人間存在のリアルを疑うことでもあり、また、物質に身体性を求めることでもある。

これらの点で、菅と諫山は共通点が多く、この二人の組み合わせは正解だといえる。このようにして、若手作家の新しい感覚に触れ、それを応援する意識を抱ける点でも、この「アンダー35」の企画には、今後とも注目していきたい。BankARTというプロジェクトは、新しい美術家、表現者に場を提供してきた歴史があり、その継続に期待したい。

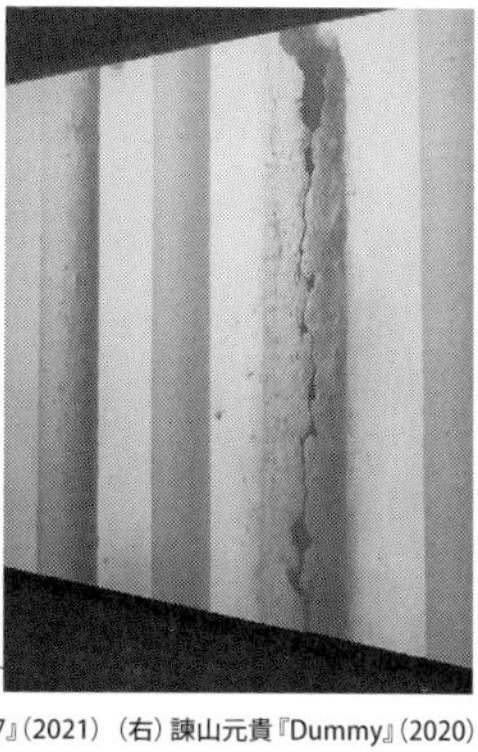

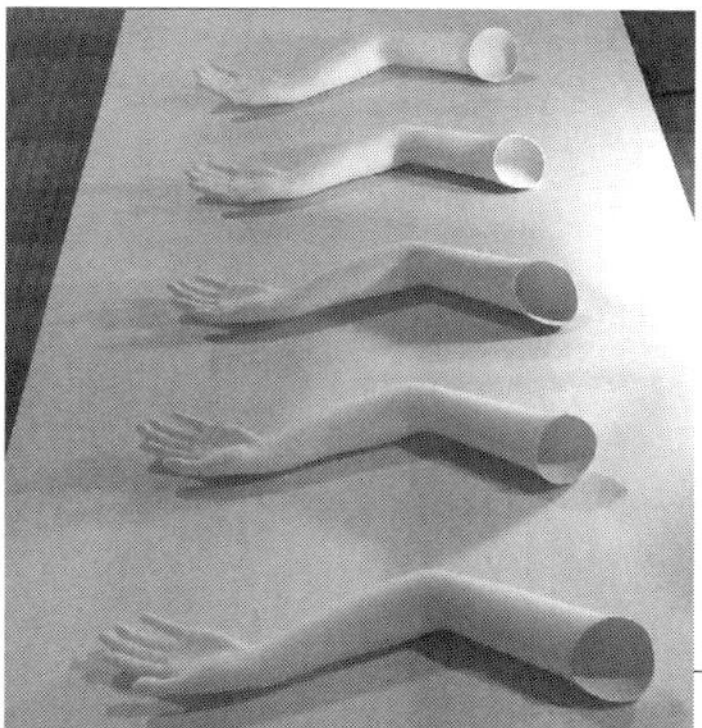

★(左)諫山元貴『Order#7』(2021) (右)諫山元貴『Dummy』(2020)

表紙＝写真：珠かな子、モデル：七菜乃
All pages designed by ST

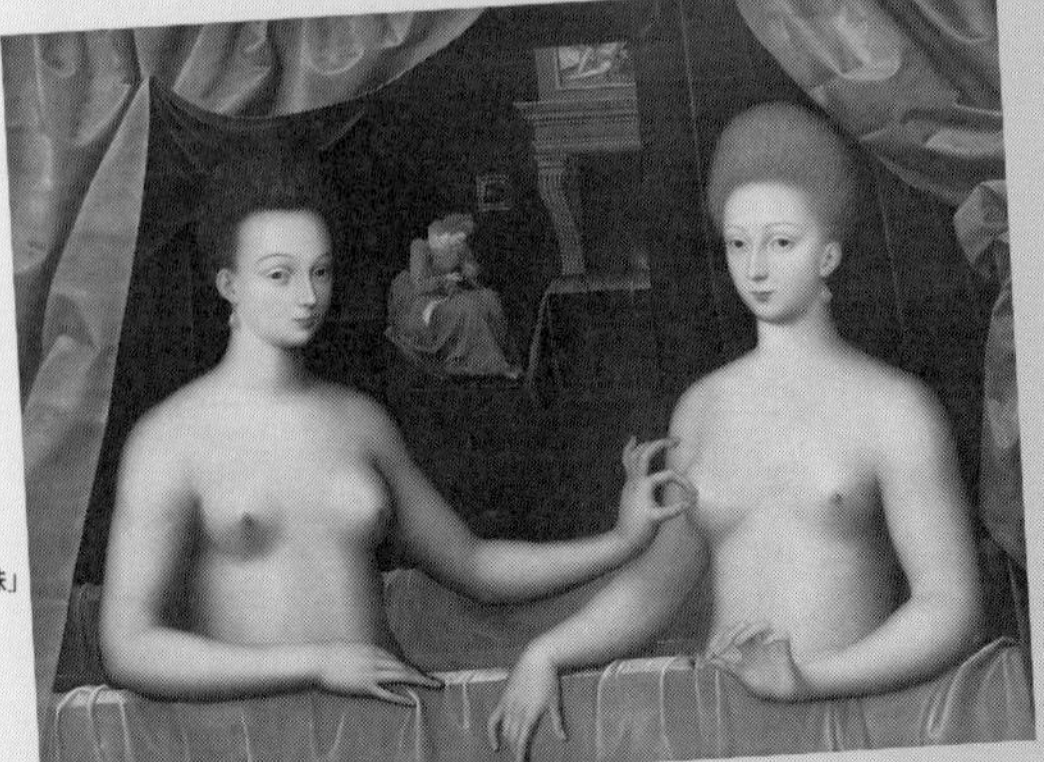

★フォンテーヌブロー派「ガブリエル・デストレとその妹」

CONTENTS

ハダカは生きてる証なのよ宣言

――「喜劇　女生きてます」「泳ぐひと」「プレタポルテ」に見るハダカの悲喜劇

◎文＝浦野玲子（ライター）

女たちのプリミティブヌード

昭和46年の映画にストリッパーの女性たちが主人公の『喜劇　女生きてます』（森崎東監督）というのがある。現在の新宿ゴールデン街へ続く四季の路あたりが舞台。ここにはかつて都電が走っていた。その軌道沿いにある「新宿芸能社」というお座敷ストリップ専門のプロダクション。そこに出入りする女性たちがさまざまなドラマを繰り広げる。

お座敷ストリップとは聞きなれない言葉だが、いまふうに言えばストリッパーに特化した人材派遣業、もしくはデリヘルのようなシステムか。建前としては、踊り子さんを旅館や個人宅に派遣してストリップを披露するというものらしい。劇場に行かず、好きな場所でストリップを鑑賞できるのが受けたのか。

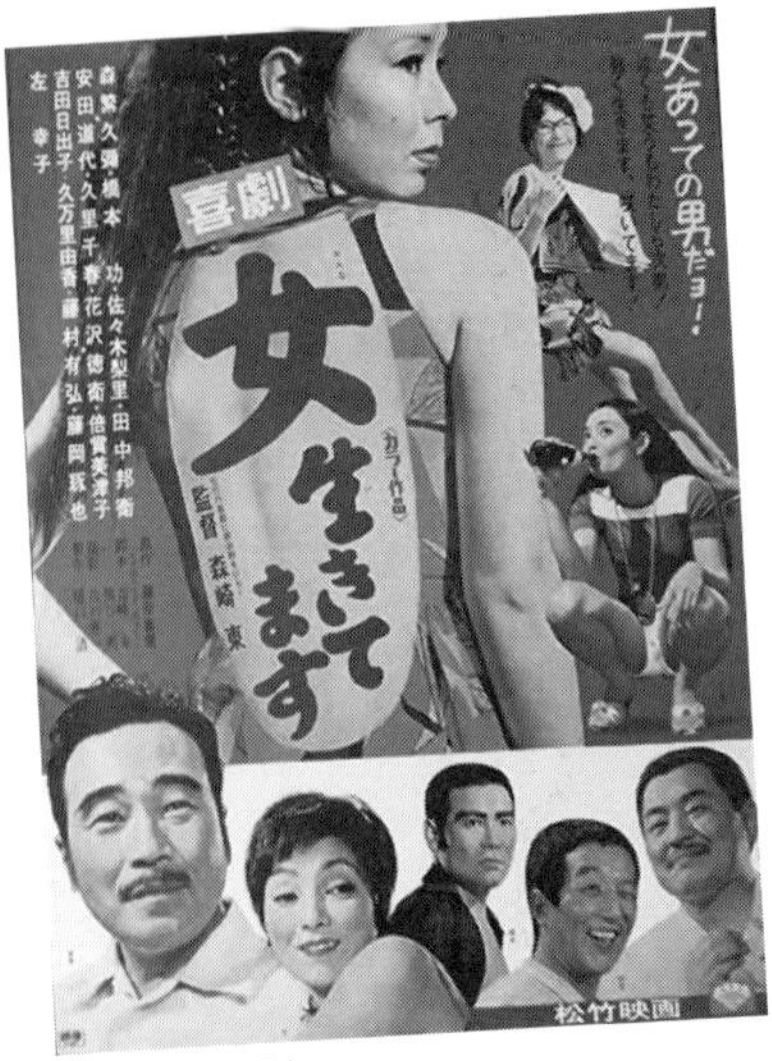

★『喜劇　女生きてます』

本作では、やくざ男に食い物にされる女の純情をメインに描かれるが、脇役として出てくるインテリ女性ストリッパー、幾代の言動が面白い。吉田日出子という自由劇場の女優が演じている。幾代がストリッパーになった理由は、ハダカで稼げるから。ムダに洋服代をかけずに済み、お金が貯まるからというものだ。

昭和40年代までは、水商売の女性には藤圭子の「〜15、16、17とあたしの人生暗かった…」的な恨み節がつきものだったが、高度経済成長に合わせて職業選択の自由と、合理的な思考をする女性も増えていたのかもしれない。

昨今のストリッパーはショービズ化が進み、衣装代もばかにならないらしいが、昔の男は、女がハダカになるだけで「鼻血ブーッ！」（昔の流行語）と興奮していたのだから他愛ないものだ。

ヌードというとエロティックなイメージになるのは、日本では明治時代以来というのが定説だ。それまでは武士階級などを除いて、老若男女問わず裸でいることはそんなに恥ずかしいことではなかった。

昭和の温泉町育ちの筆者も男女混浴の銭湯に入っていたし、子育て中の母親は人前でも平気で胸をさらけだし、赤ん坊に乳首を吸わせていた。文明開化によって、日本人は裸＝恥という概念を植え付けられたのかもしれない。

だが、日本では天照大神の天岩戸伝説がある。天鈿女命《あめのうずめのみこと》がおっぱいや陰部もあらわに裸踊りのどんちゃん騒ぎをやって天照大神の興味を引き、そのすきに天岩戸をこじあけて地上に光を取り戻し、停滞していた生産活動が再開できたというではないか。

この神話や『喜劇　女生きてます』、日活ロマンポルノの名作『一条さゆり　濡れた欲情』（神代辰巳監督）など、ストリッパーが主役の映画で描かれた女性像を見るにつけ、女性の裸には生や性を謳歌する根源的なパワーがあるのではないかと思う。

１９２０年代のパリで一世を風靡したジョセフィン・ベイカーも、女性の裸体の美しさを通して、生きる喜びを人々に届けた一人ではないだろうか。

彼女は唄って踊れる大スターとして「琥珀の女王」、「黒いヴィーナス」と称された。なによりバナナの腰飾りを巻いただけのほぼ裸体でリズミカルかつ煽情的なアフリカン風ダンス＝ダンス・ソヴァージュ（野生のダンス）を踊り、セックスシンボルとしても「狂乱の１９２０年代」を鮮やかに彩った。

それは、第一次世界大戦の近代兵器を使用した大量破壊、非人間的な大量殺戮を経験したヨーロッパの白人文化が行き詰まり、アフリカの黒人文化に対する憧憬が育まれたせいかもしれない。

美術界でもピカソがアフリカの仮面に惹かれたように、アフリカの絵画や彫刻がプリミティブ＝根源的な美として評価されるようになった。ジョセフィン・ベイカーのヌードは、アフリカン・プリミティブの極致であり、「ニグロの彫刻」と称賛されたという。

彼女のアクロバティックでセンセーショナルなダンスは、第一次世界大戦のＰＴＳＤ的な精神状態にあったヨーロッパの人々にとって、天鈿女命の踊り同様、暗い世界に光をもたらし、生きる力を与えてくれる象徴だったのかもしれない。

★「没後50年 小杉放菴―〈東洋〉への愛」展チラシ（出光美術館、2015年）。天鈿女命をモチーフにした小杉放菴「天のうづめの命」（1951）が図版として使用されている。同作品は出光美術館所蔵。

哀愁と困惑のメンズヌード

ひと昔前まではヌードというと女性のヌード、裸婦と同義語だったような気がするが、昨今は、男性ヌードを鑑賞する女性も多い。

かつては宴席などで無礼講と称して、男性が裸で騒ぎまくることが多かったようだ。これは、同調圧力や忖度文化の強い日本では、いろいろ鬱憤や鬱屈の種が多く、それを解消するために機能していたのかもしれない。

戦前の青年たちは、学校の寮生活などで「よかちん踊り」と称して、全裸でどんちゃん騒ぎ

★ジョセフィン・ベイカー（写真：Walery、1927）

をやっていたようだ。いまも、美大などにはその〝伝統〟が根強く残っているらしい。

大島渚監督の『絞死刑』でも、刑務所の看守たちがよかちん踊りをやっているシーンがあった。戦前、アトリエ村として有名だった「池袋モンパルナス」の写真にも、よかちん踊りらしきものに興じている画家たちの姿があった。唖然!

その名残りが、お笑い芸人たちの裸芸ではないか。パンツ一丁だったり、お盆で局部を隠してみたり、「安心してください、はいてますよ」といったり、芸ともいえない一発芸が頻発した。

十年ほど前には、都心の公園で素っ裸になって酔いつぶれ、公然わいせつ容疑で御用となった男性アイドルがいた。その後、メンタルケアを受けたのか、人間の矛盾や弱みを糧にしたのか、近年は心境著しく、大河ドラマに出演。徳川幕府最後の将軍の鬼気迫る演技が評価されたりしている。

1990年代のイギリスでは『フル・モンティ』(ピーター・カッタネオ監督)という映画が大ヒットした。あらすじは、不況のあおりを受け、鉄工所を解雇された男たちの一種のサクセスストーリー。彼らは当初、職安に通うも新しい仕事はみつからず甲斐性なしのダメ男になり果てている。いっぽう、彼らの妻や若い女たちはマッチョでイケメンの男性ストリップショーにうつつをぬかしている。

★『フル・モンティ』

男性ストリップはけっこう金になるらしいと、ダメ男たちも一念発起(勃起?)。自分たちもストリップショーで金を稼ごうとする。デブやヤセや老人やらポンコツ揃いの男たち、悪戦苦闘の挙句、フル・モンティ=すっぽんぽんになって最後はやんやの喝采を浴びるというハートフル・コメディ。これは、日本でもよく言う「裸一貫になって出直す」と同じような発想だろうか。

1968年のアメリカ映画『泳ぐひと』(フランク・ペリー監督)は、名優バート・ランカスターがほぼ海水パンツ一丁で出ずっぱり。観終わると人生の悲哀、絶望感さえ感じてしまう作品だ。

あらすじは、アメリカのとある高級住宅街の日曜日の昼下がり、ネッドという中年男が隣近所の家のプールを泳ぎわたりながらわが家へ帰ろうとするというものだ。

これは、隣近所がほぼプール付きの豪邸だからこそできることだが、繁栄を極めたアメリカもそのころから陰りがみえていたのだろう。各邸のプールを泳ぐごとに、かつての友人たちに冷たくあしらわれ、若さや情熱の衰えを感じていく。周りの風景もいつのまにか真昼(真夏)から夕暮れ(初秋)のように移ろっている。

海パン一丁のネッドも筋骨隆々の肉体から、いつしか唇は寒さで青ざめ、初老の男のたるんだ体になっている。そして、ようやくわが家にたどりついたものの、そこは施錠されていて、入ることができない。

そこでネッドは、人生の負け犬だったことに突然、気づき、体を震わせる。観ているほうも、アッと息をのむ。この感覚、ホラー映画や悪夢

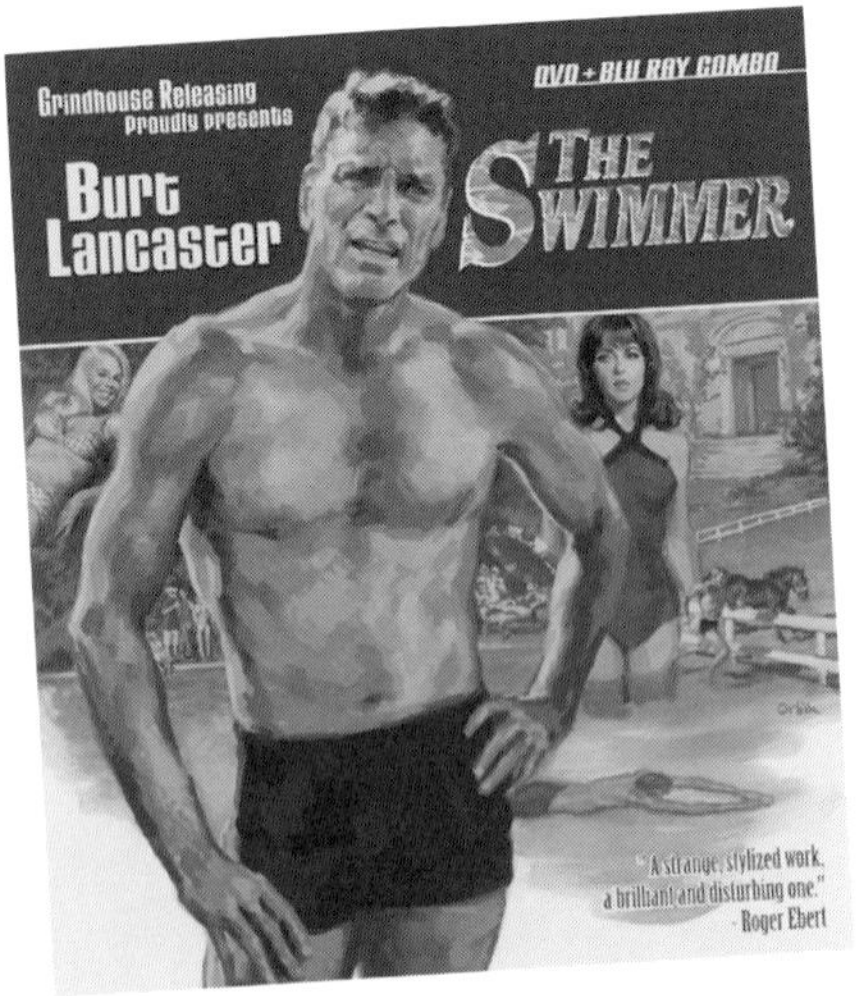

★『泳ぐひと』

に近い。

　それぞれのプールは、これまでネッドがたどってきた人生の一時期を象徴するものだろう。裸一貫でやり直すには、もう手遅れかもしれない。もはや彼はこの社会からシャットアウトされているのだ。

　話は変わるが、ちょっと情けない男たちのヌードは別として、この世で最も「むごい裸体」を挙げるとすれば、アウシュビッツを代名詞とするナチスの絶滅収容所で身ぐるみはがれた囚人たちの身体ではないだろうか？

　アンジェイ・ムンクの『パサジェルカ』、アラン・レネの『夜と霧』、スピルバーグの『シンドラーのリスト』をはじめ、ナチスの強制収容所を取り上げたドキュメンタリーなどさまざまな作品中に、見せしめのため素っ裸で一日中立たされたり、リンチされたりする女囚の姿が出てくることがあり、思わず目をそむけたくなる。

　なかでも、『サウルの息子』（ネメシュ・ラースロー監督）というハンガリー映画での裸体の描かれ方はつらい。絶滅収容所を家畜のように追いたてられ、逃げ惑う老若男女の裸体の群れ。そこには「人間の尊厳」が微塵も感じられない。

　主人公のサウルは、ガス室で〝処理〟されたユダヤ人同胞の死体処理を行う「ゾンダーコマンド」という仕事をやらされている。彼の視線はいつも下に向けられている。

　アウシュビッツでのサウルはつねに五里霧中。ゾンダーコマンドというあまりにも過酷で非人間的な行為に耐えきれず思考回路を遮断しているようだ。そのせいか、彼の周囲で起こっていることはすべて夢の中のよう。何百、何千という裸体の群れもぼんやりとしか映らないのだ。

　そのことが、全裸の囚人たちの映像よりさらに残酷に感じられた。裸であろうが死んでいようが、何の感情も湧かないほどに人間の存在が否定されきっているのかと。それは、サウル自身の生命の希薄さをも意味しているのかもしれない。

　『サウルの息子』を見てしまうと、『愛の嵐』（リリアナ・カバーニ監督）でのシャーロット・ランプリングのサスペンダー・ヌードの退廃美とか倒錯のエロスとか軽々に語ってはいけないような気がしてくる。

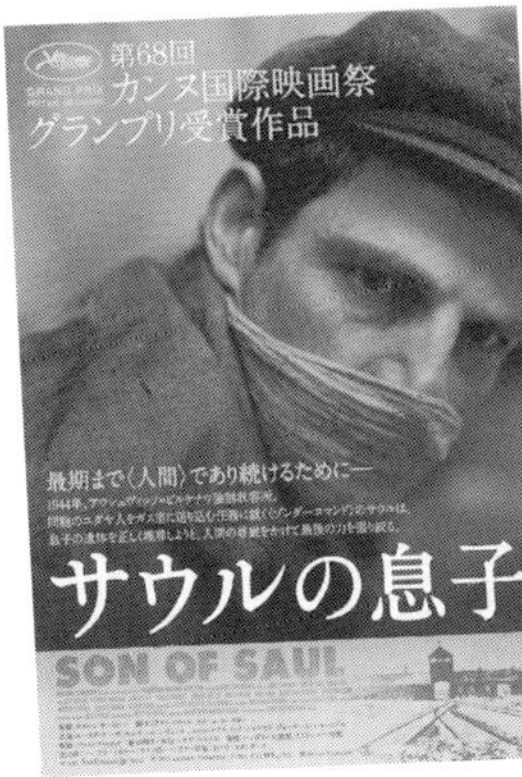
第68回
カンヌ国際映画祭
グランプリ受賞作品
最期まで〈人間〉であり続けるために—
サウルの息子
SON OF SAUL
★『サウルの息子』

ファッションとしてのヌード

　地球上には、いまも衣服を身につけずほぼ裸で暮らしている人々＝裸族がいるという。だが、今世紀に入り、アマゾンの先住民ヤノマミ族やアフリカの少数部族などを除いて、裸族は激減しているようだ。

　新型コロナ・パンデミックは彼ら先住民にも影響を及ぼし、ブラジル政府や国際機関の働きかけで、コロナウイルスが彼らのテリトリーに持ち込まれないように細心の注意が払われているという。

　数年前、NHKのドキュメンタリー番組でヤノマミ族の人々の暮らしぶりが伝えられた。その

DVD
森で産まれ、森を食べ、森に食べられる。
彼らは、ただそれだけの存在として、
森の中に在った。
ヤノマミ、それは、「人間」という意味だ。
YANOMAMI
ヤノマミ
～奥アマゾン・原初の森に生きる～
DVD
★NHK-DVD『ヤノマミ～奥アマゾン 原初の森に生きる～（劇場版）』

ときの彼らは、性器を覆う腰紐や前垂れ、腕輪などを除いて、老若男女、ほぼ裸身だったと思う。

　それが最近では、Tシャツに短パン的な衣服を身につけている姿が多くなってきた。さらに、マスクが配られたり、コロナワクチンの接種も行われたりしているという。

　裸体にマスクというのも奇妙に感じられるが、数多くの先住民が西欧人の持ち込んだ病気によって絶滅した歴史がある。そんな悲劇を防ぎ、種の多様性を維持するためなのだろう。

　未開の文明＝裸族の開放的な生活に現代人はちょっと憧憬を感じたりする。だが、世界はどんどん変わっている。裸族なんていう概念さえ時代遅れなのかもしれない。

　旧ユーゴスラビアの映画監督、ドゥシャン・マカヴェイエフが30年以上前に撮った『コカコーラ・キッド』のワンシーンでも、そんなことがうかがい知れた。

　オーストラリアが舞台のこの映画には、ディジュリドゥを吹くアボリジニの老人が登場する。その音色に聞きほれた主人公の男(コカ・コーラの辣腕営業マン)が、そのアボリジニ氏に話しかけると、氏はサッと名刺を取り出し、「わたしの音楽を使うなら事務所を通してくれ」なんてビジネスライクに返答するのだ。

　コテカというペニスサックの装着で有名パプアニューギニアの人々も、最近はスマホで仲間とやり取りしている。いまだにスマホの機能を使いこなせない筆者より、うんと進んでいる。ペニスサックや戦闘用の槍などすべて観光用のものらしい。もはや野生のプリミティブな心性なんて幻想にすぎないのかもしれない。

　それはともかく、裸族といわれるような人々は、裸体そのものが衣服に該当するのだという。彼らは、「太陽と空気を着ている」(なんて素敵な表現!)という意識を持っているのだという。

　いわく「熱帯のぎらぎらした太陽光線に映えて、黒光りする裸身を見ていると、首、手足、腰などにわずかな装身具をつけているだけで十分美しく、…中略…それだけで完成された姿であり、その上にまた布を着せたりするのは無用のように思われてくるのである」(和田正平著『裸体人類学』より)。ジョセフィン・ベイカーの褐色の裸体美も納得である。

　さて、ヌードを隠し球にして現代のファッション界をシニカルに描いた『プレタポルテ』という映画がある。群像劇で有名なロバート・アルトマン監督の作品だ。

　イタリア映画の『昨日、今日、明日』、『ひまわり』(ともにヴィットリオ・デ・シーカ監督)で共演したマルチェロ・マストロヤンニとソフィア・ローレンをキャスティング。

　『昨日・今日・明日』の有名なストリップティーズごっこのシーンを初老になった二人に再現させたり、二人の関係が『ひまわり』の逆バージョンのような設定だったりと、映画的トリビアが満載。

　マストロヤンニ演じる男は、第二次大戦後、旧ソ連に亡命したという設定だが、その名をオブローモフという。オブローモフといえば、19世紀のロシア人作家ゴンチャロフ『オブローモフ』で描かれた無為、無気力人間の象徴。ニキータ・ミハルコフ『オブローモフの生涯より』という映画も作られた。理想に燃えて旧ソ連に亡命した男も、もはやオブローモフ的な小市民になってしまったということか(ま、思いつきでテキトーにつけた

★『昨日、今日、明日』

んだろうけれど）。

そんなギミックもさりながら、パリのファッション・ウィーク中に撮影されたという本作にはジャン・ポール・ゴルチエやソニア・リキエル、三宅一生をはじめ本物のデザイナー、ナオミ・キャンベルやクラウディア・シファーなど往年のスーパーモデルも大量に登場。実際のファッション・ショーもふんだんに出てくる。

なかでも、ラストシーンは有名だ。アヌーク・エーメ演じる人気デザイナーが、経営困難に陥ったり、お気に入りのモデルが妊娠したりとトラブル続き。窮余の策として「ヌード」というモードを新作として出品することになる。

おそろしくスタイルのいいトップモデルたちが一糸まとわずランウェイを闊歩する。アヌーク・エーメも寸止めヌードで登場。そして、ひとこと「ヌードこそファッションの到達点、至高の美である」云々と宣言して、辛口ファッション評論家や観客、メディアの喝采を浴びるのだ。

なんてアヴァンギャルド！　と思うかもしれないが、皮肉な見方をすれば、アイデアに行き詰ったデザイナーが苦し紛れに思いついた奇策にすぎないのではないか。

生き馬の目を抜くようなファッション業界で、多くのデザイナーたちはシーズンごとに目新しく、購買意欲をそそるモードを発表しなければならないというプレッシャーと戦いながら創作活動を続けているのだろう。

だが一面では、消費者は「最新モード、最新ファッション」などという宣伝文句にあおられて、必要ではないものを次から次へと買わされているのではないか？

サステナブルとかSDGsなどが喧伝される今こそ、このアルトマン流のシニカルな視点に注目すべきではないか……。なんて、某ファストファッション愛用者のわたしがエラソーに言うことではないが。

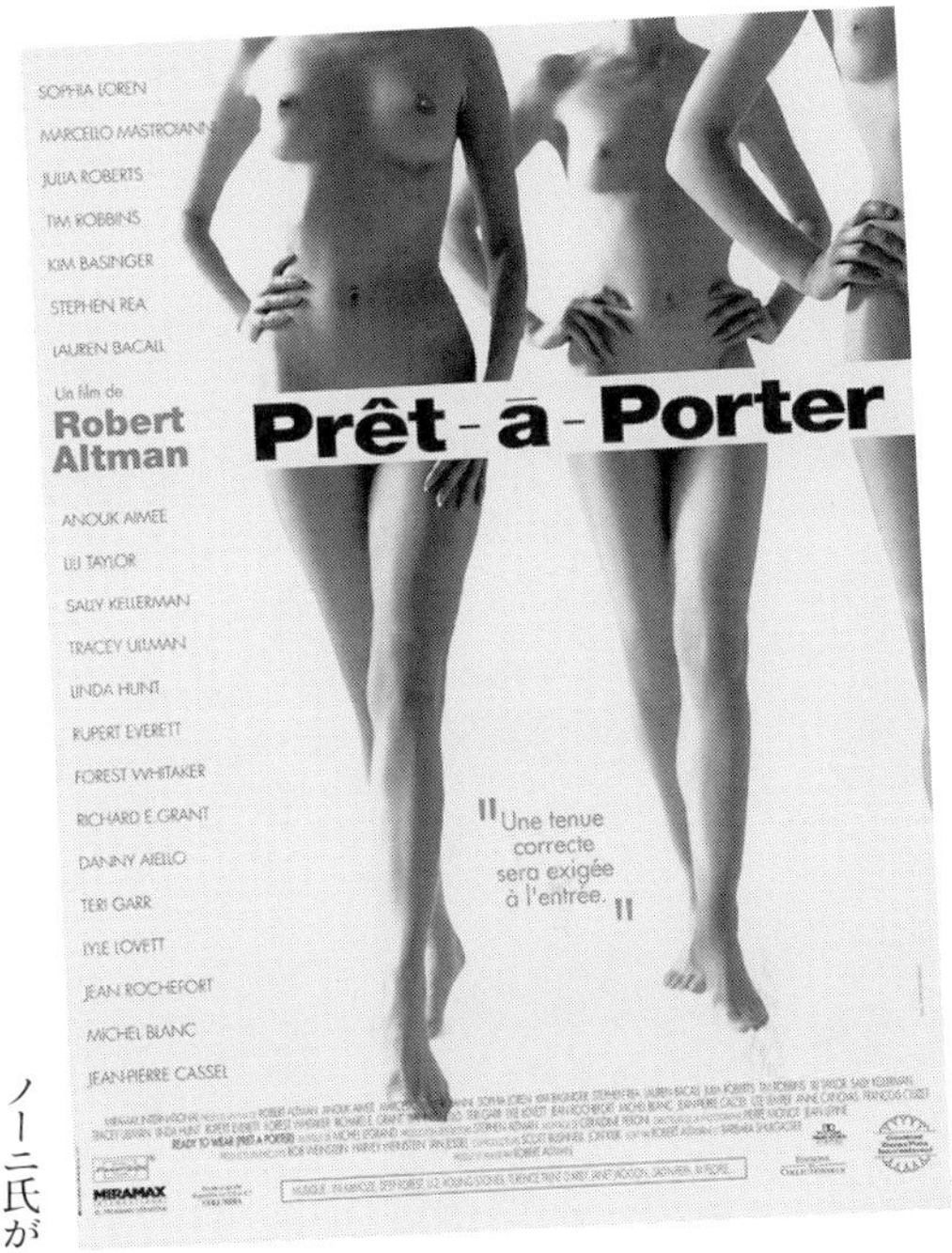

★『プレタポルテ』

さて、映画『プレタポルテ』のラストは、実際の出来事がヒントになっているのでは…？と思わせる一文があった。映画は１９９４年12月公開だが、同年の1月、「ローマで開かれた高級衣料品メーカーのオープニングで、ラニエロ・ガティノーニ氏は、ファッション・ショーなのに一糸まとわぬモデルを登場させて、観客を驚かせたという」（『裸体人類学』より孫引き）。

映画が先か、ラニエロ・ガティノーニ氏が先か。アルトマンの伝記などを読んでも、そのへんの事情は出てこない。だが、群像劇ゆえの難しさで映画の収拾がつかなくなったアルトマンも、新作モード創造に行き詰ったデザイナー同様、禁じ手ともいうべきヌードをモチーフにして、映画をやっとこさ大団円に導いたのかもしれない。

そもそも『プレタポルテ』は、女優や映画関係の女性たちへのセクハラが一大スキャンダルとなったハーヴェイ・ワインスタインがプロデューサー（当時は悪事がばれていなかった）。パリ・コレもハリウッドも、世界はハダカで回ってる!?

人はなぜ、裸という無垢を捨てたか
——聖書において〝裸〟が意味するもの

●文=べんいせい（音楽家）

二人は裸で生を受けた

聖書において人類はアダムとエヴァから始まる。創世記二章七節から八節の中にこうある。

「主なる神は土のちりで人を造り、命の息をその鼻に吹きいれられた。そこで人は生きた者となった」（創二章七節）

「主なる神は東のかた、エデンに一つの園を設けて、その造った人をそこに置かれた」（創二章八節）

ここで面白いのは、一章では「光あれ」と唱えることで天地創造を成し遂げているにも関わらず、ここでは神自身が自らの手で土塊を捏ねて人間を造り出していることだ。

この話は神（ヤハウェ）が大地の塵から最初の人間をつくり、エデンの東にあるパラダイス（楽園）に住まわせたところから始まる。ヘブライ語で「大地」はアダマと言い、アダムとは「人間」を指す。文字通りアダム「人間」はアダマ「大地」から造られたというわけだが、アダムはそのまま最初の人間の名前になる。「塵」というのは乾けば土埃に、水分を含めば粘土になる粒子の細かい土のことで、「形づくる」とは粘土を土器に成形するのに用いる動詞だから、つまり、神は大地の粘土をもって自らの手で人間を成形したと語られているわけだ。

神は人をエデンの一画、果実を食べるに適したあらゆる木々と、潤いに溢れた豊かな川が流れるパラダイスに置いたが、その中央には「生命の木」と「善悪の知恵の木」が植わっていた。この二本の木は後に、人をパラダイスから追放する要因になる。さらに神は人がひとりでいるのはよくないと考え、アダム同様の方法で野のすべての獣と空のすべての鳥とを造りその名を命名させるが、その動物の中にアダムに相応しい「助け手（パートナー）」は見つからなかった。そこで神はアダムを深く眠らせ肋骨を一本抜き取って女を造り、彼の元に連れてくるとアダムは次のように応えている。「これこそ、ついにわたしの骨の骨、わたしの肉の肉。彼女は妻と呼ばれる、夫から取られたのだか

★ピーテル・パウル・ルーベンス＆ヤン・ブリューゲル（父）
《堕落した人間のいるエデンの園》（1615頃）

ら」（創二章二十三節）。

そして、「それで人はその父と母を離れて、妻と結び合い、一体となるのである」（創二章二十四節）。「人とその妻とは、ふたりとも裸であったが、恥ずかしいとは思わなかった」（創二章二十五節）

つまり、人類はその生誕の際、裸であることを恥ずかしいとは思わなかったということである。

へびの誘惑

続く三章は、神が創造したばかりの人間が初めて「他者と自分は違う存在だ」ということを知る場面から始まる。ここに登場する「へび」は、「さて主なる神が造られた野の生き物のうちで、へびが最も狡猾であった」（創三章一節）、と前置きされていることからも人間より賢い存在なのだということが推察される。

しかも、へびは生まれたばかりの女が初めて出会った他者でもあった。「他者」というのは、自分が思いもしない行動を取り得る存在であり、自分の知らないことを知っていたり、自分の知っていることを知らなかったりする存在のことである。「男」と「女」も物理的には他者ではあるが、彼らは「他者」という概念を持ち合わせていない。「ふたりとも裸であったが、恥ずかしいとは思わなかった」（創二章

★ウォルター・クレイン
《エヴァの身体に巻き付き、
その耳元で囁く蛇》（1899）

二十五節）と書かれているからである。これは男女の関係のような親密というよりは、親と子のような一心同体の関係性を現わしていると言えなくもない。

　へびは「パラダイスにあるどの木からも取って食べてはいけないと、ほんとうに神が言われたのですか」（創三章一節）と女に疑問を投げかける。このへびの一言は巧妙な作りになっていて神の言葉、「あなたはパラダイスのどの木からでも心のままに取って食べてよろしい」（創二章十六節）という許可の言葉に、否定語を被せる形で「食べてはいけない」という言い回しに変えており、つまり、神と同じ言葉を否定文にして女に話しかけているのである。

　それに対し女の方はへびの言葉に訂正を加え、「わたしたちはパラダイスの木の果実を食べることは許されていますが、ただパラダイスの中央にある木の果実については、これを取って食べてはならない」（創三章二節三節）という神の言葉を伝え、さらに神が言っていない「触れてもいけない」（創三章三節）という言葉をつけ加えた上でへびの誘惑を一旦は退けている。

　その言葉を受けて、へびは「あなたがたは決して死ぬことはないでしょう」（創三章四節）と語りかける。この言葉も先と同じく、「食べると必ず死んでしまう」（創二章十七節）という神の言葉に否定形を被せた言い回しによってその意味を逆転させたのである。

羞恥の芽生え

　その上でへびは、その果実を食べることによって目は開かれ、まるで神のように善悪を知るものとなることを知っているから神はその果実を食べることを禁じているのだ、と禁止理由を伝える。「食べると必ず死んでしまう」（創二十章七節、出エジ十二章十二節、十九章十二節）という言葉は律法でよく使われる死刑を意味する法律用語で、かなり厳しめの言葉と解釈して差し支えない。

女はその言葉を聞いてその果実に目を向けると、それはとても美味しそうに見えた。そして、自分が賢くなれるのに相応しい食べ物だと判断し、その果実を食べてしまう。さらに、一緒にいたアダムにも与えるとアダムもそれを食べてしまったのである。

果たしてへびの言った通り二人の目は開かれたが、その結果、自分たちが裸であることに気づいてしまい、無花果の葉を綴り合わせて腰に巻いたところで、話の時間は一旦帷を降ろす。

隠すこと、偽ること

その日の風が吹くころ、つまり夕方の涼しくなったころのこと、神がパラダイスの中を歩く音が聞こえた。アダムと女は神の顔を避け、パラダイスの木の間に身を隠した。神は「あなたはどこにいるのか」（創三章九節）とアダムを呼ぶ。アダムが「わたしは裸だったので、恐れて身を隠したのです」（創三章十節）と答えたが、神はアダムが自分は裸だと自覚したのは、善悪の知恵の果実を食べたからだと感づいてしまう。そしてそのことをアダムに問い詰めると、アダムは神に対し「わたしと一緒にしてくださったあの女が、木から取ってくれたので、わたしは食べたのです」（創三章十二節）と答えた。

この言い方はかなり酷くて原文では、アダムが「女」という言葉を二回繰り返すことで「あの女」と「女」を強調して女を非難している。さらにその女を「助け手」として用意した神も悪いと言い、女と神に果実を食べた責任転嫁した挙句、神は取って食べるなと命じましたけど木から果実を取ったのは女で、自分は渡されたから食べただけなので半分しか悪くないと屁理屈を捏ねる始末、まったくもってどうしようもない男である。

次に神は女に向かってなぜそのようなことをしたのか問う。すると、女は「へびがだましたから食べました」（創三章十三節）と答えた。これも、神が作ったへびに責任転化している言葉だが、アダムの言い分よりはややましかもしれない。

神はそれぞれに判決をくだす。はじめにへびに向かって、お前は地上の生き物の中でもっとも呪われる、と宣言する。この呪いという言葉はヘブライ語でアールームというのだが「賢い」を表すアールールに引っ掛けられている。つまり、「最も賢い動物だったへびが、野の獣の中で最も呪われた動物になる」（創三章十四節）という意味が込められている。へびと女の間には敵対関係が生じ、へびは野良仕事をしている女の足を噛み、女はへびを見つけると退治する関係になったのである。

★フランツ・フォン・シュトゥック《楽園追放》（1897）

次いで女に「わたしはあなたの産みの苦しみを大いに増す。あなたは苦しんで子を産む。それでもなお、あなたは夫を慕い、彼はあなたを治めるであろう」（創三章十六節）と告げる。最後にアダムに向かって、「大地はあなたのゆえに呪われる」（創三章十七節）、「あなたは顔に汗してパンを食べ、ついに土に帰る、あなたは土から取られたのだから。あなたは塵だから、塵に帰る」（創三章十九節）と伝えた。

こうしてアダムと女はパラダイスから追放されるがその折、女はアダムからエヴァという名で呼ばれる。その名はヘブライ語でハッワーと発音し、この妻の名を「生きるもの」を意味するハイヤーに重ねる向きもある。そして「神は人とその妻とのために皮の衣を造って、彼らに着せられた」（創三章二十一節）。二人を追放すると神はエデンの東の入り口に「ケルビム」という聖獣と「回る炎の剣」を置いた、二人がパラダイスに戻り「生命の木」の果実を取って食べ、造物主たる神と対等な関係になることがないようにその道を守らせたのである。

裸と他者

　善悪の知恵という言葉が出てきた。その善悪の知恵とはなんのことだろうか。単純に思い浮かぶのは、物事の善し悪しがわかるようになる、という意味であろう。しかし、果実を食べる前の六節でエヴァが果実を見て「おいしそうだ」と判断をくだした場面において、この「おいしそうだ」という語、原文では「善」を指す単語と同じ単語が使われている。つまり、エヴァは果実を食べる前からすでに、善し悪しがわかる存在だったということになる。

　善悪の知恵とは何か、そのヒントは、果実を食べた人間が、自分が「裸である」ということに気づいたという事実である。「裸である」ことに気づいたというのは、自分が無防備であることに気づいた、という意味に他ならない。裸という単語、「街が裸になる」（創四十二章十二節）という使われ方をすると、無防備な街という意味になる。無防備なことに気づいたということは、自分の周りにいる人間が、自分に危害を加えるかもしれないことに気づいたということになる。言い方を変えれば、周りの人間が自立した意識を持つ自分と同じ存在だ、ということに気づいたということなのである。それはアダムとエヴァの関係性が変わると同時に、神と人間の関係性も変質したことを意味する。つまり自分の創造主たる神と自分は違う存在である、ということを理解したのである。すると神を恐ろしい存在に感じるようになり、顔を見るのを避けて隠れるようになる。「神の顔を見たら死んでしまう」（創三十二章三十一節、出エジ三十三章二十節、列上十九章十三節、イザヤ六章四節）というのは、旧約聖書時代の常識だからである。

　自分と他人との間に境界を作り出すことは、このように互いの関係を破壊する行為に他ならない。「他人の痛みを自分も感じる」という関係ではないため、傷つけることに躊躇がなくなるからである。これに続くカインとアベルの話（創四章一節～二十六節）は、それが最悪の形で発展した殺人であり、人類が初めて経験する「死」の物語であった。

　境界線を引き、他人と自分に距離を置いて生きることは人間の本質とも言える。聖書ではしばしば「隣人を（自分のように）愛せ」（マタイ二十二章三十九節）と隣人愛の教えを説いて、境界線を薄くする大切さを説いているが、アダムとエヴァのような境界線がない状況に戻れとは言っていない。他人との間に境界線を作ることは、自分を確立させるからである。神が「人が一人でいるのはよくない」（創二章十八節）と考えエヴァを作ったのは、そのような状態を回避するために他ならなかった。

　ところがアダムにとってエヴァは、互いに意見をぶつけることのない自分の延長線上の存在に過ぎなかった。つまり、アダムにとってエヴァは他者になりきれない存在だったのである。果実を食べる前のアダムとエヴァのように他者との境界線なく生きていくということは、他者への甘え、他者への依存の感情へと繋がる。だから、エヴァが渡した果実をアダムはなにも考えずに食べてしまったし、そんなことをしてはいけないと、エヴァに注意できなかったのである。そういった意味で、アダムはエヴァと二人でいる時でさえ一人だったのかも知れない。

人は何を恐れたのか

　これまで書いてきた楽園追放《パラダイス・ロスト》の話は、他者（へび）による無垢なる魂（裸）が汚された（羞恥心の芽生え）物語であった。

★フランク・ユージーン《アダムとエヴァ》(1910)

★ウォルター・クレイン《アダムとエヴァ》（制作年不詳）

聖書には「罪の体」（ロマ六章六節）という表現がある。これは人類を「体」という言葉で言い表したもので、人間存在全体が罪の支配下に入ってしまっている、という意味として使われる。アダムとエヴァは楽園追放以前、言い換えれば「罪の体」になる以前は裸（無垢の体）であった。まだ人の存在が罪や悪に汚れていなかったからである。しかし、堕落して彼らの人間存在に罪が入ると、彼らは「罪の体」になった。すると、彼らは自分たちが「裸である」ことに気づいた、と記されている。

「（堕落後）ふたりの目は開かれ、それで彼らは自分たちが裸であることを知った」（創三章七節）、この表現には不思議な印象を感じざるを得ない。というのは、そもそも衣服という物も、衣服を着る習慣も、まだ存在していなかったからである。裸とは衣服を着ていないという状態なのだから、衣服の存在を前提にした表現だということになる。ところがアダムとエヴァは、衣服も、衣服の習慣もまだこの世に全く存在しないときに、自分たちが「裸である」という認識を持ったのである。

堕落以前のアダムとエヴァは、「無垢の体」だったので裸であることを恥じる必要はなかった。しかし堕落したことによって「罪の体」になってしまってからは、裸であることに「目が開き」、裸であることを恥じた。というより、全能者の近くにいた彼らは、裸であることを「恐れた」のである。アダムは神にこう言っている。「私は裸だったので、恐れて身を隠したのです」（創三章十節）。彼らは神の前に何も身に纏わない「罪の体」のままでいることに、恐怖を感じ取ったのである。

流された血

神は罪の体となった彼らアダムとエヴァを、もはやエデンのパラダイスに留め置くことはしなかった。それゆえに彼らはパラダイスから追放され、神の住む世界を人間の住む物質世界から切り離したのである。

そして神は、アダムとエヴァに「皮の衣」を着せた、と聖書には記してある。「主なる神は人とその妻とのために皮の衣を造って、彼らに着せられた」（創三章二一節）。皮の衣は神が自ら用意したものであり、衣の作り方を教えたわけでも、作れと命じたのでもない。しかもわざわざ「皮の衣」と記されているのだから、動物の皮で出来た衣ということだ。つまりそれが彼らに与えられるために、血が流されたということになるのである。

その血は、この世界が始まって以来、最初に流された血だ。

それは、約束を違え、裸であることを恥じ、嘘と偽りに塗れたことによって科されることとなった人間の原罪への戒めでもある。こうして人類は無垢なる裸であることを捨て、「獣の徴たる」衣服を身に纏わねばならなくなったのだ。とても残念なことである。

偏愛のヌーディズム
——裸体運動、ナチ・ヌードから三島由紀夫まで

◉文＝並木誠（美術・舞踊批評）

★19世紀末のドイツの裸体主義者

ジャン＝ジャック・ルソーが「自然に帰れ」と唱えた潮流を受け継ぎ、乱熟したヴァイマル文化から裸体主義文化（FKK）が隆盛を迎える。ドイツでは肉体の賛美と肉体の健康と共に、アドルフ・コッホがヌーディズム研究所を設立する。また体操が取り入られた。そこには、都市文化の頽廃による梅毒や薬物依存症などの不健全さを一掃するという意図もあった。

その後台頭したヒトラーやナチスは、裸体文化を風俗紊乱の廉で規制したが、裸体文化の本質は、「裸体であるが、性的欲望からは自由である」という点にある。心身を解放しアダムとエバに回帰する事が意図されていた。

この時期のドイツ舞踊界は、舞踊記譜法のラバノテーションのルドルフ・ラバンやマリー・ヴィグマンを輩出したが、ラバンは、ナチスへの協力を拒否。ノイエ・タンツの創始者であるマリー・ヴィグマンもナチスに弾圧されダンス学校を閉鎖している。ナチスはダンスの統率のとれた群舞のユニゾンの効果に、全体主義的な観点から関心をもっていたらしい。ダンスや体操、スポーツは、国民・国家といった意識を強化させるのだ。

ヒトラーは「肉体の鍛錬」という言葉を好んだ。こうしたマッチョ的な健康エリートの思想は、人種的な選別化に繋がる。ヒトラーのナチスは、肉体的・人種的な優秀種としてアーリア人種をひとつの理想とし、反ユダヤ主義的なプロパカンダを展開していった。

ヒトラーが若い頃、画家を目指していたのは、有名な話であるが、彼はモダンアートを一切認めず、彼の好みはギリシア・ローマの古典画であった。ヒトラーの御用画家アドルフ・ツィーグラーも典型的なナチ・ヌードの、キッチュで写実的な古典的絵画だ。ツィーグラーの画才は凡庸極まるものであったが、権力や時流におもねる才能に長け、ヒトラーの信任を得て、ナチスの造形芸術院総裁に登りつめる。しかし、ミュンヘン造形美術アカデミーの教授に就任するものの、三流画家の彼のクラスを自主的に受講するものは皆無。そこで無理やり就学金を出し、生徒を募ったほどだった

ナチ・ヌードの典型的な映像描

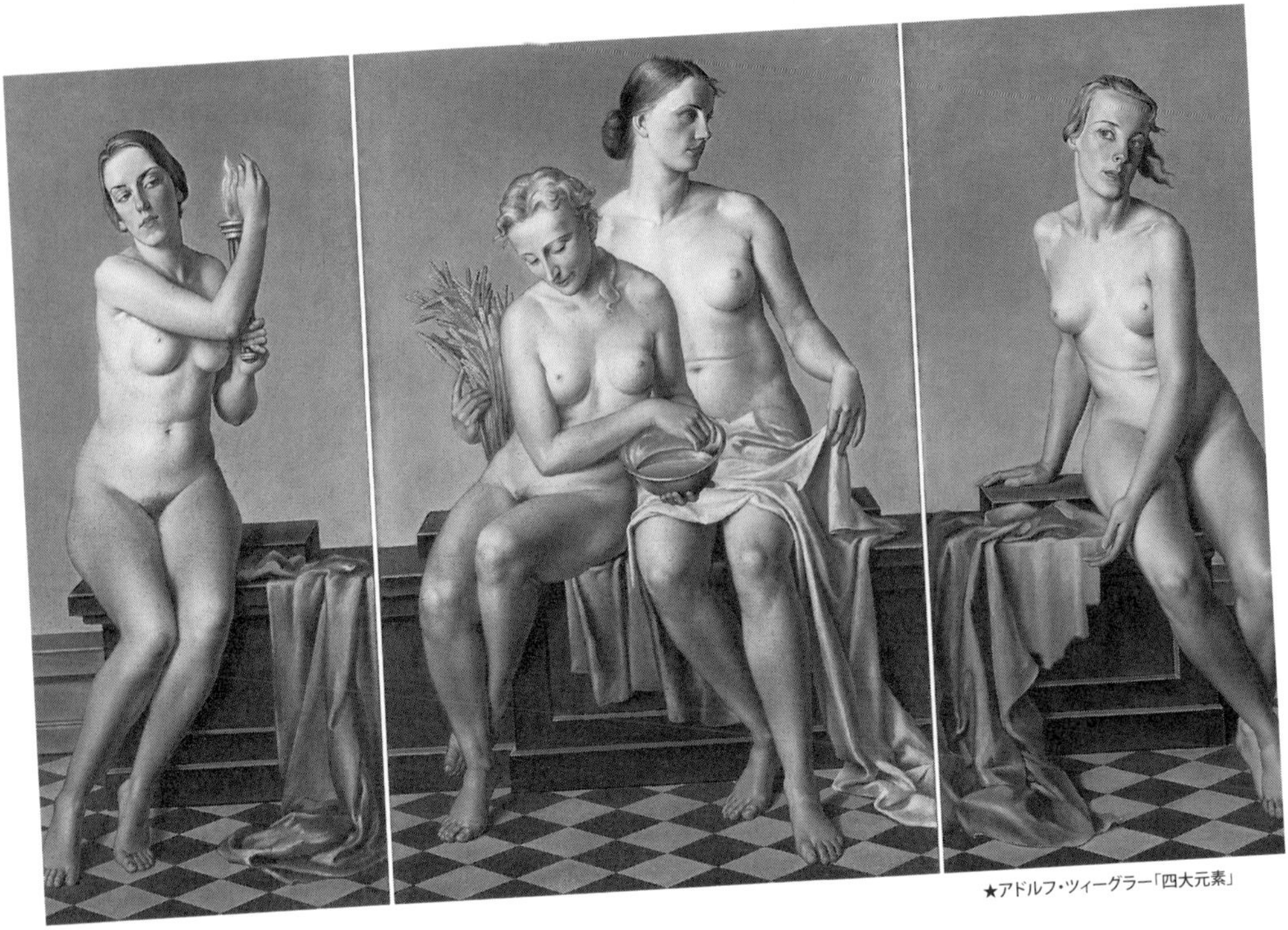

★アドルフ・ツィーグラー「四大元素」

写として知られているのが、レニ・リーフェンシュタールによるベルリン・オリンピックの記録映画「オリンピア」(1938)である。「オリンピア」では、古代ギリシアの彫刻家ミュロンの「円盤投げ像」がオリンピック選手の姿に重なっていく。ここでも、ヒトラーの好んだギリシア・ローマの芸術が、イメージの範とされている。

　細江英公が三島由紀夫を撮った『薔薇刑』(1963)も、ギリシア・ローマ時代のヘレニズムの裸体の彫像への三島由紀夫的な偏愛だ。剣道やボディビルで鍛えた肉体への耽美的、病的なナルシズムの発露は、『憂国』で頂点を迎える。そこでは、夫婦間の最後の性的営みと切腹による自決が、構図的にシンメントリーに描かれ、生の昂揚と死の昂揚が対比される。三島の修辞の最高潮は、生《エロス》と死《タナトス》であり、なによりも死なのである。三島のギリシアの裸体への偏愛は、清澄な『仮面の告白』での「聖セバスチャン」の描写からもうかがえる。「矢は彼の引緊った・香り高い・青春の肉へと喰い入り、彼の肉体を、無上の苦痛と歓喜の焔で、内部から焼こうとしていた。しかし、流血はえがかれず、他のセバスチャン図のような無数の矢もえがかれずに、ただ二本の矢が、その物静かな端麗な影を、あたかも石階に落ちている枝影のように、彼の大理石の肌の上に落としていた」(『仮面の

★2015年にふげん社 ギャラリースペースで開催された細江英公写真展「薔薇刑 一度ミシマを忘れるために」ポスター。ギリシア・ローマ時代への偏愛が見て取れる。

告白』新潮文庫）このような美しい若者の死は、エロティックな欲望を喚起する。一見死とは無縁な者の鍛え上げられた甘美な肉体に死が宿ることの矛盾こそが美しいのだろう。

　また三島は、肉体の言葉と観念について次のように語る。「私が現実および肉体に対するフェティシズムと、言葉に対するフェティシズムを、正確に相照応するものとして同格に置いたとき、すでに私の発見は、事前に予見されていたと云ってよかろう。造形美に充ちた無言の肉体を、造形美を模した美しい言葉と対応させることによって、同一のイデア（観念）の源から出た二つのものとして同格に置いたとき。すでに私はわれしらず言葉の呪縛から身を解き放っていたといえるのだ」（『太陽と鉄』、『太陽と鉄・私の遍歴時代』中公文庫所収）。

　三島の死は、若い肉体への偏愛、老化への嫌悪説なども考えられるが、戦中の軍国主義少年が理想とした死の全うの仕方だったのだろう。それは、ナチスのイデオロギー的なコノテーションとも決して無縁ではない。崇高な肉体と、大義の為の崇高な死という三島由紀夫のナルシズム的、偏愛的な観念性は、イデオロギー的な死でもあり、そのナチス・ヌード的な危険性は、全体主義への陥穽でもある。そして、その警鐘を三島由紀夫の自決に見る事が出来る。それが彼の自演した重大な犯罪であり、最高の死の修辞であるのだ。

★ミュロン「円盤投げ像」の複製

★レニ・リーフェンシュタール監督「オリンピア」より

◉参考文献
飯田道子『ナチスと映画』（中公新書、2008）
伊藤俊治『感情のイコノグラフィー　裸体の森へ』（ちくま文庫、1988）
多木浩二『ヌード写真』（岩波文庫、1992）
長谷川章『世紀末の都市と身体　芸術と空間あるいはユートピアの彼方へ』（ブリュッケ、2000）
前田良三『ナチスの絵画の謎　逆襲するアカデミズムと「大ドイツ美術展」』（みすず書房、2020）

黒田清輝と裸体画論争、それからお菊さんのこと

●文＝馬場紀衣（文筆家）

数年前、東京の原美術館で『快楽の館』なる写真展が開催された。壇蜜をはじめとする33名のモデルたちの柔らかい裸が、真っ白なモダニズム建築を飾る。撮影は、1960年代から今日まで写真界の先頭を走り続けてきた写真家の篠山紀信。今はなき美術館という邸宅を『快楽の館』に見立てたこの写真展は、眩暈のするほど幻惑的で、そして見る者に、もっとも単純化された体を晒すという、二重の感動を与えてくれた。

★篠山紀信展「快楽の館」チラシ

たいていの裸婦（像）は、欲望の眼差しの対象として扱われる。実際、裸体美術は繰りかえし物議をかもしてきたし、裸は官能的なものと結びつきやすい。ケネス・クラークによると「いかなる裸体像も、たとえ抽象的なものであれ、観賞者にほんの幽かな影なりとも抜かりなくエロティックな感情を掻き立てるべきであって、もしそうしなければ、それは悪しき芸術であり誤れる道徳である」そう。

しかし、それは「裸」のほんの一部に過ぎない。人体とは私たち自身であるし、裸の人体は、その体を所有する者のありさまを、ありありと喚起してみせる。複雑で多岐にわたる体の在りかたを認めつつある現代において、今こそ私たちは裸体美術の語りかけることに耳を澄ませる必要があるのかもしれない。

裸体画論争に火をつけた黒田清輝『朝妝』

ひとりの裸婦が鏡の前で朝の身支度を整えている。ぼんやりと、右腕に艶やかな長い髪をからめ、物思いにふけているのか表情はどこか冴えない。『朝妝《ちょうしょう》』は約10年間のフランス留学を終えて帰国した黒田清輝が、1894（明治27）年に明治美術会第6回展で展示した裸体画で、明治の洋画史に激動と発展の二重の効果を及ぼした。日本における「近代洋画の父」と呼ばれた画家によるこの自信作は、展覧会で風俗を乱す「醜画」とされ、翌年の第4回内国勧業博覧会に出品した際にその是非を問われることになった。

ところで『朝妝』は当初、「あさげはい」とか「けはい」と呼ばれていたようで、どうやら黒田は「ラ・トワレット（La Toilette 化粧）」という題名を考えていたらしい。そのわりには、タイトルが作品に反映されているように見えないのは、本作が黒田の裸婦への絵画的興味から描かれたものだということ、そして日本人の裸体画に対する偏見を打破しようとの意図があったからだろう。黒田が『朝妝』に描きこもうとしていたのは、女性の魅惑的な背中でも想像をかきたてる肉欲でもなく、「人の体を似て何

二か一つの考を示す事」であり、この絵は、おびただしい数のデッサンを経て到達した、技術の集大成としての一枚だった。

裸体へ向けられた敵意

この時代、女性たちの姿態を追いかけるほぼすべての画家たち（印象派の画家をべつにして）を取りまく状況はあまり心地よいものとは言えなかった。黒田がフランスで筋肉隆々の裸像をデッサンしていた頃、日本の画学では、ほんの少し人体に触れる程度で、それもそのはず明治政府にとって裸体とは、美術家の修行の対象であるどころか先進国にふさわしからぬ「原始的動物の生活」で「野蛮時代の人間の未開思想」でしかなかった。裸体画は風俗を乱す春画と捉えられかねなかったのだ。当時の日本人はヌードという、人体を客観的に理解し、観察するという態度をまだ身につけていなかったのである。黒田は、無言のうちに敵意を向けられていた近代日本の裸体、裸体画への日本人の後進的な先入観念を打破したかった。だから、明治洋画壇との衝突は起こるべくして起きたものだった。

１８９７（明治30）年に黒田が初の日本人モデルによる大型裸婦画『智・感・情』を白馬会第二回展に出品したとき、（新聞上での論争はあったが）取り締まりは特になかった。しかし続く１９０１（明治34）年の白馬会第6回

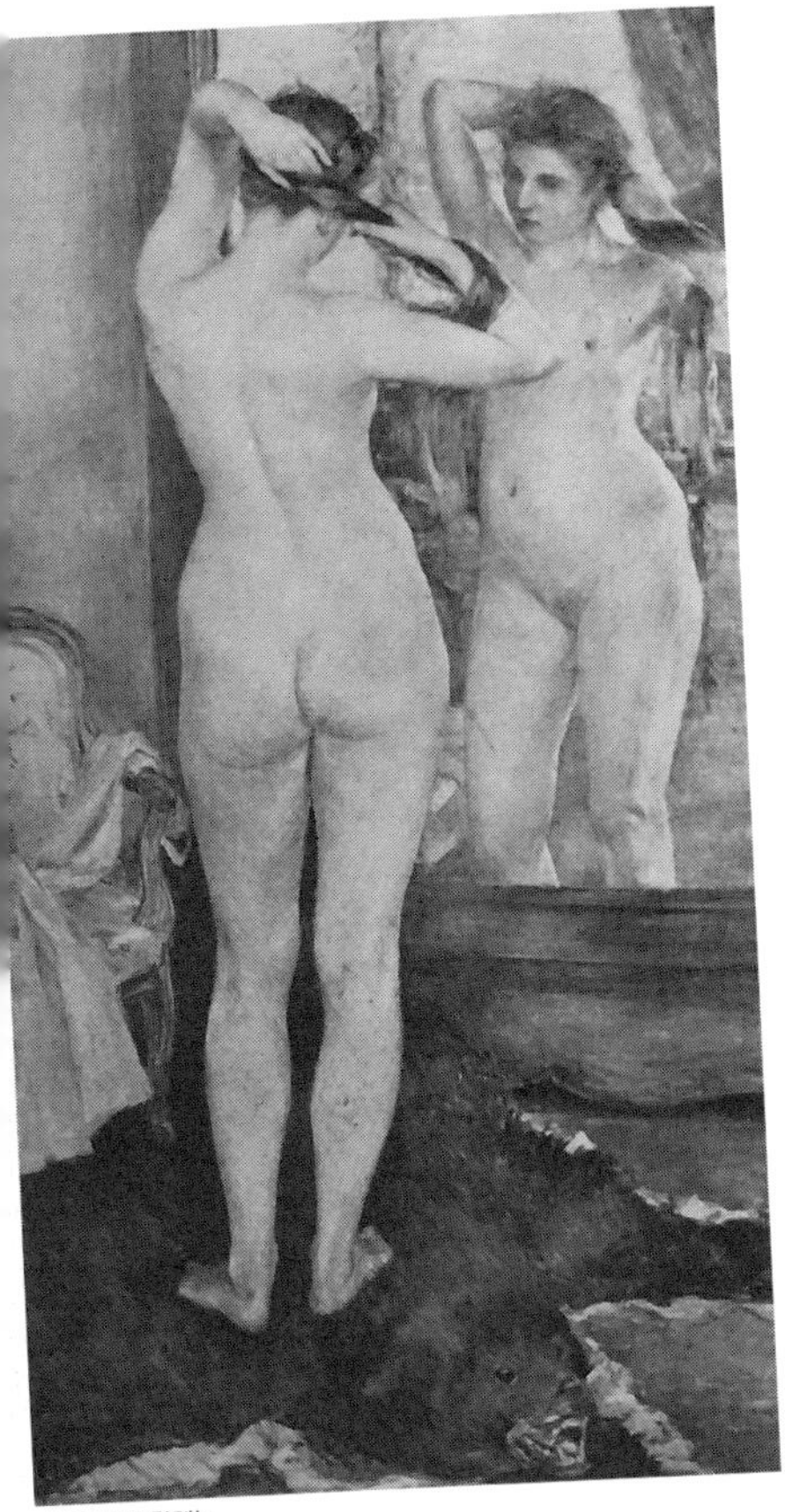

★黒田清輝『朝妝』

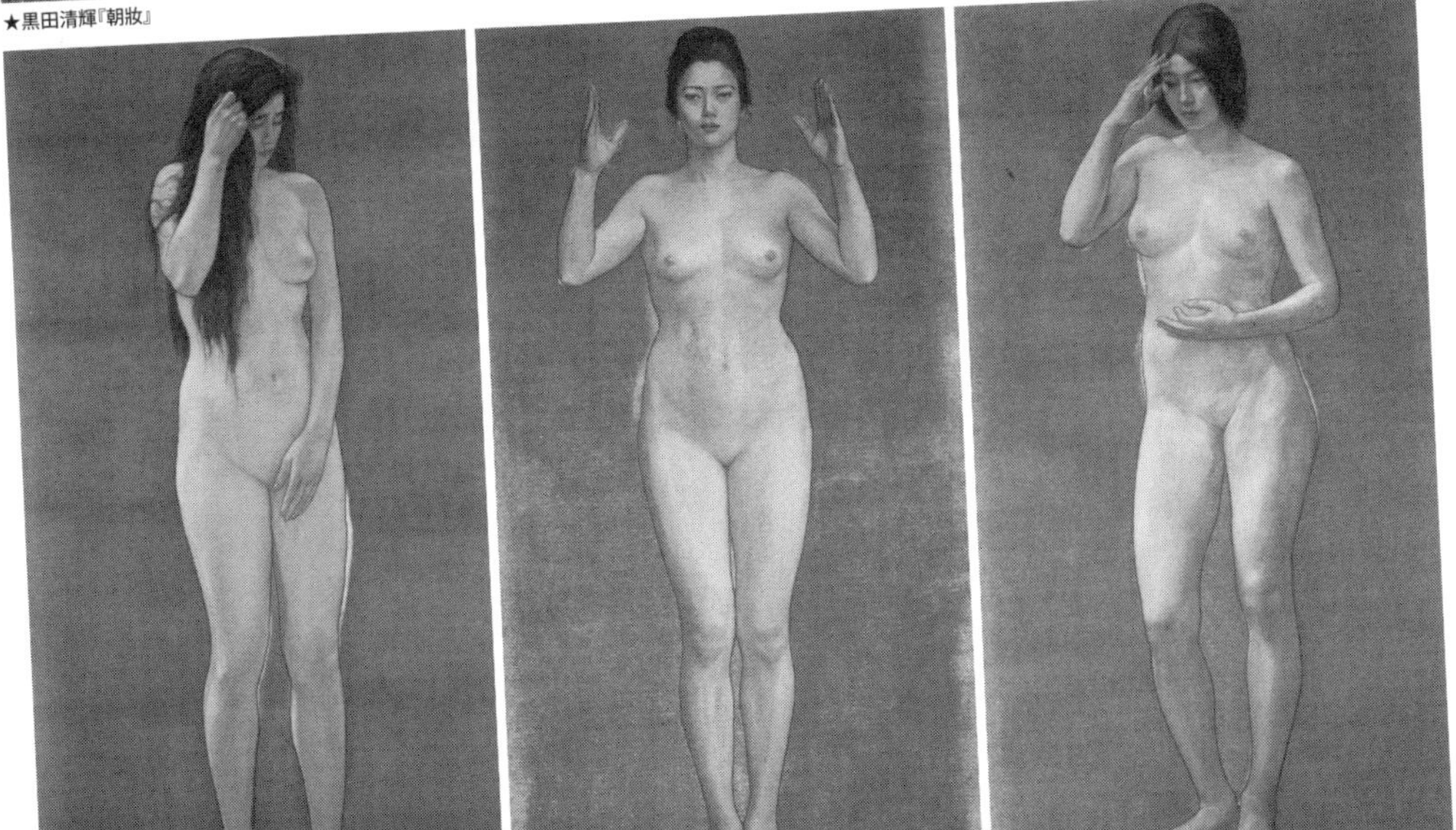

★黒田清輝『智・感・情』（右から「智」「感」「情」）

展では、豊満な白人裸婦が熊皮のうえで寛ぐ『裸体婦人像』が警察の目に留まり、作品の腰から下を海老茶色の布で隠すことを条件に展示が許されることとなった。とはいえ、隠された部分を見たいという衝動を抑えきれなかった男性客がいたのか、ステッキの先端で布は下げられてしまい、夕方には局部ギリギリというあられもない光景だったという。この「腰巻事件」は、朝倉文夫が一般客の入れない特別室での展示を強要され、彫刻『闇』の一部をノコギリで切り落とした（想像するだけでも痛ましい）「陰茎切断事件」や、無花果の葉形に切り抜いた厚紙をピンで止め、その上を白く塗った結果、むしろ観賞者の目を引くことになった新海竹太郎の裸婦作品『ふたり』とともに、裸体美術を迫害する出来事として広く知られることになる。

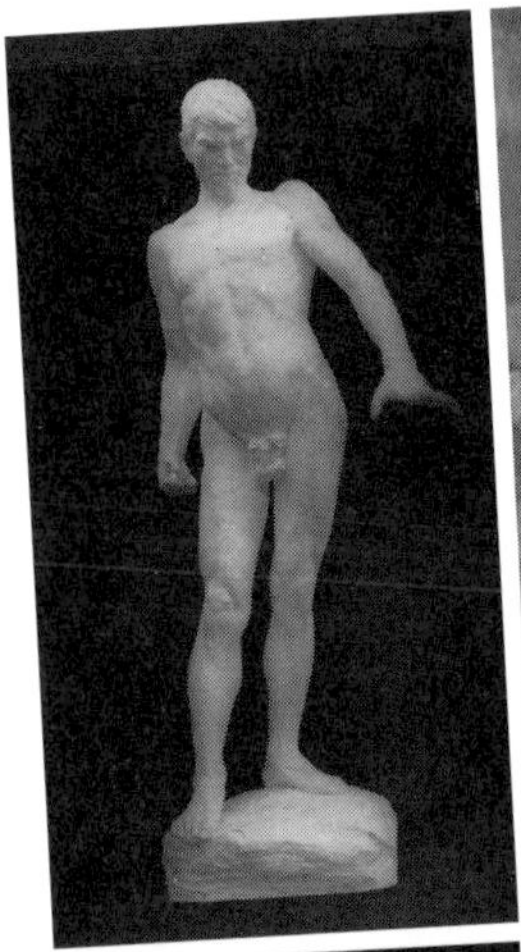

★（右）黒田清輝『裸体婦人像』（左上）朝倉文夫『闇』（左下）新海竹太郎『ふたり』

黒田清輝と明治洋画の一連の騒動は、「明治という絶対主義国家が洋画家たちにあたえた踏み絵」と表現されることがおおい。裸体を前にして、いったいどれほどの美術家たちが時代の精神を呪ったことだろう。そのなかで、黒田はこの試練に正面からぶつかり、あまつさえ日本の洋画のスタイルを築いてさえみせた。

モデル婆、お菊さんの活躍

裸体美術をめぐっては、明治9年に工部美術学校が設立されたとき、変わる契機はあった。伊藤博文の肝いりで3人の外国人教師が雇われ、カリキュラムには素描手本、石膏、そしてヌードデッサンも輸入されたのだ。工部美術学校に学んだ学生たちが残したデッサンのなかには、男性の裸体像がいくつかあるものの、女性の裸体像は見つかっていない。工部美術学校は国粋主義が高まり、急激な財政難に陥ると、女性のヌードに届くことなく閉校になってしまう。

こうして日本洋画の発展はやすやすと打ち砕かれてしまうわけだが、東京美術学校（現在の東京芸術大学）が1896（明治29）年、黒田清輝らに授業を委嘱するかたちで西洋画科を新設したことで、日本の「裸」に変化の兆しが見えはじまる。黒田がフランス時代に習得した石膏や裸体の木炭デッサンが、ついに日本でも美術教育に正式に組み込まれるようになったのだ。黒田は、絵の上達のためには裸体のモデルを描くべきとの考えかたを堅持していた。とはいえ、西洋画科もできたことだし、さて裸体を描こうと意気込んでみたところで、モデルがいなければどうしようもない。このモデルが、なかなか見つからずに苦労した。

画学生はまず「立ちん坊」と呼ばれる人力車や荷車を押す労働者に目をつける。彼らなら、いつも街角にたむろしているから捕まえやすいし、なにより「良い」体をしている。無論、自分から脱ぎたがる趣味の男はいなかったから、最初は着衣、次に肌ぬぎ、仲良くなるにつれて裸に…と、身持ちの固い女性を口説くみたいな姑息な手口で裸にしていった。こんな状況だから、本物の女性（しかも若い）のヌードモデルはまだまだ遠い。美術評論家の勅使河原純によれば、「たまに教室へ女性を連れてくる者がいても、大抵は『芸者上がり』で、学生が『春雨』かなにかを低い声で唄うと長年の習慣からすぐに口三味線で調子を合わせ、とても授業の雰囲気にはならなかった」。本当かどうかはさておき、この時代の記憶を反映するエピソードではある。

黒田清輝とお菊こと宮崎菊の出会いについては詳しく分かっていない。何はともあれ紆余曲折あって、黒田の西洋画科がヌードモデルを必要としていることを知ると、お菊さんは月6円でモデル集めを始めた。お菊さんは江戸の谷中で生まれ、まだモデルという仕事の理解もない頃に、嫁いだ先の横浜でフランス美術家に熱心に口説かれてモデルをしたことがあるという稀有な人物で、しかも、それが明治維新後たった4、5年のことだというからいっそう驚かされる。

さて、学校の依頼を受けたお菊さんは巷でモデルをスカウトすると、美術の仕事のお手本になって欲しいと言いくるめて女性たちを連れてきた。モデル料金は裸体半日で3円。なかなかの大金だったけれど、なかば無理矢理に連れてこられた子ばかりだったから、アトリエで泣きだす子やストーブのうえの金たらいのお湯に徳利を立てて飲みながら、という強者もいたらしい。それでも授業開始のその日からモデルを用意できたのはお菊さんの手腕によるものだし、モデル紹介所を構えてからは、モデルたちの教育にも乗り出し、厳格な規約も設けたのだから随分とやり手だったようだ。日本の洋画を築き上げてきたのは、こうした女性たちの働きもあったのである。

ちなみに、日本女性の体型は芸術家たちにはあまり受けがよくなかったようだ。フェミニストで知られる黒田清輝が「一体に東京の女は額が短くついていけない」とぼやき、藤島武二が「日本なぞでは、あれでもモデルか知らと思はれるやうな醜い女も居る」と書いているのを読むと、私は、西洋人の、あの細い腰や肉付きのよい張り出した胸や長い足の女たちが明治の女性たちの眼にどう映ったのか気になって仕方がない。いずれにせよ、裸体美術の魅力を湛えた作品が当時の人びとに忘れがたい感銘を与えたのだけは、間違いなかったようだ。

★1899（明治32）年発行の東京美術学校の学校案内に掲載されたヌードデッサンの授業の様子

加工され、隠蔽される肉体
——裸の人々は原始《プリミティヴ》／自然か

●文＝仁木稔（SF作家）

アダムとエバは知恵の木の実を食べたことで裸が恥ずかしいものであると知り、無花果の葉で腰を覆った。時は流れて一四九二年、未知の島に上陸したコロンブスは、〝神の創りたまいし姿のまま〟歩き回る人々に遭遇した。これら裸の人々の文化は、中米では早々に破壊されてしまったが、南米の広大な熱帯地域では辛うじて永らえている。中南米に限らず裸の人々は今日に至るまで、西洋文明から相反する二つの評価を受けてきた。獣同然の野蛮という侮蔑と、原罪を負わない無垢という賞賛だ。どちらも彼らを文明とは対極の原始／自然に位置付けており、この前提に立てば彼らの文化は石器時代から変化することなく受け継がれてきたものだということになる。

だがアマゾン流域にはかつて、優れた農耕技術を基盤に大規模な部族国家が数多く栄えていた。十六、七世紀の西洋人によって記録されたそれらは、軍事的な侵略を待たずして疫病と奴隷狩りによって滅亡してしまった。奥地に逃げ延びたわずかな生き残りは、過去の知識を忘れた遊動民となった。その後も西洋文明の侵入は続き、やがて遊動民たちは交易や略奪で鉄製の斧や山刀《マチェーテ》を手に入れ、農耕を再開した。急激に増えた人口は痩せた土地と粗放農業では支え切れず、斯くして絶え間ない戦争と子殺しの文化が生まれた。文明人たちは、それが裸の人々の伝統文化だと思い込んだ。この新たな伝統文化も二十世紀の終わりが近づく頃には崩壊が進み、暴力の応酬は沈静化した。同時期の環境保護思想の高まりから、彼らは太古から自然と共生してきた素朴で穏やかな人々として称揚されるようになった。記録されてきた残忍性は、誇張や捏造だとして否定されるか、単に忘れ去られた。

したがって近代以降に観察された南米熱帯地域の伝統文化は、少なくともアマゾナスではかつての高度な文化の成れの果てだ。それ以外の、たとえばブラジル高原などでも、多かれ少なかれ退行の結果である。とはいえ過去との連続性も少なからず認められる。一例が脱毛だ。アマゾナスの部族国家では綿布が生産されていたが、高温多湿ゆえ身体の大部分を衣服で覆うのは儀式時くらいで、普段は男は下帯のみ、女もスカート一枚だった。そして丁寧に整えた頭髪を除く全身の毛を抜いた。その目的は記録されていないが、近代以降も大半の部族が同様の慣習を受け継いでおり、観察者の問いに対し共通して、獣性を取り除くためだと答えている。彼らにしてみれば全身毛むくじゃらの西洋人こそ獣同然であり、自らを自然の一部だなどとは見做していなかった。

そうして剥き出しになった肌は、鮮やかに彩色される。これも真に連綿と受け継がれてきた慣習の一つだ。ただしアマゾナスでは、宣教師らの記録にあるような精緻なモティーフは消滅してしまった。南に隣接する大湿原《パンタナル》のカデュヴェオ族は、裸の文化を失った後も精緻な身体彩色は脱毛の慣習とともに永く保持しており、残された写真は数百年前を想像するよすがとなる。

熱帯では人を獣から分けるのに被服には頼れない。脱毛や彩色といった処置は、遙か昔から行われてきたのであろう。巨大な建造物や美しく精巧な陶器をつくることもできなくなってからは、なおさら必要だったはずだ。肌を彩る絵具は赤と黒のみで、どちらも木の実から採れる。赤はアチオテの種子を覆う粘性のある物質で、黒はジェニパの果汁だ。後者が生育しない地域ではアチオテに炭を混ぜる。アチオテは石鹸でよく洗えば落ちるという。アマゾナスでは十六世紀以前から、サポニンを含む植物が洗浄剤として使われてきた。一方、ジェニパは角質に滲み込むので長持ちするが、いずれは代謝によって消えてしまう。体毛もじきに伸びてくる。そこで肉体を永久に獣から隔てるべく行われるのが身体変工である。

十六世紀のトゥピナンバ族は、彩色だけでなく骨製の剃刀を使って刺青も行っていた。男性のみの慣習であり、勇気の証とされた。傷口に擦り込まれるのはジェニパまたは炭だった。彼らの子孫であるアチェ族は刺青の慣習を継承していたものの、使用するのはただの尖った石ころなので苦痛は酷く、傷は盛り上がって瘢痕となった。刺青は南米の幾つかの部族で行われてきたが、二十世紀半ばにはほぼ失われていた。

ほかに初期から記録されている身体変工として、装身具着用のための穿孔がある。耳、鼻、唇のほか頬や顎にも穴が開けられた。

整髪、身体彩色、刺青、身体穿孔の、脱毛にはないもう一つの重要な目的は、他部族との区別である。アマゾナス北部のヤノマミ族は、この区別において特に露骨だ。この自称部族名は彼らの言葉で人間を意味し、鳥獣、精霊、そして他部族はすべて人外《ナブ》とされる。〝水辺の人々〟〝風の子供たち〟等と名乗る部族でも、他部族はより鳥獣や精霊に近いと認識されている。

★カデュヴェオ族の女性、1892年

身体変工は通過儀礼として世界各地で行われてきた。強い苦痛が自集団への忠誠心を高めるのだ。現代の軍隊や秘密結社、若者のコミュニティなどでも利用される手段である――通常は苦痛を与えるだけだが。

裸の人々に対する文明人の評価は、別の観点からも毀誉が分かれる。一方で性に放埒な獣同然の野蛮、他方で肉欲に支配されない無垢だ。現代においては放埒だからこその無垢という見方もある。無論、いずれも誤りだ。日本の混浴が好例だが、いわゆる伝統社会における裸の文化では、男女ともに異性に対し陰部を曝け出さないよう動作や姿勢に気を配り、視線にも注意を

★ヤノマミ族の母子、1997年（写真：Cmacauley、Wikipediaより）

払った。無遠慮な者は顰蹙を買い、多くの場合、制裁を受けた。女性は親族または夫の保護下に置かれており、陰部を見る／見せるのは保護者を侮辱する行為にほかならなかった。

古来、あらゆる文化においてペニスの挿入は攻撃の暗喩だった。したがって勃起は攻撃の意志を表す。ところが勃起はしばしば意志とは無関係に起こる。大多数の男性にとって勃起のコントロールは重大な関心事であり、そのため肉体に手を加えることも辞さなかった。

最も端的な方法は、南米やニューギニアなどの複数の伝統社会に見られる。彼らは被服と呼べる物を一切身に着けない。当然、ペニスは剥き出しだが、包皮を伸ばして先端を糸などで縛り、腰帯の前面に留めている。この疑似的な勃起が示しているのは、攻撃の意志と本人のコントロール能力だ。本当に勃起しても亀頭は露出しないので、不随意の亀頭露出が不随意の勃起を意味していることになる。同じく南米を含む幾つかの伝統社会で見られるペニスケースも近世西洋で流行したコッドピースも勃起を模すが、本物のペニスの状態は隠蔽されている。

大半の伝統社会では、そこまで攻撃性は誇示されない。下帯は最低限の被服であり、それすら着用しない文化でも包皮の先端を縛る。亀頭露出を防ぐことで、実際にはできていない勃起のコントロールを、できているかに見せかけているのだ。ちなみに近代のアマゾナスには右の例とは逆に、ペニスを脚の間に押し込み、包皮の先端を縛った糸を腰帯の後ろ側に結び付ける部族もいた。一五四二年に黄金郷《エル・ドラード》探検隊を襲撃した女戦士《アマゾン》の正体は、このような隠蔽処置を施した長髪の男性たちだった可能性がある。

古代ギリシア人が運動競技を全裸で行ったこと、小振りのペニスを讃美したことは広く知られている。彼らもまた亀頭の露出を恐れ、包皮の先を糸で縛った。全裸といっても、一糸は纏っていたわけである。美術工芸品などからは、亀頭そのものが嫌悪されていたことが察せられる。

★割礼を描いた最古のものとされる古代エジプトのレリーフ

男性割礼すなわち包皮切除は、亀頭の隠蔽と対極にあるかのようだ。よく知られているのはユダヤ教とイスラムだが、アフリカやオセアニアなど世界各地で行われてきた。最古の例はエジプトで、数千年前のレリーフやミイラから確認されている。この慣習の目的はさまざまに説明されてきたが、当事者によるものも含め明らかに後付けやこじ付けであり、未だ定説はない。しかし知られている限り、包皮切除を行う伝統社会ではペニスはよりいっそう厳重に隠されるものであり、忌避は共通していると言えよう。意図せぬ露出を恐れるがゆえに意図して露出を維持しているのだ、という推測が成り立つ。

慣習や儀礼が、本来の目的が忘れられても伝統として継承されるのは、集団への帰属意識を維持する役割を果たしているからだ。包皮切除もこれに該当する。前述した帰属の印とは逆に他者の目からは隠されているが、本人にとっては最も私的にして視認可能な部位にある。より確実に帰属意識を繰り返し新たにする印だろう。

ユダヤ教は民族宗教と見做されているが、その長い歴史上、異民族の改宗が盛んだった時代が何度もあった。ほとんどは布教の結果だが、前二世紀に成立したハスモン朝は近隣諸国に侵略しては被征服者を強制改宗していた。これは事実上、包皮の強制切除だったので、ギリシア系住民に非常な恐怖と嫌悪を引き起こした。一方、ユダヤの伝統的価値観では、全裸のギリシア人競技者は破廉恥極まりない存在だった。ギリシア系諸都市は、包皮を再生したユダヤ教徒であれば運動競技への参加を許していた。この法令の対象はヘレニズム化したユダヤ人だったとするのが通説だが、あるいは強制改宗の犠牲となったギリシア人も含まれていたかもしれない。

なお当時は先端のみの切除であり、残った包皮にしばらく錘を下げておけば再生できた。これに対抗して切り取る面積が増えていったらしく、一世紀初めのケルススや二世紀後半のガレノスは、引っ張れるだけの包皮が残っていないため外科手術が必要な事例を報告している。ローマでは大方のギリシア文化が好まれたが、全裸は不作法であり公衆浴場でも腰布が着用された。したがって包皮切除は問題なかったはずだが、去勢と同様に性機能を損なうとして恐れられていた。意図せぬ亀頭露出が、逆の方向での勃起のコントロール不能性と関連付けられていたのである。

同じ恐怖が、十八世紀後半の英国に見られる。南インドのあるイスラム君主は、捕虜にした四百名以上の英国人兵士に対し、包皮切除を伴う改宗を強制した。イスラムは包皮切除を義務としておらず、これは極めて稀な事例である。目的が辱めだったとしたら結果は大成功で、捕虜たち自身と英国社会は包皮四百余枚分の身体的苦痛を遥かに超える深刻な心的外傷を負ったのだった。

十九世紀後半以降の英米における包皮切除の盛行は、性機能減衰の恐怖が自慰防止の期待へといびつに転じた結果だろう。対照的に二十世紀後半の日本では、包皮切除が性機能を高めると信じられていた。下地となっているのは、平常時でも亀頭は露出しているものだという江戸時代以来の誤った通念である。ここにもペニスの状態をコントロールしようとする意志が存在する。

改めて振り返ろう。亀頭露出は勃起の近似であり、勃起は男性の肉体的な強さの象徴である。しかし不随意の勃起は精神的な弱さを示す。そのため最低限でも亀頭は覆い隠さねばならない。意図せぬ勃起を引き起こさないよう、女性の陰部からは視線が逸らされる。全員が顔見知りである小集団ならそれだけでも充分だが、社会の規模が大きくなれば相互監視が機能しなくなり、女性の陰部もまた覆い隠される。

衣服によって勃起が完全に隠されていても、他者に知られずに済んだだけで、精神的な弱さが表出したという事実に変わりはない。だから女性の肉体は、徹底的に覆い隠さねばならなかった。肌も髪も、輪郭すらも隠蔽し、それでも安心できずに自分以外の男性の目がある空間から締め出す。行き着くところは女性器そのものの切除だが、何もイスラム圏だけの話ではない。自らと女性、双方の肉体を支配しようとする男性の強迫観念は、肉欲に支配されない無垢と文明人が見誤った裸の人々の慎み深さと地続きである。

●文献案内
『裸体とはじらいの文化史　文明化の過程の神話Ｉ』ハンス・ペーター・デュル、藤代幸一／三谷尚子・訳、法政大学出版局
『性と暴力の文化史　文明化の過程の神話Ⅲ』ハンス・ペーター・デュル、藤代幸一／津山拓也・訳、法政大学出版局
『身体の文化人類学　身体変工と食人』吉岡郁夫、雄山閣
『切ってはいけません！　日本人が知らない包茎の真実』石川英二、新潮社

身体が問題なのであれば、裸はひとつの解答

◎文＝本橋牛乳（物書き）

1 大竹省二「美しき裸像の思い出」

ぼくが小学生だった70年代、地上波テレビ（というか、地上波しかないので、そういう言葉はなかったんだけど）ではヌードはOKだった。身もふたもない言い方だけど、おっぱいを放映していた、ということだ。もちろんそこには、伝説の番組ともいえる、「11PM」という深夜番組がある。大橋巨泉や藤本義一が司会を務めていたバラエティ番組。カバーガールはトップレス。まあ、子どもが見る番組ではない、という了解事項があったとして、だ。

でも、いわゆる、火曜サスペンス劇場みたいなドラマでも、シャワーシーンなんかがあった。というか、ベッドシーンもあったと思う。午後9時から放映されている番組での話だ。

って、もっと言うと、当時の東京12チャンネル（現在のテレビ東京）では、午後8時から「プレイガール」というドラマをやっていた。沢たまきをボスとする、女性だけの犯罪捜査チームというか私立探偵みたいなチームというか。ひし美ゆり子もレギュラーだったと思う。この番組でも、シャワーシーンはあった。とまあ、そんなの当たり前に見ていた。

★「プレイガール」DVD

さらに言っておくと、国民的ドラマだった「時間ですよ」という、銭湯を舞台にしたホームコメディでは、女湯の脱衣所のシーンが普通にあった。

今からは考えられない、かもしれない。

でも、そんなの、実は昼間からあった。多分、昼メロとよばれるドラマでもあったんじゃないかな、とは思うけど、そこはさすがに学校に行っていたのでわからない。

でも、土曜日は学校が午前中で終わり、給食もなく帰ってからお昼ごはんを食べていた。両親は仕事でいなかったし、ということで、テレビを見ながらごはんを食べていたのだが、そこで見ていたのが「お昼のワイドショー」である。この番組には、「美しき裸像の思い出」というコーナーがあった。昼間からヌード写真である。モデルを公募し、写真家の大竹省二が撮影するという企画である。モデルも独身の女性というだけではなく、母親が幼い子どもと一緒に全裸で写真に納まる、とか、そんな写真もある。当時の小学生は、土曜日の昼間から、そんな番組を見ていたということ。

地上波でおっぱいを放映してはいけない、というのが現在。ネットで調べると、90年代まではおっぱいが放映されていたらしいけれども。ただ、放映することの是非、ということでいえば、放映しない方が無難だということになる。地上波のテレビがどうしてこんなにつまらないかといえば、観る側の好みが多様化しているので、最大公約数的なものはどんどん中味がなくなっていく、というのは仕方ないのだと思う。そうしたとき、テレビでおっぱいを見たくないという人、というか女性の尊厳を軽んじるような番組は受け入れられないだろう。本質はおっぱいの問題ではないのだけれども、結局のところ、目に見える基準しかつくれない。そういうことなんだと思う。

さて、それはさておき、土曜日の昼間の「美しき裸像の思い出」は、11PMとは違う目線だったとは

思う。それは時間帯ということもあるし、同時に撮影される側が、建前なのかもしれないけれども、自らの意思で裸像をテレビで公開している、ということもある。視聴者の想定からしても、男性ではなく既婚の女性を対象にしているであろう写真は、ポルノグラフィとして単純に消費されることが想定された画像ではない。プロの写真家によって、撮影される当事者の、自分の若く美しい裸像を残したというコンセプトはそこにあったし、記憶では撮影された当事者が、コメントする場面もあったと思う。

なぜ裸体なのかといえば、それこそ偽りのない自分自身の姿だからだといえるのではないだろうか。着飾った成人式でも結婚式でもなく、そうしたものをとりはらった裸像を残しておく、それは自分自身そのものの姿だということだ。もちろん、写真家の技術がそこに入る余地があったとしても、被写体としては、そのようにとらえるのではないだろうか。それは、現在のテレビからは失われてしまったドキュメンタリーでもあるのかもしれない。

2 金田一蓮十郎「ラララ」

もう少しで完結する金田一蓮十郎の「ラララ」（連載は完結したらしい）は、裸であること＝自分らしくあること、がテーマのラブストーリーである。って書いてもわかんないですよね。ヒロインが裸族だっていう設定なのですが。

金田一の作品の特徴は、ひとつは男性主人公がいわゆる「男らしく」ないこと。そしてラブストーリーにおいてはしばしば逆のプロセスをとること。現在連載中の「NとS」では、出会った若い男女が互いを好きになり、セックスもしたあと、実は同じ高校の教師と生徒だったという、設定。そういう事情なので距離をとりたいのに、磁石のように引かれてしまう。「ライアー、ライアー」も「夕べはお楽しみでしたね」も同居から始まるし。

男らしくない主人公と言う点では、最初の作品「ジャングルはいつもハレのちグゥ」から一貫している。ジャングルで母親と暮らすハレは、母親のウェダに対して母親的役割を背負う。後の「ニコイチ」においては、主人公は家庭では女装して子どもを育てている、そういう父子家庭。トランスセクシュアリティというわけではないので、会社では男性として勤務しているし、恋愛対象は女性。

つまり、金田一においては、男性というセクシュアリティと男性というジェンダーはまったくの別物であり、そもそも「男らしさ」なんて不要だとしている。

ということで、「ラララ」である。ストーリーは、こんな感じだ。主人公の桐島くんは、会社でリストラされると同時に、彼女にもふられる。失業給付も切れるという時期に、バーで石村さんに出会う。石村さんからは「うちで働かないか」と誘われ、そのまま契約書にサイン。翌日、石村さんの豪邸に行くと、散らかり放題の部屋、そして出てきたのは全裸の石村さん。実は石村さんは裸族なので、自宅では全裸がデフォルト。そして契約書というのは婚姻届け。桐島くんは永久就職していた、というところから始まる。

桐島くんは専業主婦としての腕をみがきつつ、二人の間が近づいていく、というラブストーリーではあるのだが、石村さんのキャラクターが強力だ。

石村さんは、きちんとした理由がないことには納得しない人だ。全裸で桐島くんの前に出ても、人間本来の姿だし、自宅だし、それは桐島くんが慣れるべきものだという。もちろん、石村さんは世間の常識を知らないわけではないし、だからこそ外科医として勤務する病院では普通にいい医者をしている。美人でスタイルも良くて、職場では性格もいい石村さんには言い寄ってくる男性もいるが、石村さんは結婚することで、こうしためんどくさい男性を追いやることができる。

そもそも、石村さんは、セックスについてもどうでもいいと思っていて、興味がないけど、桐島くんがしたいなら、してみようか、という感じ。別に一生処女でもかまわないと思っている。結局のところ、石村さんが万が一桐島くんに惚れたら、セックスしよう、ということになる。石村さんには「自慰くらいしてもかまわんぞ」と言われてしまう桐島くんだが、まあ、全裸の吉川友（「ラララ」の実写ポスターで石村さんを演じた）と同じベッドに毎日おとなしく寝るというのを想像してしまうと、いろいろ大変だな、とは思う。

　石村さんの唯一の肉親は、病院で介護を受けている母親。石村さんの死生観は、幸せに死ねればいいという感じ。人の死に接していかなければいけない医者ということもあるけど。

　桐島くんにはたくさんの親戚がいる。親戚が集まる場に一度だけ足を運んだ石村さんは、石村さんが考える正しいことをきちんと言うおかげで、もめたりもする。他人事にはまったく関心のない石村さんにとって、親戚づきあいはそもそも苦痛でしかないわけだが。

　このあと、石村さんと桐島くんは、中学生の男の子を自分たちの子どもとして引き取ることになったり、とまあこんな感じで展開していく。桐島くんが成長する一方で、石村さんも多少は柔軟性を身に着けるようにもなってくる。「ジャングルはいつもハレのちグゥ」以降、金田一が何度も描いてきた、決まった形のない家族の姿がここでも繰り返される。

★金田一蓮十郎「ラララ」実写ポスター

　「ラララ」において、石村さんが裸族であるということは、重要な設定となっている。石村さんにとっての正しさとは、石村さん自身が考えることであって、世間とは関係ない。だから、石村さんは可能な限り、自分自身でいたいと考えている。裸族であるというのは、自分の場所である自宅においては、衣服を着る必要がないと考えているから。まあ、実際に裸族というのはいるらしくて、最初に村上春樹のエッセイで知ったのだけど。でも、ここでの裸というのは、誰かに見せるためでも、エロチックなことでもなく、セクシュアリティも関係なく、自分はそうしたい、ということに過ぎない。

　石村さんにとって大切なことは、自分自身であることだし、自分の価値観で生きること。それは外から見ると、時に融通が利かなかったりもする。自分が納得したことが正しいことであるけれども、それを他人に押し付けることはしない。押し付けることは正しいことではないから。そして、そのことに徹底的にこだわったヒロインにとって、自宅では裸で過ごすことは、外の世界では多少なりとも妥協したけれども、自宅ではそうではない、という、つまり自分自身であること、でもある。

　裸にそうした意味があるとしたら、「美しき裸像の思い出」における写真もまた、自分自身であることの記録として、そこにあるものだと思う。

3 マキエマキ「似非」

けれども、セクシュアリティもまた、自分自身のものである。ある種のポルノグラフィのように、第三者によって勝手に消費されるものではなく、エロスは自分自身のためのものである。自撮り熟女写真家、といえばいいのだろうか、普通に写真家であるマキエマキの作品は、セルフポートレートも含め、いわゆる「男」というジェンダーが跋扈する社会において、消費されているエロスを自分自身に取り戻す、そうした作品を撮影している。

　勝手に消費される、というのはどういうことか。例えば、オリンピックの女子選手のポルノ画像という問題がわかりやすい。代表的なものでは、女子の体操がある。ボディラインがはっきりわかるレオタードで演技をしているが、その画像がポルノとして加工され、勝手に流通しているという問題だ。実際に、引退した田中理恵が、ポルノ画像に加工されることについて、ものすごい嫌悪感を語っている。また、最近では実際に逮捕されたケースもある。赤外線カメラで撮影することで下着が透けて見え、加工した画像を販売していたというので、これはかなり悪質だ。

もちろん、そもそもオリンピックの競技におけるジェンダーの問題というのはある。体操において、男女であからさまにユニフォームが異なっていることに、違和感を感じる人もいるのではないだろうか。体操に限らず、ビーチバレーのユニフォームがなぜ水着なのかもよくわからない。動きやすさというか、競技に適したスポーツウェアに進化する、という点では、陸上競技や水泳やバレーボールでは、やはりポルノに加工されるとして、体操とは違ったレベルだろう。そういえば、学校においては、ブルマとスクール水着は過去のものになっているけど、そうした進化は良かったなって思う。

体操にフォーカスすると、確かにレオタードはポルノに加工しやすく、その点で問題は単純ではない。ビートたけしの往年のギャグ"コマネチ"というのは、今からすれば批判されて炎上してもおかしくないレベルだ。

では、男子のようなユニフォームにすればいいのだろうか。たぶん、それはまちがってはいない。体操という競技が技の難易度だけを競うのであれば、だし、正直なところそうあるべきだとは個人的には思っている。しかし、実際には、同時にある種の美しさも要求しているとき、ユニフォームもまた競技の一部となってくる。アスリートの、自分自身の美しさとして、それがあるというのであれば、それは否定しない。それは誰のものでもなく、自分自身のアスリートとしての、その一部であるのだから。それは、アーティスティックスイミング（かつてのシンクロナイズドスイミング）のように、種目名のなかに芸術的要素が入ってしまうのであれば、なおさらだ。

スポーツとジェンダーという文脈において、体操という競技の、男女における非対称性というのは、もっと注目されてもいいものではあるけれども、それでも当事者を差し置いて決めるものでもないだろう。

広い意味でのポルノグラフィにおいては、その多くで、男性が消費するために女性が使用されている、という構図にある。それが、男性主体の経済をまわすために女性が消費されている、という構造をとるときに、そこには社会における主体としての女性はいない。そうした意味において、アンドレア・ドウォーキンやキャサリン・マッキノンの考える反ポルノグラフィという考えが出てくる。だからその文脈においては、女子体操もまた、レオタードであってはいけなくて、純粋に技の難易度を競うユニフォームであるべきなのだろう。「11PM」のような番組で、裸の女性を放映することもまた、そうした文脈では否定されてもいい。

しかし、彼女たちの示す文脈では、女性が性的欲望の主体になる、という回路は示されていない。女性もまた、エロチックな主体でありたいという欲望を持っていることは否定できないし、それは豊かなものでもあるはずだ。男性がそうであるように。そして、そうしたものも含めて、多くの人は自分自身であるのではないか。もちろん、体操がエロチックであるべきだとは言っていない。それでも、魅力的な主体でありたいと思うのは、自然なことなのではないだろうか。

写真家のマキエマキは50代。といっても、微妙に若々しいところもある。そこには、おそらく自分自身の健康にけっこう気をつかっているの

★マキエマキ「似非」（産学社）

ではないかな、とも思う。山頂でほたてビキニの写真を撮影しているけど、そもそもそこその山頂まで登るのは、多少なりとも身体が丈夫でないと。しかも、冬山だったりすることもあるし。それは、特殊モデルで写真家の七菜乃がけっこう身体を鍛えていることとも共通している。

でも、この50代っていうのが、重要だったりする。というか、そこには、若さを売り物にできなくなることで、自分の身体を取り戻したのではないか、ということがあるからだ。もちろん、50代にならなくても、自分の身体は自分のものであり、無用に他者に消費されるものではない。とはいえ、そこには若い女性の身体を消費したい欲望を持つ人は少なくないし、それが適切な取引の上でのことならいざしらず、非対称な関係の中で消費されていくということに対しては、マキエマキは異議申し立てをする。マキエ自身、歳を取ることで自由になったと、第2写真集「似非」で書いている。50代になることで、第三者が勝手に消費しない身体を手に入れることができた、ということなのだと思う。それでも、決して老いているわけではない、健康な身体でセルフポートレートを撮影するときに、エロティシズムは自分のものであるし、マキエ自身が欲望の主体として画面に収まるし、そして、そのひとつのあり方として、昭和というモチーフを展開していく。別に、ヌードになるということだけではなく、古いスナックや漁港で、男性に欲望される女性を演じる。演じるという段階で、主体は自分自身なのだけれど。それは、架空のポルノ映画のポスターとして製作されることもある。

ヌードについても、全裸をさらすというのではなく、下着姿であり、入浴時はタオルで前を隠すくらいはしている。隠すことのエロティシズムもまた、織り込んでいる。それは、現在のセックスを露骨に撮影しているアダルトビデオにはない、昭和のポルノ映画の持つ想像力を刺激する回路と距離感を持っているということだ。

もうひとつ大事なことは、50代のエロスを取り戻した女性を被写体とする作品に対し、リスペクトすることを求めているのではないか、ということ。ツイッターでも画廊でも、彼女にからんでくる、しばしば中高年の男性がいる。ちんこの写真を送りつけたり、とか。作品が提供しているもの以上のことを、無償で求め、消費しようとしている相手に対しては、強く拒否する。非対称性による一方的な消費を拒否している、ということだろう。知らないところで勝手におかずにされるのは、まあしかたないとしても。

旅館の布団に下着姿で寝そべり、温泉につかり、あるいは山頂や中野ブロードウェイでほたてビキニをまとった肢体をさらす、そのテイストはときに、つげ義春の「ゲンセンカン主人」における爛熟さを思い起こさせることさえある、そうしたマキエは等身大の欲望を持った主体であり、それを取り戻したということが、そこにある。

マキエ自身が気にいっているという「似非」の表紙の写真は、どこかの洋館の中とでも言えばいいのかな、その階段から見下ろす、SMの女王様姿のようなマキエのセルフポートレートだ。そこには、自分を取り戻した自信に満ちた姿がある。

裸であるということは、何よりも自分自身であるということの主張でもある。それがやらせではないという前提の上で、「美しき裸像の思い出」は、第三者に消費されるためではなく、自分自身のための自分自身のポートレートである。「ラララ」の石村さんは自分自身であるために自宅では裸で過ごす。

けれども、身体は欲望の主体でもある。その主体を自分自身として取り戻すために、マキエマキは自分自身を被写体としたほぼヌード写真を撮影する。

ジュディス・バトラーが「身体こそが問題」だとするときに、セックスに先行してジェンダーがあるとするときに、身体が本質的に定義する欲望がジェンダー化するにあたって、裸であるということは、欲望の主体としてのまぎれもない姿を取り戻すことができる、ひとつの答えなのではないだろうか。

不定形の裸、シミュラクルとしての裸
——バタイユとクロソウスキーの差異について

◉文＝渡邊利道（作家・評論家）

攻撃的で、人を動揺させるようなエロティックな裸のイマージュを描き続け、二十世紀後半のフランス思想に多大な影響を与えたジョルジュ・バタイユとピエール・クロソウスキー。そのほとんど対照的なありようについて、近年の研究者による解釈などを参照しながら紹介したい。

「私はまるでひとりの娼婦がドレスを脱ぐようにしてものを考える。運動の極点においては、思考は破廉恥だ。猥褻そのものだ」と、ジョルジュ・バタイユは書く（出口裕弘訳『内的体験』現代思潮社）。

この「ドレスを脱ぐ」というメタファーは、みずからの思考が否応なく囚われている哲学の知的体系やキリスト教の信仰による意味づけを解体するという方法を指す。意味という衣装を剥ぎとる、あるいは剥ぎとられてしまうような体験を、バタイユは〈非−知〉と呼ぶ。

「非−知は裸形にする。（原文改行）

この命題は絶頂である。だがそれは次のように理解されねばならない。私はそのときまで知識が覆いかくしていたものを見る、ただし、見る以上は私は知るのだ、というふうに。実際、私は知るのだが、私の知ったものは非−知によってもう一度裸形にされるのである。たとえ非−意味がひとつの意味であるとしても、非−意味という意味は消え去り、ふたたび非−意味になる（こうしてとどまるところを知らない）」（同）

横田祐美子は、二〇二〇年の著作『脱ぎ去りの思考』（人文書院）において、この、知と〈非−知〉を絶え間なく往還するバタイユの思考の運動性を、哲学の本来的な意味、「知を愛し求めること」のエロスと何ら異なるところはないとして、従来の「反哲学」というバタイユ像からの転換を図っている。ここには自然科学的方法が知の領域を圧倒している現状への批判を読むことができるだろう。

実際、バタイユの著作には、断章形式で陶酔と酩酊に満ちた思弁的なもののみならず、多分に詩的ではあるもののいわゆる科学的な方法を用いたものも少なくない。そこには、体験を直截に語ろうとする衝動と、それを歴史・経済・人類学などといった枠組みで解釈しようという欲求が混在している。

そしてまた、少なくない数の小説作品にも、フィクションという装置を介して読者を〈非−知〉の体験に送り込もうとする企みがある。例えば、最初の小説『眼球譚』（生田耕作訳、二見書房）を見てみよう。

小説は語り手の「私」と女友達シモーヌが繰り広げる残酷でエロティックな物語と、物語の作者である「私」が物語のいくつかの場面を抜き出し、自身の人生での経験と照合する精神分析的な回想の二部に分かれている。物語の中で、シモーヌは猫の皿に満たされたミルクにお尻を乗せ、生玉子を割ってお尻にぶちまけ、ゆで玉子を尿や大便にまみれさせ、摘出された闘牛の睾丸を皿に乗せてお尻を乗せ、殺害した神父の頭から抉り出した目玉を肛門に嵌め、尿の涙にまみれさせ、その目玉は、シモーヌと「私」が殺したも同然の女友達マルセルのものだと語る。それらの玉子と眼球と睾丸、さらにはお尻といった球体のイマージュの混淆が、作者の半身不随で盲目の父親が排尿しながら見開く濁った目玉への追想に連なり、マルセ

★バタイユ『眼球譚』（1928年にパリで発売されたアンドレ・マッソンの挿画による版）

ルの狂気と死に、錯乱して屋根裏部屋で首をくくったり、川に飛び込んで小便をもらしたりした母親が思い出される。

神父の目玉を欲しがるシモーヌは「恐ろしいほど裸だった」と書かれる。解釈が衣装であるとするならば、回想は解釈であり、物語こそが〈非－知〉なのだ、というバタイユの思考を読むこともできるが、同時に、事実という〈裸〉に、物語を「書く」という体験を通じて生み出される、という寓話としても、この小説は読むことができる。ここにも知と〈非－知〉を往還する運動性がある。

しかし、「恐ろしいほど裸」であるシモーヌの姿は、たしかに破廉恥で猥褻そのものだ。

「最後にはすべてが私を賭けに投入し、私は宙吊りにされ、裸に剥かれて、決定的孤独の中にあり、在るものの浸透不可能な単純性を前にする。そして諸世界の底は開き、私の見るもの私の知ることにはもはや意味というものがなく、境界というものもなく（……）」（『内的体験』）

このような、あらゆる秩序が解体された後の世界は不定形なものだ、とバタイユは言う。

「実際、アカデミックな人間が満足するには、世界が形を帯びる必要があるだろう。すべて哲学というものは、それ以外の目的をもってはいない。（中略）それに対して、世界はなにものにも似ていず不定形にほかならない、と断言することは、世界はなにか蜘蛛や唾のようなものだ、ということになる」（江澤健一郎訳『ドキュマン』河出文庫）

目玉と玉子、それに金玉、それら球形のものたちが、溢れ出した液体（血と精液と尿）と混ざり合う不定形のイマージュ。それこそバタイユが裸になった世界の底に見出す「在るもの（存在）」なのである。

いっぽう、そのような「在るもの」もしくは「底」について、クロソウスキーは次のように書く。

「伝達し得ぬ、還元し得ぬ基底というものが存在し、これを表現するわけにはゆかぬために、その等価物をあれこれと作り出すのです。」（清水正、豊崎光一訳『ルサンブランス』ペヨトル工房）

この「基底」を、クロソウスキーはスコラ哲学の用語を借りて、「基体」と呼ぶ。それは、意識的自我と同一視される統一的身体、およびそれを所有するかぎりで同一的な自我や人格を、同時に外部のさまざまな力が流入し衝突する一つの「場所」であると捉えるためである。それらの諸力が衝突して生まれるのが人間が抱く欲望や感情や幻想であり、ゆえにそれはその真正性においては他者に伝達不可能なものだ。クロソウスキーは、そのような伝達不能の情念を表現するために「シミュラクル」という概念を練り上げる。

「シミュラクル」とは、模擬、擬態、模像などの訳語が当てられる語で、古代ローマで作られた神の彫像「シムラクルム」に由来する。古代ギリシア・ローマの人々にとって、神々は本質的に不死であり、情念に動かされない存在だが、死すべき運命にある人間は容易に情念に支配される。そのため神々は人間と直接関わることができないのだが、ダイモンと呼ばれる中間的な存在が両者の間を媒介する。シムラクルム（神の模像）は、いわばそのダイモンが礼拝の場において具体的な形をとったものである。そのような祭儀はしだいに劇場にその場を移し、神々の模像は娼婦たちによって演じられる見せ物となる。

そんなローマの文化に材をとったクロソウスキーの著作に『ディアーナの水浴』（宮川淳、豊崎光一訳、水声社）がある。これは女神ディアーナの水浴する裸身を盗み見たために、鹿に変えられ、自分の猟犬たちに噛み殺されてしまう狩人アクタイオーンの伝説の注釈という体裁をとったテクストで、彼はこれを次のように要約する。

「ディアーナは神々と人間との中間にいる守護霊と盟約を結んで、アクタイオーンに顕れる。ダイモンは空気のような身体によって、ディアーナのテオファニーの模像となり、アクタイオーンに女神を所有しようという向こう見ずな欲望と希望を吹き込む。ダイモンはアクタイオーンの想像となり、ディアーナの鏡となるのである」

　クロソウスキーによれば、つねに人間とのコミュニケーションを待望している神はしかし本性上無情な存在なので、人間に近づくのには人間の情念をダイモンによって借りねばならない。ゆえに神は人間に対して、人間のように堕落し、腐敗したものとして顕れる。ラテン教父の一人アウグスティヌスは、そのような不浄な顕れに、異教の神々の邪悪な本質を見ている。しかしクロソウスキーは、その邪悪さは、彼の「キリスト教的精神」のうちにおいてしか見出されることはないと指摘する。アウグスティヌスにとって、神の模像や見せ物は、真の神とはかけ離れ矛盾したまがいものであり、排除するべき「悪」でしかなかったが、そのまがいものが生み出す如何わしい官能こそが、クロソウスキーが求める「シミュラクル」にほかならないのである。

　クロソウスキーはダイモンについて「覗き屋」であり、「その気晴らしは、神々にとっても人間にとっても恥ずかしくて屈辱的な光景を目撃すること」であると述べている。クロソウスキーが描く絵画作品（タブロー）のほとんどが裸の人物を描いたものであるのは、それこそが彼の情念のイマージュであるのと、ダイモンの「邪悪」な性質のゆえでもあるのだろう。

　大森晋輔は、みずからが企画・主催した二〇一八年のシンポジウムでの研究発表をまとめた論集『ピエール・クロソウスキーの現在』（水声社）の序文で、クロソウスキーの思考には、過去の価値観の精算に汲々とせず、必要ならばそれと和解して、現状把握とこれからの展望に生かすべきだ、という「意外に堅実なメッセージ」を読みとることさえできると述べているが、それは「キリスト教的精神」の排除の力をも、あの「基底」に流れ込んでくる力のひとつとして受け入れる法外な寛容性から生み出されたものだ。

★大森晋輔・編『ピエール・クロソウスキーの現在〜神学・共同体・イメージ』(水声社)

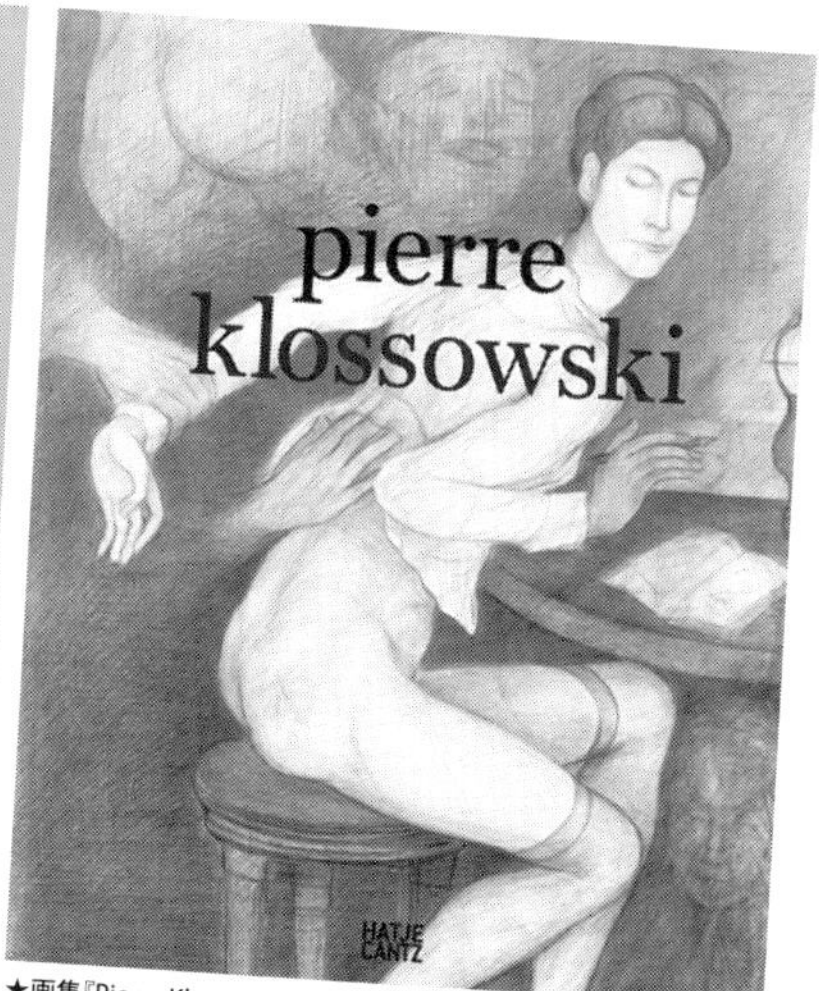

★画集『Pierre Klossowski』(Hatje Cantz)

　晩年に至って、クロソウスキーは文筆を放棄し、タブローの制作に専念するようになる。言葉は一般的な受容性に照らせば特殊なものであるモティーフを変質させてしまう、と語り、シミュラクルとしてのイマージュの生きられた感情を、理解させるのではなく、感じとらせる方向——思弁から鏡像的なものへ、と移行を宣言する。ここには、いわゆる自律的な近代絵画の論理から離れた、みずからに固有な情念という主題を表現するシミュラクルとしてのタブローというクロソウスキーの信念を見ることができる。

　バタイユがあらゆる解釈を取り去った世界の「底」に不定形な裸のイマージュを見出すのに対し、クロソウスキーは人間の「底」に生み出される幻想には決して届かない、シミュラクルとしての裸を生み出し続けるのだ。

幼児は、なぜ裸で逃走するのか？

——絵本『すっぽんぽんのすけ』に隠された「秘密」

◎文＝宮野由梨香（評論家・人類史研究家）

絵本『すっぽんぽんのすけ』（作・もとしたいずみ／絵・荒井良二）をご存知だろうか？

タイトル通り、何も身につけない男の子が活躍する絵本である。二〜三歳児向けで、二十四ページ。裸でいることの楽しさ・愉快さが炸裂している。

一九九九年一月、鈴木出版から「たんぽぽ　えほんシリーズ」の一冊として出版された。このシリーズは〈月刊絵本　こどものくに〉に発表された中で「とくに評価の高い作品」を絵本にしたものだという（註1）。

表紙には、チョンマゲ頭の男の子の上半身が描かれている。彼は何も着ていない。両側に犬と猫がいて、冷や汗をかきつつ、視線を男の子の下半身に向けている。描かれていない下半身の状態は、それで察しがつく。

表紙をめくると、風呂場から父親の手で差し出される男の子の姿が描かれている。湯気をたてつつ、性器もあらわな「すっぽんぽん」である。二歳くらいの年齢だろうか。

パンツを用意して待ち構えていた母親から「おふろあがりは　はだかが　いちばん。」と、幼児は逃走する。そのまま庭の外に出て「にんじゃたち」をやっつけ、店のおじさんが「ささ、どうぞ」と差し出すジュースを飲み、「あ、すっぽんぽんのすけだ」と人々の注目を浴び、「なみだなみだの　かあさんねこ」から、さらわれた子猫の救出を依頼され、新幹線よりも速く走り、「たすけて〜」と叫ぶ子猫を、「にんじゃの　おやぶん」の手から救い出し、礼を言われて「なんの　これしき。では　さらば」と意気揚々と家に戻り、「もうっ　パンツも　はかないで　どこへ　いってたの？」と母親に怒られ、やっとパンツをはく。

「すっぽんぽん」のパワーだけで最後までつっ走る。絵や展開のシュールさに独特の迫力があり、声に出して読むと心地よいリズムがある。

人気があったらしく、『すっぽんぽんのすけ　せんとうへいくのまき』（二〇〇二年）、『すっぽんぽんのすけ　デパートへいくのまき』（二〇〇四年）と続編も出版されている。ここまでは幼児向けだが『すっぽんぽんのすけ　ひかる石のひみつ』（二〇一五年）では対象年齢を小学生に上げ、挿絵付きの児童向け書籍になっている。

○

初出が掲載された〈月刊絵本　こどものくに〉は、幼稚園・保育園を通じて販売されている年間購読絵本である。一般の書店では扱っていない。

私はこの初出本をたまたま見学に行った保育園で頂いた。園の資料と一緒に手渡されたのだ。単行本よりも表紙は薄いが、内容は同じである。

家からやや離れた場所にある、アレルギー対応に力を入れているという園だった。第一子を妊婦中だった私に、園長は正しい親のあり方をレクチャーしてくれた。「朝の挨拶は『おはようございます』とただ言うのではなく、きちんと立ち止まって頭を下げて下さい」「キャラクターがついた服や持ち物は禁止です。商業主義に踊らされないで下さい」

疲労感を抱えつつ帰宅し、頂いた絵本を読み、園長の話と絵本の内容とのミスマッチに、頭の中が「？」でいっぱいになった。

「いいじゃないか、この絵本！」

夫は一読、絶賛した。

「こんな傑作、なかなか無いぞ。『ああ、子どもの頃、こんなふうに毎日が忙しかったな』と思わせるものがある。高野文子の「たあたあたあと遠くで銃の鳴く声がする」と同じ世界だな」

「はあ？」

かつてマンガ界を震撼させた高野文子『絶対安全剃刀』（一九八二年・白泉社）の巻頭作(註2)が、ここで引き合いに出されるとは思わなかった。ベッドで眼を覚ました女の子が「たあたあたあと遠くで銃の鳴く声がする」「わたしたすけにいかなくちゃ」と走り出し、「銃をいじめる」貂《テン》に石をぶつけ、銃に包帯を巻き、母の作るオムレツが焼けるまでに戻ってくる話だ。独特のシュールな疾走感は、確かに似ているかもしれない。

「子どもは忙しいんだよ。忍者を退治したり、さらわれた子猫をとり返したり、銃を介抱したりしなくてはならないんだ。それは自分の名誉や沽券にかかわるのに、でも、母親の顔も立ててやらなくてはいけないから、オムレツが焼けるまでには戻るし、パンツもはくんだ。あちこちに義理立てして辻褄合わせて…って、大変なんだ」

夫は熱弁をふるったが、私はあまりピンと来なかった。まだ幼児の習性に疎かった私には、この本の価値がわからなかったのだ。

やがて生まれた子どもを育てて、よくわかった。

赤ん坊や幼児は、裸の状態が好きだ。

衣類という枷からの解放が嬉しいのかもしれない。

いったん裸になった幼児は容易に服を着てくれない。

服を着せようとすると、逃走する。

全身で「はだかが　いちばん」と表現するかのように、喜々として走り回る。

『すっぽんぽんのすけ』を読んでやると、キャハハハ笑う。

愛読を重ねて、絵本はボロボロになっていった。


『すっぽんぽんのすけ』に描かれているのは、裸の幼児の万能感なのだ。ありのままの自分が世界に丸ごと受け入れられているような感覚だ。何も身につけずに世界と対峙できる幸せから、我々はふだん疎外されている。裸になるとは、その桎梏《しっこく》からの解放だ。

外的なもの＝現実と、内的なもの＝空想が、分離し難く結びついているのが幼児の世界だ。外と内とを隔てる無粋な衣類のない「すっぽんぽん」は、とりわけ激しい喜びを誘うものなのだろう。

そこでは、すべてが思い通りだ。敵と向かい合うのに、武器も衣装も要らない。そういったアイテムは、しょせん自分そのものではない。

名乗りをあげるだけで、「にんじゃたち」は、ひとり残らず逃げていく。

何の助けも借りていない。自分は自分であるだけで万能なのだ。

お風呂上がりには、そのままの姿で思いっきり叫ぼう。

「すっぽんぽんのすけだ～　えいっ」

○

「すっぽんぽんのすけ」は、最後にパンツをはく。はきたいからはくのではない。母親に怒られるからはくのだ。

裸を恥ずかしく思うという感覚は、文化的に

★（右から順に）作・もとしたいずみ／絵・荒井良二『すっぽんぽんのすけ』、同『すっぽんぽんのすけ　せんとうへいくのまき』、同『すっぽんぽんのすけ　デパートへいくのまき』、作・もとしたいずみ／さし絵・荒井良二『すっぽんぽんのすけ　ひかる石のひみつ』（いずれも鈴木出版）

教え込まれることによって内面化されるものだ。羞恥心は生得的なものではない。

　このあたりのことも、妊婦だった私にはまだわかっていなかった。

　家から一番近い保育園を見学に行った時のことだ。園児たちが昼寝をしている時間に、五歳児の部屋で園長から説明を伺っていた。

　すっ裸の男の子がいきなり部屋へ入ってきた。男の子は、引き出しを開けて衣類を引っ張り出した。

　私と話していた園長は、そちらに目を向け、声をかけた。

「おもらししちゃったの?」

「うん!」

　悪びれた様子は微塵もない。出し終えた衣類を無造作に持ち、すっぽんぽんのままスタスタと部屋を出て行く。その堂々とした姿に、私はカルチャーショックを覚えた。

　今にして思えば、特殊な出来事でも何でもない。昼寝中におもらしをしてしまった男の子が、その場ですべてを脱ぎ捨てて着替えを取りに来たというだけだ。

　度肝を抜かれた私の方が、場違いな闖入者だった。

　まだ羞恥心を内面化していない幼児は、最強である。

　『すっぽんぽんのすけ』のクライマックスを見てみよう。

「すっぽんぽんのすけ」と「にんじゃの　おやぶん」との対決の場面だ。

　全身をくすぐられて危機に陥った「すっぽんぽんのすけ」は「かえしの　じゅつ〜」と叫ぶ。

にんじゃたち、
あっというまに　すっぽんぽん。
「あら、やだ」
「きゃ〜」
「はずかし〜」
「まいりました〜」

（『すっぽんぽんのすけ』二二頁）

　着衣を奪われたら人前で平静を保てない者たち……羞恥心を持つ「にんじゃたち」は、「すっぽんぽんのすけ」の前にひれ伏すしかないのだ（註3）。

○

　千家元麿の詩「秘密」にも、着替え時に裸で逃走する幼児が描かれている。詩のアンソロジーなどによく収録されている有名な作品だ。一九一八年刊の詩集『自分は見た』（玄文社）に収められている。百年前も、今と変わらない幼児の姿がそこにある。

★千家元麿『自分は見た』
（玄文社、装幀は岸田劉生）

小供は眠る時
裸になつた嬉しさに
籠を飛び出した小鳥か
魔法の箱を飛び出した王子のやうに
家の中を非常な勢ひでかけ廻る。
襖でも壁でも何にでも頭でも手でも尻でもぶつけて
冷たい空氣にぢかに触れた嬉しさにかけ廻る
母が小さな寝巻をもつてうしろから追ひかける
（中略）
母は秘密を見せないように
小供をつかまへるとすばやく着物で包んでしまふ

（講談社『日本現代文学全集54』四九頁）

　「着物で包んで」「見せないように」にしなくてはならないのは、母にとっての「秘密」である。子供はただ「裸になった嬉しさ」にかけ廻る。それは「籠を飛び出した小鳥」「魔法の箱を飛び出した王子」にたとえられている。

衣服とは、「籠」であり「箱」であるようなものなのだ。秘密はその中に隠されている。それを自分の「秘密」と認識した時に、羞恥心は始まるのだろう。

幼児のこういったあり方の中には、我々ホモ・サピエンスという種の秘密が隠されている。

どうして我々は、衣類を身にまとうことを始めたのか？

もちろん、サバイバルに有効だったからだ。

そのきっかけを、七万五千年ほど前にインドネシアのスマトラ島で起きた、「トバ火山の大噴火」に求めるのが、「トバ・カタストロフ理論」である。一九九八年、Stanley H.Ambroseによって提唱された。

噴火が引き金となって、氷河期が始まった。草原は氷原となり、氷におおわれた世界の中で「裸のサル」である人類は次々に死んでいった。七割〜九割が死に絶え、世界人口は千人以上一万人以下くらいの数にまで減った。一部の者が衣類を身に着け始め、生き延びた。この者たちの子孫が我々なのだ。

ホモ・サピエンスが絶滅しかけた種だということは、ミトコンドリアDNAのバリエーションの幅が他の哺乳類や大型類人猿と比較して極度に狭いことからも推測されてきた。また、ホモ・サピエンスにつく二種のシラミ、頭髪につくアタマジラミと衣服につくコロモジラミの分化は約七万年前であることが、遺伝子解析の結果、判明した。これも、この説の傍証となっている。

新生児に見られる「把握反射」（手のひらに触れたものを握りしめる反応）や「モロー反射」（大きな物音などがすると、両手を広げて何かに抱きつくような動作をすること）などの「原始反射」は、進化の過程で体毛を失う前の名残だとされている。我々の先祖の赤ん坊は、オランウータンのように親の体毛を握ってしがみついていたのだ。

幼児が、パンツをはかせようとする母から「はだかが　いちばん」と逃げ出すのは、この「原始反射」のようなものなのかもしれない。衣類のない世界の記憶が、身体の中に残っているのである。

絶滅を目の前にしたトラウマが、いまだにホモ・サピエンスを支配している。

七割〜九割が死に絶えてしまうような環境にあって、我々の祖先は居住空間を火で温め、身体を衣服でくるんだ。「籠」や「箱」の中に入ることによって生き永らえ、その中に秘密を隠した。我々の生そのものにまつわる秘密である。

男性は自分の「反応」を秘密にしよう。女性は自分がいつ妊娠可能だったかを秘密にしよう。服を脱ぐような行為は秘密裏に済ませよう。勃起と生理と性交を「恥ずかしがって」隠す者の方が、より確実に自分の遺伝子を未来に送ることができる。

遺伝子のサバイバルに有効だからこそ、ホモ・サピエンスの子供は大人になるまでに羞恥心を内面化し終えなくてはならない。

それは「籠」や「箱」の内面化である。

とても不自由なことである。

○

風呂上がりの幼児が、熱気を発して走りまわる。

身体そのもののパワーが、みなぎりあふれる。

「すっぽんぽんのすけだ〜　えいっ！」

名乗り上げとともに、稲妻のような光が体から発される。

それは、身体に刻まれた原初の記憶の発露かもしれない。

（註1）鈴木出版「たんぽぽ　えほんシリーズ」奥付記載の、シリーズに関する説明より引用した。「すっぽんぽんのすけ」は〈月刊絵本　こどものくに　たんぽぽ版〉第十三巻第四号（一九九九年七月号）に発表されている。

（註2）初出は『マンガ奇想天外』№2（奇想天外社・一九八〇年）。五ページの作品である。

（註3）「かえしの　じゅつ」の内容が「かえし」でも何でもないところも素晴らしい。続編三作では、どれも「かえしのじゅつ」の内容がしっかりと「受けた攻撃のかえし」になっていて、残念である。

必然性があれば脱ぎます！

―「ハダカになる」を選んだ芸能人の群像

◉文＝阿澄森羅（小説家・シナリオライター）

芸能人がヌードなどの性的な仕事を請ける理由は無数に存在するが、大きくまとめれば『サプライズ』『リセット』『デスパレート』の三パターンになる。次章からはこの分類に従いながら、脱ぐことの意味と効果について考察してみたい。

1 彼女たちが脱ぐ理由

今年（21年）のGW前半、ネットに流れた情報が世間を少しだけ騒がせた。「元モーニング娘。の加護亜依がAVに出演する」というのがそれだ。元トップアイドルでありながら、度重なるスキャンダルで人気を急落させた彼女は、以前から似たような噂を何度も流されている。過去に出演打診があったのは事実らしく、加護自身もTV番組で「提示されたギャラが千六百万円だった」と、評価の低さを自虐ネタ風に語るなどしていた。

発信源が『実話ナックルズ』で、その後に追加情報もなかったことから、一ヶ月も経たない内に噂は完全に風化。しかし加護サイドから否定のコメントもないので、これを書いている六月上旬の時点では未だに真偽不明だ。

特に思い入れもない身としては、こんな噂は聞き流して終わるのがセオリーなのに、やけに苦々しい感情が湧き上がってしまった。それは何故だろう、と考えてみたのが今回の出発点だ。

2 サプライズ～肉体を武器にして

三種の中で最も幸せな結果になりやすいのは『サプライズ』だ。デビューや新人の段階で大胆に脱ぐ、安定して人気があるのにヌード写真を発表する、清純派で売っていたのに映画で濡れ場を演じる、などがこのカテゴリに入る。脱いだ当人の意思はどうあれ、脱がせる側は商品価値を下げずに売ろうと宣伝と作品選びに努力を惜しまない（例外はあるが）ので、商業的にも批評的にも成功率が高い。

日本で最も有名な例は、アイドルとして人気絶頂にあった宮沢りえの突然のヌード写真集発売（91年）だろう。その写真集『Santa Fe』は、折からのヘアヌードブームとの相乗効果で売上も凄まじく、その人気ぶりをTVや雑誌が大々的に取り上げた結果、宮沢の知名度は「国民的」と言っていいレベルまで跳ね上がった。

★宮沢りえ・篠山紀信『Santa Fe』の新聞広告

映画で脱いで成功につなげた例は多数あるが、それを二度ものにした黒木瞳はレアケースかもしれない。宝塚からの転身で女優となった黒木は、86年に映画初主演となる渡辺淳一原作の『化身』でヌードを披露して話題を集め、作品は配収五億五千万のヒット（比較対象としては同年公開の『極道

★『化身』

の妻たち』が八億)。十年ほど後、同じ渡辺原作の『失楽園』で更に濃厚なラブシーンを演じ、公開年の興行成績二位(ちなみに一位は『もののけ姫』)となる大ヒットを記録した。

詳しく説明しているとページが足りなくなるので要点だけ述べると、裸になる・裸を見せるという行動はとにかく「強い」。そもそも、日本の芸能の祖とされるアメノウズメ(天宇受売命/天鈿女命)からして、日本神話の有名エピソード『岩戸隠れ』と『天孫降臨』で裸を披露して困難を乗り越えているように、サプライズ効果は想像以上に強力だ。

神話まで遡らなくとも、裸身を晒して運命を切り拓いた例は少なからず存在する。たとえば、マックス・オフュルス監督の映画『歴史は女で作られる』の主人公にもなっているローラ・モンテス。渋澤龍彦『女のエピソード』によると、美貌のダンサーとして人気を博していた彼女がバイエルン王ルートヴィヒ一世に謁見した際、王はあまりに均整の取れたプロポーションを目にして「パッドで乳を盛っているのだろう」と軽口を叩く。言われたローラはどこからともなくナイフを取り出すと、ドレスの胸を裂いて見事な巨乳を披露した。このパフォーマンスで王が惚れ込み、愛人の座に着いたローラは絶大な財力と権力を得た、とのことだ。彼女の末路はだいぶ悲惨だが、芸能の世界における栄枯盛衰の落差は昔から変わらず大きい、と教えてくれるようでもある。

3 リセット～裸一貫からのやり直し

芸能人が脱ぐ理由で最も多いと思われるのが、この『リセット』だ。固定されたイメージからの脱却、低迷している人気の回復、無名なままの状態の打破など、動機は様々あっても主目的は「環境の変化」にある。とりわけ、ファンの支持や事務所の支援が期待できない局面で、一発逆転の手段として繰り返し採用されてきた歴史がある。

古い成功例としては、風吹ジュンが有名だろうか。73年のデビュー直後から爆発的な人気を獲得したものの、翌年に事務所移籍を巡って誘拐騒動が勃発。それに付随して過去の素行不良を掘り返され、二年後にはまたも事務所からの独立に絡んだ失踪騒ぎを巻き起こし、アイドルとして致命傷に近いダメージを受けてしまう。ロクな仕事もなくそのまま消えるかと思われた風吹だが、松田優作主演の『蘇える金狼』での鮮烈な濡れ場で絶大なインパクトを残し、その後は順調に実力派女優としてのキャリアを積んでいる。

その後も、女優やアイドルの復活や飛躍に「脱ぎ」は利用されてきた。特に90年代のヘアヌードブームでは、無名の新人からまさかの大物歌手、更には人気男優までが次々と写真集を発売し、話題の増幅効果を生んでブームを加熱させていった。ただ、利用が濫用の域にまで達したことで、芸能人の裸から特別感を失わせてしまった面もある。

そんな中でも、セミヌードを発表したり大人の女を演じたりでイメチェンを図るも、子役時代の印象が強すぎて伸び悩んでいた安達祐実が、お笑い芸人とのデキ婚と離婚などで更に迷走を深めた末に、映画『花宵道中』の遊女役で見事な演技を見せて女優としての評価を新たにするなど、近年にも成功例は散見される。なので、これからも『リセット』のために脱ぐ芸能人は尽きることはないはずだ。

★『花宵道中』

4 デスパレート～自暴自棄と自縄自縛

先に挙げた三種で最も問題を孕んでいるのが、この『デスパレート』だ。耳慣れない言葉かもしれないが、日本語に訳すと「ヤケクソ」「必死」「絶望的(な状況)」などの意味になる。要するに脱ぐしかない状況に追い詰められた、或いはそう思い込んでしまった結果として辿り着くパターンだ。

★『愛の白昼夢』

元祖が誰になるかハッキリしないが、唐突感と衝撃度の高さでは畑中葉子が突き抜けている。平尾昌晃に才能を見出され、平尾とデュエットした78年のデビュー曲『カナダからの手紙』が大ヒット。その後も順調な活動を続け翌年にはソロ活動も開始するが、ここで関係者の反対を押し切って無名の業界関係者と結婚。なのに僅か八ヶ月で離婚に至ったことで、畑中には「傷物」のイメージが貼り付いてしまった。

その後の畑中は男性誌へのセミヌード掲載に始まり、きわどい歌詞で物議を醸した『後から前から』『もっと動いて』の発表、ロマンポルノ『愛の白昼夢』で女優デビューと、セクシー要素を前面に出した活動にシフトする。この路線変更は商業的には成功だったようだが、事務所に「引退か脱ぐか」を迫られていた経緯や、本人の「不本意な仕事で後悔している」との発言も併せて考えると、『デスパレート』と扱うべき件だろう。

芸能人の括りからは多少ズレるが、林葉直子は他の追随を許さない暴走の記録を残している。実力派女流棋士にして少女向け小説の人気作家だった林葉は、94年に突如失踪騒ぎを起こす。その後、謹慎を経て復帰するも間もなく引退を発表、それと同時にヘアヌード写真集を発売して世間を困惑させる。

金銭目的でも売名目的でもない真意不明な「脱ぎ」はマスコミにネタを提供するだけに終わったが、その後も数々の騒動を巻き起こしたり巻き込まれたりの迷走を重ねていく。一方で将棋漫画『しおんの王』の原作（かとりまさる名義）もこなすなど才人ぶりも相変わらずで、これが創作なら「キャラ造形がデタラメすぎる」と編集に怒られかねない。

こういう筋金入りのヤケクソ事例はさて措き、追い詰められての脱ぎ仕事には何かとキナ臭さが付き纏う。そして少し背景事情を調べると、決まって得体の知れないプロデューサーやアウトロー界隈の関係者といった、いかにもな連中の存在が透けて見えるのだ。加護のＡＶ出演の噂に感じた苦さは、この『デスパレート』特有のニオイと気配を察知したのが原因となっている可能性が高い。

脱ぐしかなくなる理由は大体が経済的な困窮や事務所の圧力なのだが、そういうベタな転落ではない闇の深さを窺わせる種類の案件も存在する。それらは『パニッシュメント』――処刑や懲罰といったものに似た不穏さを湛えている。

5 パニッシュメント～裁かれる逸脱者

この『パニッシュメント』は、ここまでの三パターンにカテゴライズしようにも、違和感が大きすぎるのが特徴だ。わかりやすいものには、15年から翌年にかけての高橋しょう子のＡＶ転身騒動がある。以前の高橋は高崎聖子という芸名で、グラビアアイドルとして活動していた。ＴＶ局のキャンペーンガールにも起用されるなど、ブレイク寸前の環境にあった彼女だが、ある日突然に援助交際を疑わせる画像や動画がネットに流れ始める。全ては捏造だと当人は疑惑を否定するも、悪評を覆せずに数カ月後には引退。ここで終われば、少々謎めいた後味の悪い芸能界の小事件として埋もれたのだろうが、引退から数ヶ月後にＡＶで復帰という急展開が待っていた。

同じく人気グラドルだった小向美奈子も、不可解な速度での変転を見せる。小向は08年に

★『花と蛇3』

素行不良を理由に事務所を解雇され、翌年に覚醒剤の所持と使用で逮捕。執行猶予となった小向はストリップ劇場への出演という変化球的な「脱ぎ」で話題を集め、更には団鬼六原作のSM映画（18禁）『花と蛇3』で主演するなど、裸を武器に順調に芸能界復帰を果たすかに思えた。しかし11年に再び覚醒剤で逮捕（証拠不十分で不起訴）され、その後はAVデビュー、三度目の逮捕と刑務所生活、無修正アダルト動画への出演と、仕事も私生活も過激化の一途を辿る。

この二人は一見すれば、個人的なやらかしの末にAV行きを選択しただけにも思える。しかし表面化されている裏事情（おかしな日本語だが）を加味してみると、何とも言えない不透明さが滲んでくる。高橋は事務所の移籍を巡ってのトラブルを抱えていて、小向は解雇直後に「アイドルの売春を斡旋する組織」の存在を週刊誌で暴露している。その他にも色々と騒動の種になりそうな情報が漏れており、実際のところは不明だが「見せしめ」的な意図の介在を読み取ってしまう。

現代では殆どの国で採用されていないが、かつては洋の東西を問わず「罪人を辱めるのを目的とした刑罰」が行われていた。東洋ならば入墨、西洋ならば焼鏝がその代表だ。どちらも顔や手足といった目立つ場所に、死んでも消えない罪の証を刻み込む刑罰だ。これより重くなると、鼻や耳を削いだり手足を切り落としたりの身体刑となり、軽くなると無様な姿を衆目に晒される恥辱刑となる。

ドイツでは多様な刑罰の規定があり、犯罪者はその罪状に合わせてマヌケな姿を強制された状態で、市中の広場で晒し者にされた。中国では重たい手枷や首枷を装着して晒される刑罰が多用されたという。江戸時代の日本では基本的に晒し刑と死罪がセット（時代劇で御馴染みの「市中引き回しの上、打ち首獄門」など）となっていたが、心中の失敗や僧侶の犯罪には晒し場で放置される刑が適用された。もっとも罰はそれだけで終わらず、財産を全て没収されての追放や、被差別民にされることがセットになっていたのだが。

こうした前近代的な刑罰の諸相と、芸能人の『パニッシュメント』は類似性が高い。裸体や性行為を晒すこと自体が恥辱刑となり、その映像が残るのは入墨に似た効果を発揮する。映画の上映が終われば数年で忘れられ、写真集も一時期をすぎれば古本屋でしか売られない時代は既に終わり、現在は画像も映像もネット上に半永久的に残り続ける。様々な負の情報を消せない「デジタルタトゥー」の問題は以前から燻り続けているが、芸能人にとってもこの状況は深刻化していきそうだ。

6 それでもハダカになるしかない

かつて「必然性があれば脱ぎます！」が制作発表会見でのアイドルや女優の定番セリフだったのは、それだけ必然性もなく話題作りのために脱がされるケースが多発していたからに他ならない。しかしながら、どんな名作でどれだけ熱演しようと、ヌードやカラミがあるだけで、向けられる視線の何割か（或いは大部分）に下世話な粘り気が含まれるのも避けられない。歌や演技で勝負していたつもりだったのに、裸になったことばかりが取り沙汰されるのでは当人は忸怩たる思いだろうし、断るに断れない状況下で脱がされ、後悔やトラウマを抱えることになった事例なども、結構な数が転がっている。

前述の通り、裸になることのインパクトは「強い」。だが「強さ」はそのまま「価値」が減退しているのも顕著で、脱ぎ損に終わったケースも枚挙に暇がない。有名人の裸には今もそれなりの需要はあるものの、裏を返せばもう「それなりでしかない」のだ。ではどうする、となっても効果的かつ普遍的な代替手段は存在していない。いつか新たな切り札が発明される日まで、今後も芸能人は脱いだり脱がされたりしていくのだろう。

ボクシング映画の現在
——「はだか」の負け犬たち

◉文＝梟木（ライター）

はじめに

ボクシングは「はだか」の格闘技だ。スモウやレスリングの選手のように、分厚い肉の鎧に守られているわけではない。キックボクシングやムエタイの選手のように、豊富な打撃の手段が用意されているわけでもない。鍛え上げられた肉体から放たれる拳を、ただ裸の肉体に向かって撃ち込む。原始的、と言ってしまえばそれまでだが、そこには嘘のない裸の人間同士の衝突からしか生まれないドラマがあり、栄光と敗北の美学がある。

そのためだろうか。他の格闘技スポーツと比べても、ボクシングをテーマにした作品は多い。芝山幹郎の『スポーツ映画トップ100』（文藝春秋、二〇一八）には、団体競技から格闘技まで古今東西のスポーツ映画の名作が一〇〇本紹介されているが、ボクシング映画はそのうちの一七本を占める。これは種目別では野球に次いで二番目に多い数字であり、格闘技別ではプロレスの二本を抑えて堂々のトップである。

なぜボクシング映画には名作が多いのか。

試合に関わる人数が限られるため、それぞれの人物のドラマを深堀りしやすい、という事情はあろう。ボクサーとトレーナー、あるいは宿命のライバル関係にあるボクサー二人が登場すれば、もうそれだけで一本の映画の輪郭ができてしまう。またボクサーを演じる俳優は隠すことのできない身体をボクサー体型にまで鍛えることが求められ、それは必然的に、ボクサーとしての演技やボクシングの試合シーンにリアリティを生む。

それだけではない。三十六歳を上限とする厳しい年齢のリミットもあり（JBC規定）、多くのボクサーはチャンピオンを夢見ながら、ただの一度の栄光も掴むことなく去っていく。それは誰にでも平等に訪れる青春の終わりであり、人生の縮図のようだ。そしてそのような「敗者」の物語も、ボクシング映画は隠すことなく描いてきた。

いま、日本のボクシング映画にはかつて経験したことのない大きな「波」が来ていると、筆者は見ている。

二〇一四年に公開され、その年のアカデミー外国語映画賞の日本代表にも選ばれた安藤サクラ主演『百円の恋』を筆頭に、前後編合わせて五時間を超える大作『あゝ、荒野』（二〇一七年）および『アンダードッグ』（二〇二〇年）、そしてコロナ禍の中で無事公開された松山ケンイチ主演の『BLUE/ブルー』など、意欲的なボクシング映画の新作が相次いで発表されている。それぞれ日本の映画界で長く活躍してきたベテランが監督を務め、名だたる俳優が相当な準備期間をかけてボクサーとしてのトレーニングを積んだ上で演技に挑んでいるのも、大きなポイントだ。

しかしまずは、日本ボクシング映画の最初の「波」を準備した寺山修司の『ボクサー』（一九七七年）から見ていくことにしたい。

Ⅰ「波」到来前夜
〜寺山修司『ボクサー』から北野武『キッズ・リターン』まで

『ボクサー』は、不思議な映画だ。業界内でボクシング通として知られていたとはいえ、なぜ寺山修司を商業映画の監督として起用しようと思ったのか。寺山の周辺にいる（「天井桟敷」系の）役者で固められたカフェのシーンは泥臭いボクシングの世界観から完全に浮いてしまっているし、主役のボクサーを演じる（当時はアイドル歌手として売り出し中だった）清水健太郎も、お世辞にもボクサー体型とはいえない。にも関わらず、本作が一本のボクシング映画として忘れがたい印象を残すことも、また確かである。

それは本作が「ボクシング」の映画

ではなく、あくまで「ボクサー」という職業がもつ〝業〟について描いた作品だからだろう。菅原文太演じる引退したボクサーはかつて試合の相手を憎みきれなかった経験から大事なタイトルを落とした過去があり、それはそのまま、寺山のボクサー観と重ねられるものでもある。「私がボクシングに興味を持ったのは」と、寺山はある著書の中で述べる。「その暴力のありざまの悲劇性である。それは憎くもない相手を殴り倒すことによってしか世に出られないという、いわば不条理の世界なのである」(寺山修司『寺山修司の戯曲8』、思潮社、一九八七)。

そのような〝暴力〟の原点に立ち返った寺山の視点から紡がれるボクサーの物語は、どこまでも甘く、そして優しい。『ボクサー』は日本のメジャー映画から長らく追放されていたボクシングという題材を復活させた作品として、期待されていたほどの成果は挙げられなかったものの、前年にアメリカで公開された『ロッキー』(一九七六年)が日本でヒットしていた余波もあり、以降はボクシング映画が継続的に作られる環境が整えられていく。

ボクシング映画に「憎悪」というテーマを設定したのが寺山修司なら、それを徹底的に突き詰めたのが塚本晋也の『東京フィスト』(一九九五年)だ。

この作品は、いま見てもスゴい。ボクサーとして落ち目にある小島(塚本耕司)はただ純粋な憎悪による人間同士の関係を築いて自分を磨き上げるだけのために、先輩であるサラリーマンの津田(塚本晋也)から恋人を奪い、彼をボクシングの道へと引き込もうとする。鋼鉄のように身体を鍛え上げた無数のボクサーがリングの上でパンチを繰り出すオープニングの映像から、塚本監督のボクサーの身体性に対するフェティッシュが炸裂している。

物語の序盤、アパートの部屋で小島にストレートを浴びせられた津田は、漫画のように鼻血を噴出させ、玄関の扉を突き抜けて廊下の壁へと吹っ飛ぶ。行きすぎた演出であることは否めないが、ボクシングという競技がもつ暴力性と、その時点における二人の実力差がわかりやすく伝えられる名シーンだ。いっぽうで津田の恋人であるちひろ(藤井かほり)もまた、男たちが互いに与えあう肉体の「痛み」を自身も引き受けようとするように、刺青やピアスを使った肉体改造の虜になっていく。『東京フィスト』の世界では憎悪も、暴力も、そして「痛み」も、すべてが過剰なものとしてある。そこに震災とテロに揺れた一九九五年の日本という社会の時代性を、見ないわけにはいかない。

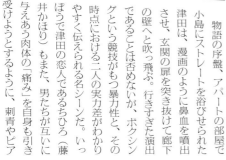

本章では最後に、オウムによるテロの翌年である一九九六年に公開された北野武の『キッズ・リターン』を見ていくことにしたい。一九九四年のバイク事故で死に直面した北野武が復帰作として選んだ本作は、寺山修司的な『ボクサー』のリリシズムとも塚本晋也的な『東京フィスト』の「過剰さ」とも無縁な、乾いた死の空気を全編に漂わせている。にも関わらず、ドラマの結末としては安易な主人公の「死」による救済を否定したことで、本作は青春の挫折を描いた若者映画の金字塔として、長く記憶されることとなった。ボクシングをテーマとした映画作品としても、もちろん一級品である。

『キッズ・リターン』の主人公はできの悪い高校生のマサル(金子賢)と、マサルの同級生でありながら彼のことを兄貴のように慕う弟分のシンジ(安藤政信)。二人は授業にもほとんど出ず、他の高校生からカツアゲしながら勝手気ままな毎日を過ごしていた。だがある日、カツアゲされた高校生が仕返しに連れてきたボクサーによって、マサルは一瞬で叩きのめされてしまう。発奮したマサルはボクシングジムに通い始め、シンジにも入門を勧めるが、皮肉にもボクシングの資質に恵まれていたのはシンジのほうで……。

シンジとマサルの物語の行く末には、二人の「はだか」が大きく関係している。ボクサーとしての才能を見出されたシンジはジムでの特訓を重ね、試合でも連勝街道を突き進んでいくが、マサルの代わりに兄貴風を吹かす先輩ボクサー（モロ師岡）にビールや煙草を無理強いされ、次第にボクシングのための肉体を維持することが難しくなっていく。いっぽうでボクサーの道を諦めたマサルは地元のヤクザ組織に入門し、若い衆から「アニキ」と慕われるような存在になっていくが、ヤクザになった途端にボクシングで鍛えた背中の上から大きな紋々（刺青）を入れるような「型から入る」性格が災いし、組織との関係をこじらせてしまう。退屈な日常を抜け出したはずの二人の先に待っていたのは「死」という形での救済さえ認められないような、なんともぬるい（しかし何かを見つけた気になっていた若者にとっては決定的な）破滅だ。

ボクシングという競技をテーマにしたフィクションでありながらいっさいの感傷や甘い期待を許さない『キッズ・リターン』のリアリズムは、寺山修司の『ボクサー』に始まる日本のボクシング映画の伝統をいちど終わらせた。しかし『キッズ・リターン』の公開から一八年、ボクシングは現代の日本社会を舞台とした映画の中に思わぬ形で蘇ってくることになる。

II「つながり」を求めて
〜武正晴『百円の恋』

一九九六年に『キッズ・リターン』という青春ボクシング映画の金字塔が公開されて以降、日本ではしばらく、ボクシングを題材とした作品がヒットし難い状況が続いていく。

時代的にも、いわゆる「邦画」や、生々しい暴力を扱う作品があまり好まれない時期が来ていたのだろう。一九九九年の日本における映画館配給収入ランキングの一位から四位までを「洋画」が占め、その中にカンフー・アクションを駆使した仮想空間での戦闘を描いた『マトリックス』が含まれていたのは、いま見てみると象徴的だ。社会学者の大澤真幸が「虚構の時代」と呼んだ一九八〇年代的な価値観が爛熟しつつあったこの時代、ボクシングという題材を通してありのままの「現実」の痛みを引き受けようとするような観客は、おそらく（今よりもっと）少なかった。そして二〇〇〇年代に突入すると、クリント・イーストウッド監督による第七十七回アカデミー作品賞受賞作『ミリオンダラー・ベイビー』（二〇〇四年）を筆頭に、ラッセル・クロウ主演の伝記ボクシング映画『シンデレラマン』（二〇〇五年）やシルヴェスター・スタローン監督・主演による『ロッキー』シリーズの集大成『ロッキー・ザ・ファイナル』（二〇〇六年）など、ボクシング映画は遠く海外で傑作を連発し、存在感を示していく。

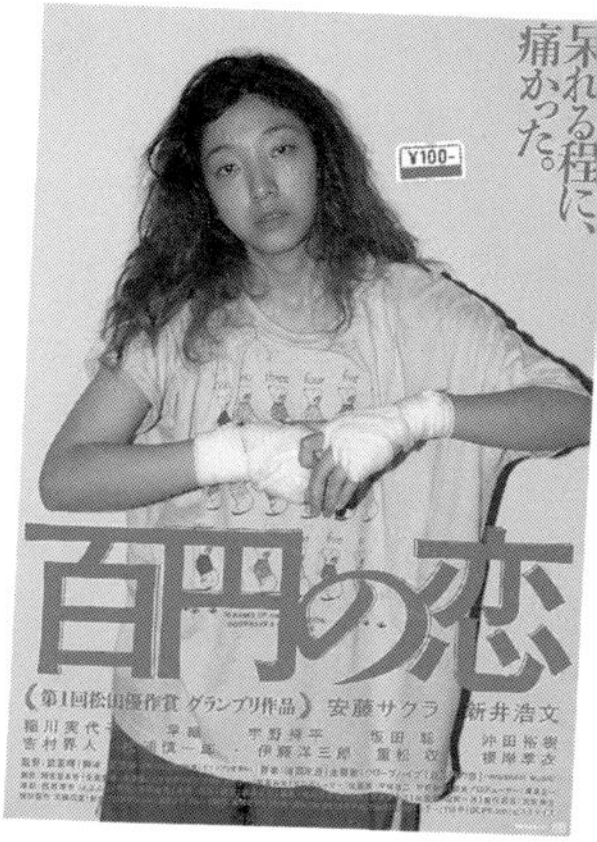

だからといって、日本でボクシング映画が作られなくなった、というわけではまったくない。二〇〇八年から二〇一一年の間だけを見ても、まきの・えりや百田尚樹による小説を原作とした『ラブファイト』（二〇〇八年）や『ボックス！』（二〇一〇年）、人気コミックの映像化である『ボーイズ・オン・ザ・ラン』（二〇一〇年）や『あしたのジョー』（二〇一一年）など、多くの「ボクシング映画」が公開されている。とはいえそれらのタイトルが先行するボクシング映画と比べて、どうしても〝小粒〟の印象を否めないのは、メディアミックスという作品の性質上、仕方のないことではあろう。原作のないオリジナルの企画による、本格的な日本ボクシング映画の再来は、やはり二〇一四年公開の『百円の恋』の登場を待つこ

とになる。
『百円の恋』は武正晴監督による、女子ボクシングを題材にした映画作品だ。主人公は一子（安藤サクラ）という名の、三十二歳の女性。彼女は実家に引きこもったまま特に働きたい意志もなく、テレビゲーム漬けの毎日を過ごしていた。そんなある日、出戻りで実家に帰ってきていた妹の二三子から自堕落な生活を責められた一子は、やむなく実家を出ることになる。一〇〇円ショップの店員のバイトも決まり、なんとか新生活をスタートさせた一子。なぜか近所のジムに所属するボクサーの狩野（荒井浩文）という男とデートに行くことになった彼女は、それをきっかけにボクシングの世界に興味を持ち始め……。

なぜ一子は狩野を応援する「観客」としてではなく、プロのボクサーとしてボクシングに関わろうと思ったのか。彼女の言葉を借りると「全力で殴り合ったり、殴り合った後に（お互いの健闘を称えて）肩を叩き合ったり、そういうのが、なんか」羨ましかったのだという。身も心も「はだか」にした人間同士による全力のぶつかり合いを、一子は切実に求めている。通常の人間関係では得ることのできない、拳の撃ち合いによる深い「つながり」の希求は、二〇一〇年代以降のボクシング映画を語る上で欠かすことのできない、大きなキーワードでもある。

それにしても驚かされるのは、一子を演じる安藤サクラの肉体改造術だ。冒頭、映画のカメラはテレビゲームに興じる彼女の姿を通して、脂肪のたっぷりついた背中と、長年の引きこもり生活で弛緩しきった表情をまざまざと映し出す。しかしジムでのトレーニングを重ねるにつれ、彼女の身体からは無駄な脂肪がそぎ落とされ、顔つきもまた精悍なものに変化していく。作品のクライマックスにボクサーとして登場する一子の肉体性は、最初のシーンで姿を見せた引きこもりの女性とは、もはや「別人」だ。

だからこそ、というべきか。徹底的にリアルな「勝負の世界」を描くことに拘りのある作品だからこそ、『百円の恋』は三〇歳を過ぎて初めてボクシングの世界に足を踏み入れた女性に、安易にチャンピオンの夢を見させるようなことはしない。その一貫したリアリズムの姿勢は、北野武が監督した『キッズ・リターン』と、どこか通じるものがある。

III 「貧しさ」に呑み込まれて
～武正晴『アンダードッグ』

『百円の恋』のスタート時点で、一子の年齢は三二歳。JBCは女性によるプロテストの受験資格を三二歳までと定めているから、年齢的にはかなりぎりぎりだ。また一子となし崩し的に同棲する（？）ことになるボクサーの狩野も、定年である三六歳の引退試合を間近に控えており、お世辞にも将来性があるとはいえない。『百円の恋』から六年、武正晴監督はそんな不完全な人間たちによる崖っぷちのドラマに『アンダードッグ』（二〇二〇年）でもう一度挑むことになる。

主人公の末永晃（森山未來）は、元ライト級日本一位の経歴を持つボクサー。ただし七年前に掴みかけたチャンピオンの座を逃してからは落ちぶれてしまっており、三五歳という年齢からも、限界はすぐそこまで迫っている。それでも諦め悪く〝かませ犬〟としてボクシングの世界にしがみついていた末永だったが、ジムの会長からはとっくの昔に見放され、妻や息子とは別居状態に陥っていた。そんな末永のもとに、ある日、テレビ番組の企画でボクシングに挑戦する芸人の宮木瞬（勝地涼）とのエキシビジョンの試合の依頼が舞い込んできて……。

ボクサーとして崖っぷちの状態にありながら、末永はなぜボクシングを諦めることができないのか。それはボクシングを辞めてしまえば後には何も残らないことを、彼自身がよくわかっているからでもあろう。レールを踏み外し、自ら進んで「負け犬」となった人間に、社会は再起のチャンスを与えたりはしない。この度のコロナ禍における給付金不支給の問題でも広く明らか

になった、令和の日本社会の冷たい世相が『アンダードッグ』には刻まれている。

ここでふたたび俳優の「はだか」の肉体に目を向けてみよう。

長年のリングの上での〝かませ犬〟生活が染み着いた結果なのだろうか。同じく芸人として崖っぷちの境遇にある宮木との対決までが描かれる映画の「前編」では、末永の肉体は腹筋も少なく、長年の不摂生を容易に連想させる身体をしている。ところが末永にとって宿命の対戦相手である若き天才ボクサーの大村（北村匠海）との対決を描く「後編」になると、いよいよ闘争本能に火がつき、その肉体を逞しく豹変させていく。「前編」と「後編」でまったく印象が異なる、末永を演じる森山未來の「はだか」も、この映画を鑑賞する上での大きなポイントだ。

同じ監督の作品だけあって『百円の恋』と『アンダードッグ』には、共通点も多い。徹底したリアリズムの姿勢を貫くこと。俳優の肉体の「出来上がり具合」と劇中のドラマをリンクさせること。そして最後に、リングの上での出来事と同じくらいの比重で、ボクサーの私生活を描くこと。『アンダードッグ』の末永は、ボクサー以外にはデリヘルの運転手の仕事もしているが、父親の借金の返済もあり、先行きが明るいとはいえない。三〇歳を過ぎてはじめて百円ショップでバイトを始めた『百円の恋』の一子にしても、それは同様だろう。映画はそのような「貧しさ」の中で立ち行かなくなった現代の若者たちの姿を、鮮明に映し出す。そしてそれは監督である武正晴や、両作で脚本を務めた足立紳の〝作家性〟という枠を越えて、二〇一〇年代以降のボクシング映画に多く共通する性質でもあった。

Ⅳ 幻の東京オリンピック二〇二〇と岸義幸『あゝ、荒野』

『あゝ、荒野』（二〇一七年）は寺山修司による同名長編小説を原作としつつ、作品の舞台を二〇二一年の東京に置き換えて映像化した、前後篇合わせて五時間を超えるボクシング映画大作だ。主人公は沢村新次（菅田将暉）という名の、少年院を出所したばかりの二一歳の青年。新宿の根無し草である彼はかつて自分を裏切った仲間の情報だけを頼りに街を彷徨うが、いつの間にかボクサーに転身していた元仲間の裕二（山田裕貴）からきつい一撃をお見舞いされ、返り討ちに遭ってしまう。その一部始終をたまたま目撃していたのが、本作におけるもう一人の主人公であり、新次との間に熱い友情を築くことになる韓国人ハーフの二木建二（ヤン・イクチュン）と、現役時代に片目を失った元ボクサーの堀口（ユースケ・サンタマリア）。堀口から勧誘され、彼の所属するジムにボクサーとして在籍することになった二人は、それぞれ「新宿新次」「バリカン建二」のリングネームで頭角を現していくことになるのだが……。

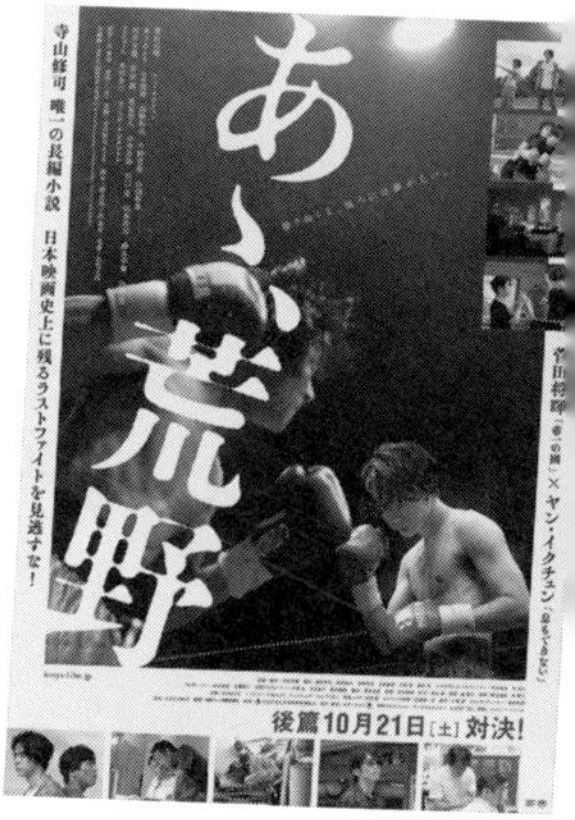
あゝ荒野
寺山修司 唯一の長編小説 日本映画史上に残るラストファイトを見逃すな！
ヤン・イクチュン
後篇10月21日［土］対決！

『あゝ、荒野』の公開年であった二〇一七年の世相をもとに、東京オリンピック閉会後の日本社会の分断や自民党による「戦争法案」の成立を盛り込んで描いた本作が、現実の二〇二一年の景色とはだいぶ違ったものになってしまっていることに、すぐに気づくだろう。実際には東京オリンピックが二〇二〇年に開催されることはなく、安倍政権批判のお題目であった「戦争ができる国」というキーワードも、どこかに消えてしまった。だが現実の二〇二一年のほうが、人々の間に横たわる溝や分断はもっと深刻だ。新型コロナウイルスの蔓延による社会へのダメージは留まることがなく、自粛はいつまで続けられるべきか、オリンピックは開催か中止か、などの問題をめぐって相容れない主張が展開されている（二〇二一年六月現在）。コロナ禍によって職を失った若者の貧困化も深刻で、もしかしたら本作の新次のように、介護施設の職員として働くことすら難しい時代が、すぐそこまできているのかもしれない。

だからこそ社会との「つながり」を求めてボクシングに打ち込む新次や建

二の姿が、より切実なものとして私たちの胸に響く。物語が進むにつれて、新次を演じる菅田将暉の腹筋が厚みを増していくことについてはもはや何も言うまいが、注目すべきはヤン・イクチュン演じる建二のキャラクターだ。吃音による対人恐怖を抱えており、暴力を振るう父親のいる家から逃れてきた建二にとって、ジムは唯一の安心のできる「居場所」となる。だが同じジムに所属するボクサーである限り、新次とリングの上で戦うという望みだけは叶えることができない。そのため彼は「後篇」になると、新次とのより深い「つながり」を求めて、堀口のいるジムを移籍していく。

それだけではない。「ボクシングは、より強く相手を憎んだほうが勝つ」と豪語する新次に対して、心優しい建二は試合の対戦相手を憎みきることができないという明確な「弱さ」を持つ。そこには「憎悪」という、一九七七年に寺山修司が『ボクサー』で設定したテーマが、四十年越しに回帰している。もちろん、寺山修司の原作からしっかりとその要素を拾い上げた『あゝ、荒野』の岸義幸監督の慧眼もさすがだ。

V 格好悪くても諦めない
～吉田恵輔『BLUE/ブルー』

本稿では最後に、吉田恵輔監督による令和最新のボクシング映画『BLUE/ブルー』（二〇二一年）を見ていくことにしたい。主人公は瓜田（松山ケンイチ）という名の、ボクシングに情熱を注ぐジムのトレーナー兼ボクサー。ただしボクサーとしての才能はなく、試合にはいつも負け続けていた。瓜田のほうからボクシングの世界に誘った高校時代の後輩である小川（東出昌大）には試合の戦績で圧倒的な差を付けられ、ずぶの素人としてジムに入門してきた新人の楢崎（柄本時生）にさえ資質の面で追い抜かれながら、それでも瓜田は彼らに嫉妬する素振りすら見せず、基礎を重視したトレーニングに励むのだが……。

どれだけ才能がないと言われても瓜田がボクシングを辞めようとしない理由は、もはや明白だろう。『アンダードッグ』の末永がそうであったように、自分からボクシングを取り上げてしまえば後には何も残らないことを、彼自身がいちばんよくわかっているからだ。だから瓜田はたとえどれだけ試合で負けを重ねても、その負けを公の場で後輩から詰られても、諦め悪く、格好悪いままボクサーでいようとし続ける（その姿を観客に説得力のあるものとして伝える、松山ケンイチの飄々とした存在感が見事だ）。二〇一四年の『百円の恋』以来、何度も繰り返し描かれてきた「はだか」の負け犬の系譜が、こんなところにまで受け継がれている。

以上、日本社会が大きく揺れた一九九五年と二〇一四年以降というふたつの時期を中心に、ボクシング映画を巡る状況について見てきたが、如何だったろうか。それらの作品は多く製作された年代も背景もバラバラでありながら、ボクシングを通して人と人との「つながり」を描こうとする姿勢や、どちらかというと社会の「負け組」とされてきた人々を主人公とした上昇のドラマ（しかし決して「世界チャンピオン」などという大それた夢は見させない）としてボクシング映画を再構築する意志など、多くの点で共通する要素を持つ。そしてそれはもちろん、非正規雇用の増加によって社会に格差が拡がり、多くの若者が「負け組」の側にふるい落とされるようになったことと、決して無関係ではない。

しかし同時に、そうした「勝ち負け」とは別の次元で人間が輝く瞬間があるということを、ボクシング映画は伝えてきた。役者が演技をするにもソーシャル・ディスタンスが求められる昨今、俳優がジムに通ってその肉体をボクサー体型にまで仕上げた上でボクシング映画の撮影に臨むなどということは、難しいに違いない。しかしそれでも人々の心にどうしようもない「接触」への――身も心も「はだか」にした上で剥き出しの憎悪や愛情をぶつけ合うことへの――欲望がある限り、今後も新しいボクシング映画の傑作が登場してくることを、期待してやまない。

BLUE
ブルー
平凡と非凡、憧れと嫉妬、友情と恋
もがき続ける挑戦者たちの熱い物語

荻野茂二『山の女』のまなざし
——ある個人映画作家の肖像

◎文＝高槻真樹（ＳＦ評論・映画研究者）

▽幻の裸体映画

誰にとっても、「幻の映画」というのは、あるのではないだろうか。かつて一度だけ見て心に強く刻まれているが、ＤＶＤや配信もなく、どうすれば再び見られるのか分からない作品。内容を友人に語っても「そんな映画はあり得ない」と一笑に付されてしまう。調べても作品の情報は乏しく、自分は本当にそんな映画を観たのだろうかと、だんだん心配になってくる……

私の場合、こんな内容である。

ある晴れた日、一人の女が山に出かける。時は秋。色鮮やかな紅葉の中、女は突然服を脱ぎ始める。全裸になった女は、落ち葉をかき分け、山道を歩き、切り立った峡谷にかかったつり橋を渡る。さらには何の装備も持たず、素足のまま、おもむろに険しい岩肌を登り始める。まるで、ありふれたホームムービーのように、明るく笑顔を振り撒きながら、楽しげに山を散策する。全裸で。エロチックさを引き出す演出は一切ない。音楽もセリフもないサイレント作品のため、不条理感はさらに高まる。

初見時の衝撃は忘れられない。媚を売る表情なら古びたエロ映画にしか見えなかったろうし、冷たい無表情ならアートパフォーマンスの記録かと思ったことだろう。だが、あり得ない光景を日常のスケッチのように撮ることで、とんでもない超現実の世界が生まれたのである。

ちなみにこの作品、私の妄想の産物などではなく、ちゃんと実在する。戦前から戦後まで息長く活動した、荻野茂二という個人映画作家が制作した、八ミリフィルム作品「山の女」（一九六六）である。悠々たる趣味人たちの、知る人ぞ知る映像世界が、かつて存在した。だが、本稿で興味を持たれたとしても、実際に観るのは非常に難しいだろう。

本作品が収蔵されているのは、国立映画アーカイブという公共機関であるからだ。過去に製作されたあらゆる映画作品を収集・保存することを目的とし、作品の質や著名度で選別することはない。Ｂ級映画・個人映画・ピンク映画も収集対象である。

とはいえ、税金を使って保存したピンク映画を商業公開してもよいかというと、議論の分かれるところだろう。アーカイブは今のところ、保存はするが商業公開は不可という方針を取っており、成人映画ではないが裸体の頻出する「山の女」も同様の扱いになってしまう。

数少ない例外として公開が許されるのが、研究者が閲覧・研究発表する場合で、筆者が観たのは二〇一五年三月、神戸映画資料館にて開催された研究発表会「イメージのサーキュレーションとアーカイブ」においてのことだった。原田健一・新潟大教授ら五人の研究者が、実に四七六本にも及ぶ荻野家寄贈フィルム（茂二本人のものではない作品一五本を含む）をかたっぱしから閲覧・分析した、大規模なプロジェクトの成果が公開された。多様な顔を持つ、荻野茂二の全体像をとらえた、最初の事例のひとつといえるだろう。

★雑誌「小型映画」に戦前に掲載された荻野映画の原画

▽アニメ・SFの先駆者

そもそも、国立映画アーカイブによる配信サイト「日本アニメーション映画クラシックス」(https://animation.filmarchives.jp/index.html)や、拙著『戦前日本SF映画創世記』(河出書房新社)によって、「先駆的なアニメ」「日本で現存最古の自覚的SF映画」の作り手として知られるようになったのも、ごく最近のことにすぎない。

荻野の映画制作は、一九二八年から八四年まで実に五〇年超に及ぶ。だが、裕福な炭屋の息子であった荻野は、あくまで趣味に徹し、商業映画の世界に出てくることはなかった。従って同時代的にはまったく無名のまま終わったのだが、没後遺族によって、国立映画アーカイブ(当時は東京国立近代美術館フィルムセンター)に作品が寄贈されたことで、すべてが動き始める。まずは研究者に存在が知られ、驚きとともに受け止められた。生前の荻野は、国際コンクールにも意欲的に出品しており、特に前衛映画やアニメ作品の評価が高かった。まずそうした作品が何本か修復・公開される。

アニメ作品「百年後の或る日」(一九三二)もその中の一本で、第二次大戦を予見し、テレビジョンやリニアモーターカーを登場させ、官能的な異形の心霊文明を描いた。商業作品よりも早い時期に、自覚的にSF映画を実現させ、日本SF史における重要作品として受け止められ始めている。これも国立映画アーカイブによる常時無料配信が実現し、誰でも容易に観られるようになったからこそである。

これ以外にも先駆的なカラー抽象アニメ「AN EXPRESSION」(三五)、パズル的な超短編アニメ集「?/三角のリズム/トランプの争」(三二)、イメージ的な都市映画「街」(三〇)、前衛的表現も交えた文化記録映画「寒天」(三七)など、同時代の商業作品を凌駕する完成度と多様性を兼ね備えていた。

先に触れた原田らの研究では、これに加えて「電車が軌道を走るまで」(三九)、「浅草雷門」(六〇)などドキュメンタリストとしての魅力にも触れている。対象に対する、克明でありながらニュートラルな目線は、きわめて貴重な時代の記録といえよう。後日新たに修復された「日本橋」(六四)では、東京オリンピックの開幕に先立つ首都高の建設で、水都の絶景が破壊されてしまうまでの一部始終を、声高に告発することなく、淡々と詳細に描いている。

ある意味、ここに荻野茂二の特異な個性を解くカギがあるのかもしれない。荻野はどんなスタイルであっても、強い感情を込めることはなく、それでいて冷たく突き放すことはない。無機的な前衛映画であっても、どこか抒情的な温かみに満ちている。地元の戦死者を顕彰する、プロパガンダめいた戦前作品「郷土の誇」(三二)ですら、無邪気に死と戯れるユーモアがあった。

▽裸体との無邪気な戯れ

「山の女」は、前衛映画を撮ろうと気負ったものではないし、こっそりポルノ映画を撮ろうとしたものでもない。戦後、荻野は長く八ミリ映画教室を開いていた。実は「山の女」もまた、生徒たちを集めて開いた撮影会のひとつの記録にすぎない。

この映画が撮られた一九六〇年代、八ミリ映画教室は少し珍しかったかもしれない

★小型映画についての座談会に参加した
荻野茂二／「國際文化」49号（1958）より

が、スチールカメラの写真教室は盛んだった。原田らの研究によれば、写真教室ではヌード撮影会が大変な人気であったという。

六〇年代といえば、既成概念に異を唱え権力に抗う手段として、前衛的な裸体表現が盛んに用いられた時代でもある。だがそうした若き芸術家たちは、戦前から前衛表現を手掛けていた荻野ら先人と交わることはなかった。

戦前から戦後まで続く荻野らの活動は、「小型映画」と呼ばれ、若者たちの「実験映画」と大きく異なっていた。前衛映画を作っていたにもかかわらず、映画理論にはまったく関心を持たず、どうすればこんな映像を作り出せるか、のみが延々論じられ続けた。まるで日曜大工のように先鋭的な映画を作り続けた不思議な集団。それが小型映画作家たちだった。

戦前は自主映画ですら、検閲の制約を逃れることはできなかった。ヌード映画を撮ることができるようになったのは、表現の自由が保障された戦後なればこそだ。だが荻野は、自由の象徴としてヌードを取り上げる、などということもなかったようである。

荻野にとって裸体とは何だったのだろうか。ネット上には、映画研究者・浅利浩之による「荻野茂二寄贈フィルム目録」も公開されている。その詳細なリストをたどっていくと、戦後の八ミリ作品において、ヌード撮影作品がかなり多いことに気付く。多くは撮影地として温泉が選ばれており、撮影会は、教室の行楽を兼ねたものだったようだ。

やや俗っぽい印象を受ける。だが、芸術を誇示せず肩ひじ張らないからこそ撮影会は人気だったのだろう。おそらく映画教室の生徒たちは、血気盛んな美学生ではなく、富裕層の趣味人たちだったはずだ。同好の士とともに自分好みの映像を作り出せる場は、魅力だったに違いない。

現存するかどうかは不明だが、撮影会の参加者たちが撮った別アングル・別編集の「山の女」もあるはずだ。おそらくは、もっと撮影者の個人的な嗜好が感じられるものになっているのではないだろうか。

それらと比較してみなければ分からないが、荻野の「山の女」を見る限り、性的なこだわりは、ほとんど感じられない。浅利のリストには、「あの手この手」という公開年不明の作品もある。「男女の相姦を記録。工夫を凝らしたカメラ位置から様々な体位を撮影している」という。荻野にとっての裸体は、日本橋や寒天とあまり変わらなかったのかもしれない。それでいて素材としては興味津々。その奇妙な明るさが、異様な迫力につながっている。

なかなか難しいとは思うが、いつか「山の女」をはじめとするこれら「ヌード撮影会」系の作品をまとめて見てみたい。きっとそこには、生涯アマチュアを貫いた荻野だからこそたどり着けた、朗らかな超現実世界が眠っているに違いないのだから。

●おことわり／「山の女」のスチールに関しては、掲載を求めて国立映画アーカイブに要請を行いましたが、「被写体の方のプライバシーその他の人権や、著作者人格権等に配慮すると、『山の女』の裸画像を掲載して頂くのは難しい」との回答で、掲載は叶いませんでした。難しい問題ではありますが、埋もれるにはあまりにも惜しい作品です。将来的な解決を強く望みます。

eat待望の新刊「DARK ALICE-Heart Disease《ハート・ディジーズ》-」好評発売中!
聞いてくれ！
ハッター
今日こそ俺は童貞を捨てるぞ！
学生時代の友人タケルがそう言ったのは
私達が十七の頃だった
DARK ALICE
38. タケル
by eat
土下座を繰り返しやっとできた初彼女と
初体験にこぎつける事が出来たのだが…
彼女には
六つのオッパイが付いていたそうだ
ひ
化け物！
タケルはそれは見て彼女を罵ってしまい
いたす事無くフラれていた

その後も何年か越しに何人かの女性を
抱く機会を得たが
彼の理想通りの女性は見つからず
タケルは童貞のまま三十歳になっていた
どうしてどいつもこいつもグロテスクな身体をしているんだ…
たっもんもたたん…
お前は理想が高すぎるんだ
いいか…
テレビや雑誌のヌードがファンタジーで
お前が化け物と思っている女体がリアルなんだ!
童貞を捨てたきゃ理想を捨てろ!

とっくの昔に非童貞のお前が言うなら
そうなんだろう…
なら俺は
一生童貞のままでいい
それに俺はもう…
いらっしゃいませー！
あの服の下にどんな化け物が潜んでいるか
考えるだけで萎えてしまうんだ
俺の中の女体は
神秘的なモノだ

俺はそれを聖域のまま
いつまでも崇拝して
生涯それだけを愛し続ける…ッ！
ふーん
正直私はコイツが何を言ってんのか
分からんが
タケルの想いに賛同する者は沢山いた
Take
描いてみた
瞬く間にその人数は増えていき
カタ
カタ
カタ
カタ
彼は一躍有名人になった
その反面女性は彼を嫌い
リアル女体愛好家達との争いが毎日続くようになった
その争いは社会問題となり
バババ
ドン
ウォー
ガガガガ
大きな戦争にまでなったのだ

お前だけはずっと…
味方でいてくれると思っていたんだがな…
ハッター
いやー
国に反してまでは無理だろ
俺女王に仕えてるし
俺の思想で多くの犠牲が出てしまった
俺はもう後に退けん!
すまない!みんな…!
くだらん
はぁー
早く終わらせよう
ぐっ
望むところだ!

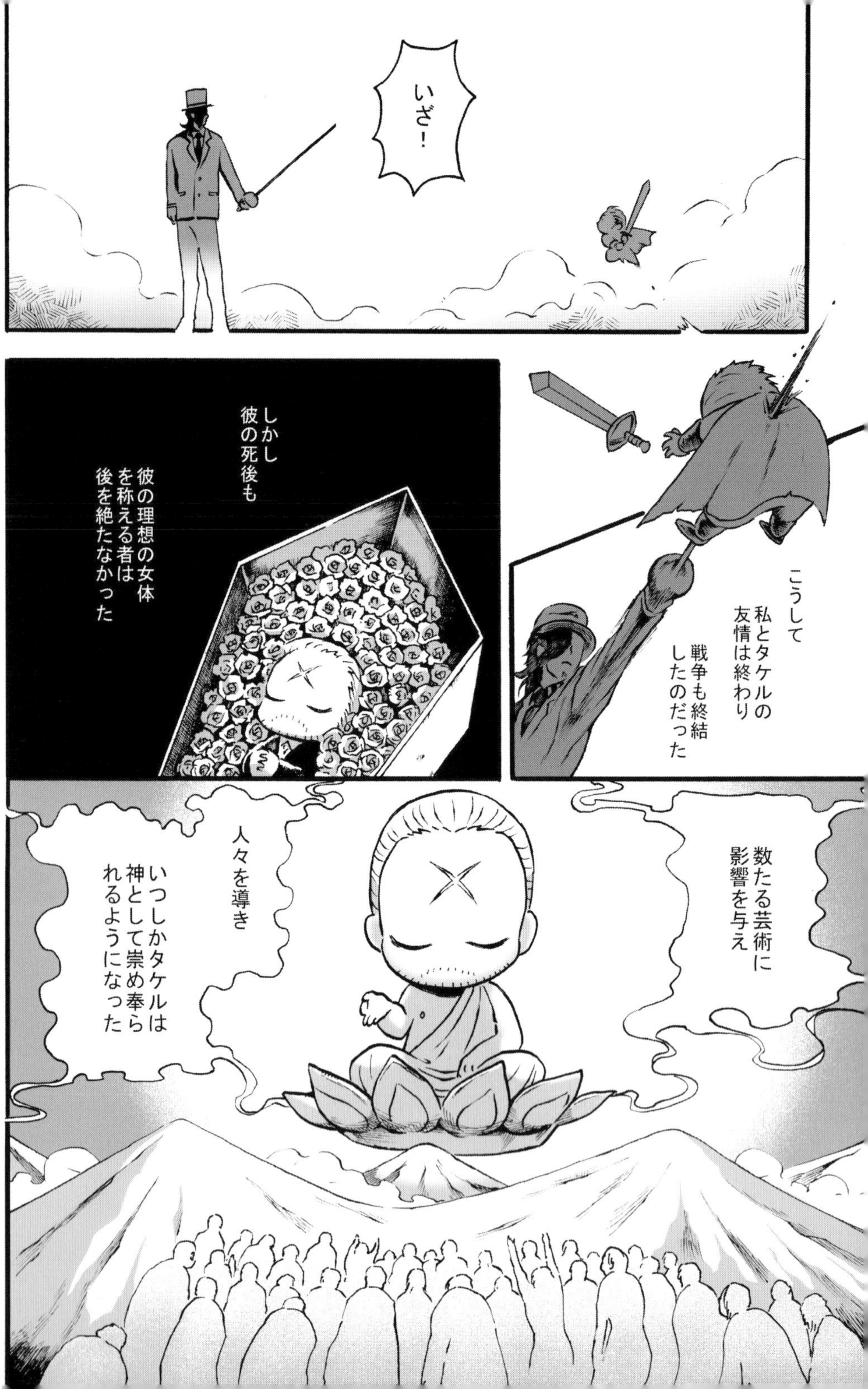
いざ！
こうして
私とタケルの
友情は終わり
戦争も終結
したのだった
しかし
彼の死後も
彼の理想の女体
を称える者は
後を絶たなかった
数たる芸術に
影響を与え
人々を導き
いつしかタケルは
神として崇め奉ら
れるようになった

カン
カン
だからといって
それが正義では
ない
やだ～
あれって女の体
うんぬんじゃ…
こわーい
何を美しいと
思うかは
人それぞれだ
カン
カン
カン
カン
そして今
タケルの崇拝者達
が彼の理想とする
巨大な女体像を
建てようとして
いる
しかし
その女体を
見る事はできない
カン
カン
カン
カン
タケルの理想の
女体を形にする
事が
できないから
なのだろう

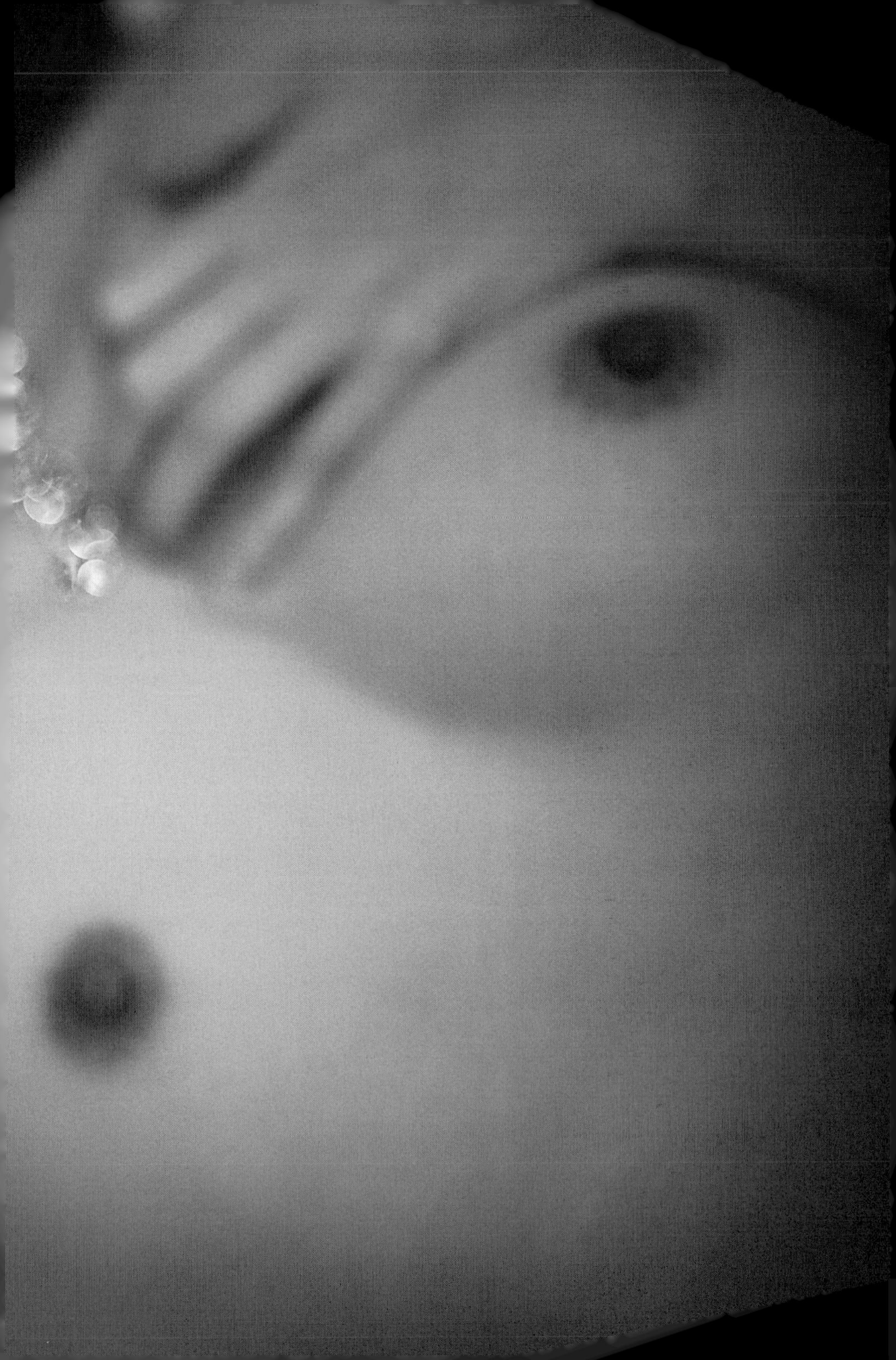

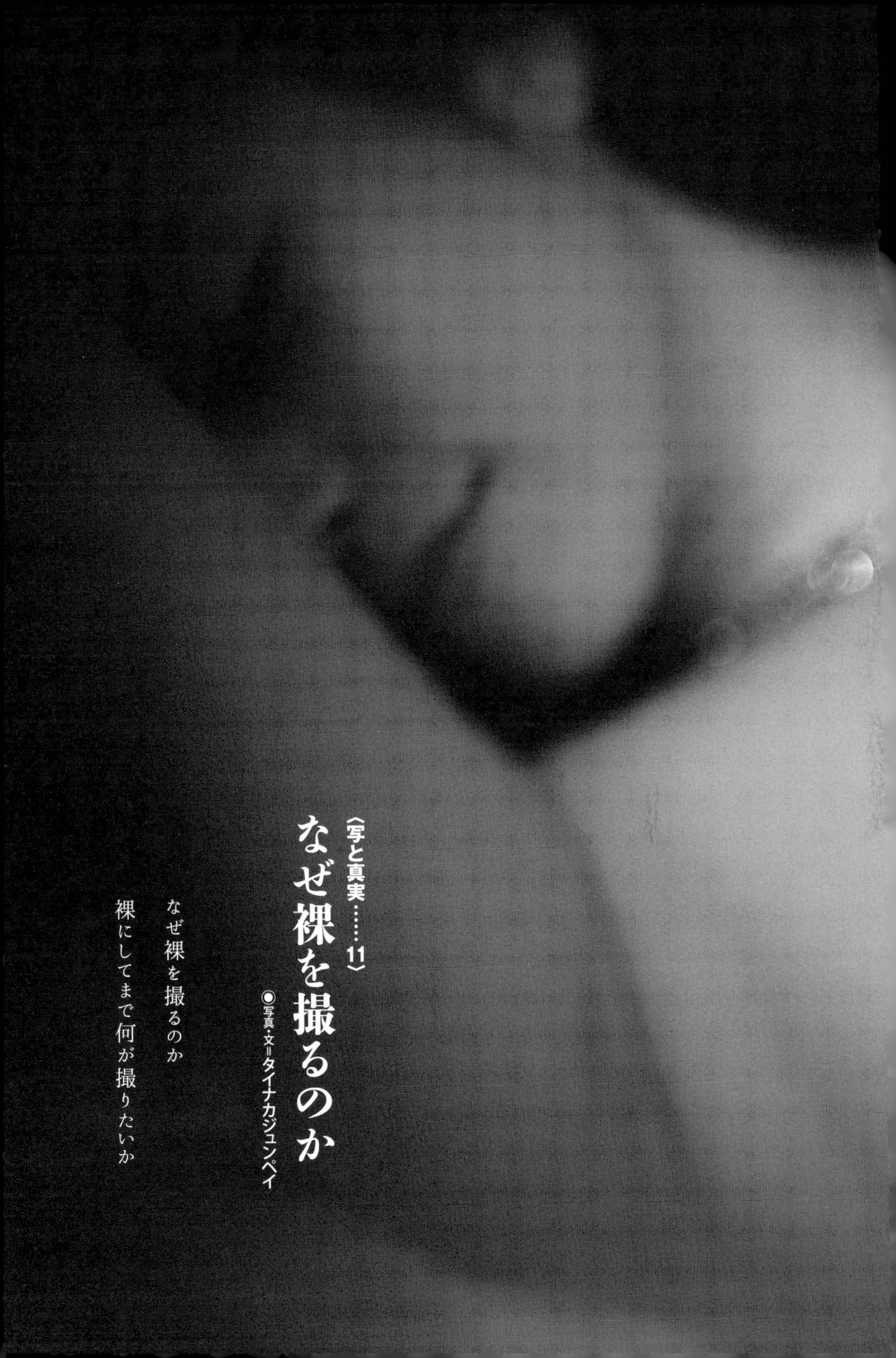

〈写と真実……11〉

なぜ裸を撮るのか

◎写真・文＝タイナカジュンペイ

なぜ裸を撮るのか
裸にしてまで何が撮りたいか

自身にとって
裸体の写真を撮る行為は
結局、被写体の心へより深く
コンタクトするためかもしれない
もしくは

彼らの持つ物語の
深い所へと
入り込ませてもらうためかもしれない

SHIGEインタビュー

日本美術や仏教美術を
タトゥー作品に取り入れ
伝統的な題材を
ジャパニーズスタイルへと昇華

◉取材・文＝ケロッピー前田

▽15ページからの続き

——SHIGEさんの素晴らしさは、絵画作品の制作を通じて、刺青作品における従来の伝統的な題材の表現やデザインを大きく更新してきたところにあると思います。

◉昔はいきなり刺青として彫れないものを絵画作品として描いてみるという時代もありました。最近は、絵画作品と刺青はもっと密接で、刺青作品における表現も、さらなる挑戦を続けています。

——SHIGEさんにとって、刺青作品で目指していることはなんでしょうか？

◉僕の基本的な考えは、自分ができることで人を幸せな気持ちにできるといいなということです。もっと健康的に刺青を楽しんで欲しい。

　ですから、アートを作っているという部分と、お客様との関係性においては精神的な部分もあって、つまり、刺青というのは、お客様といっしょにドラマを作っているという印象が強いですね。全身に大作を彫るとなると、仏教的なモチーフや日本の歴史上の出来事など、真面目なテーマになりますけど、刺青はこうじゃなきゃいけないとか、堅苦しいことを言いたいわ

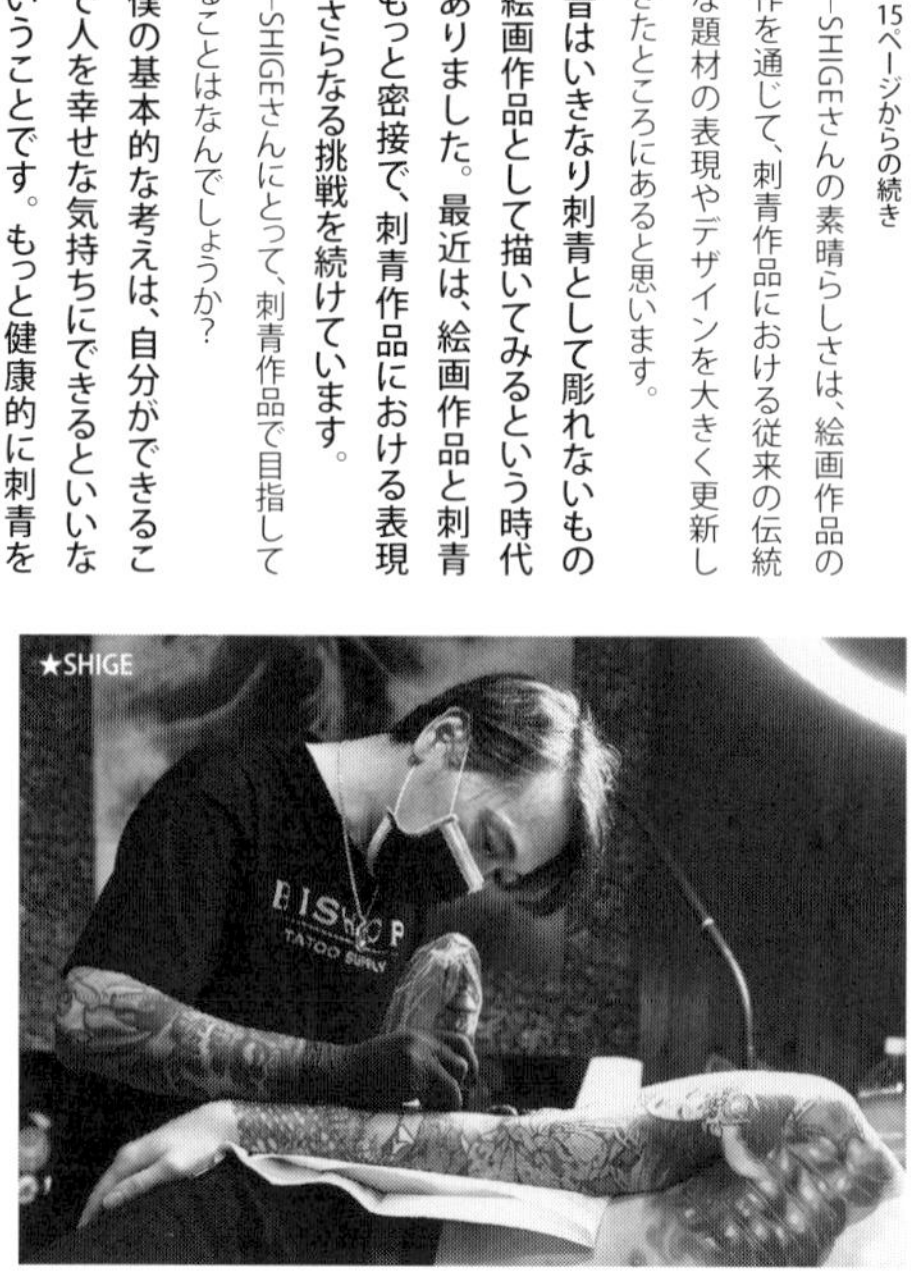

★SHIGE

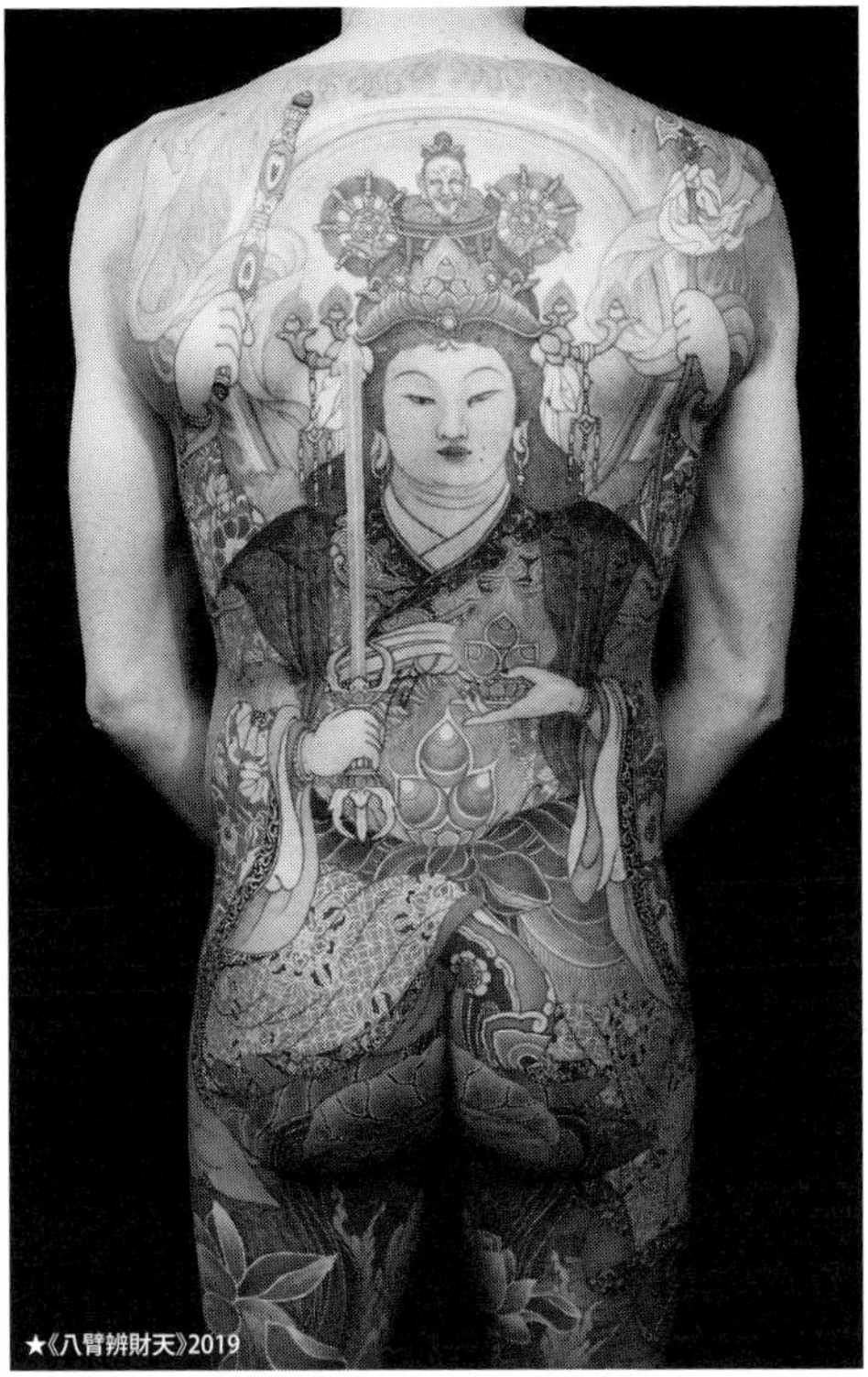

★《八臂辨財天》2019

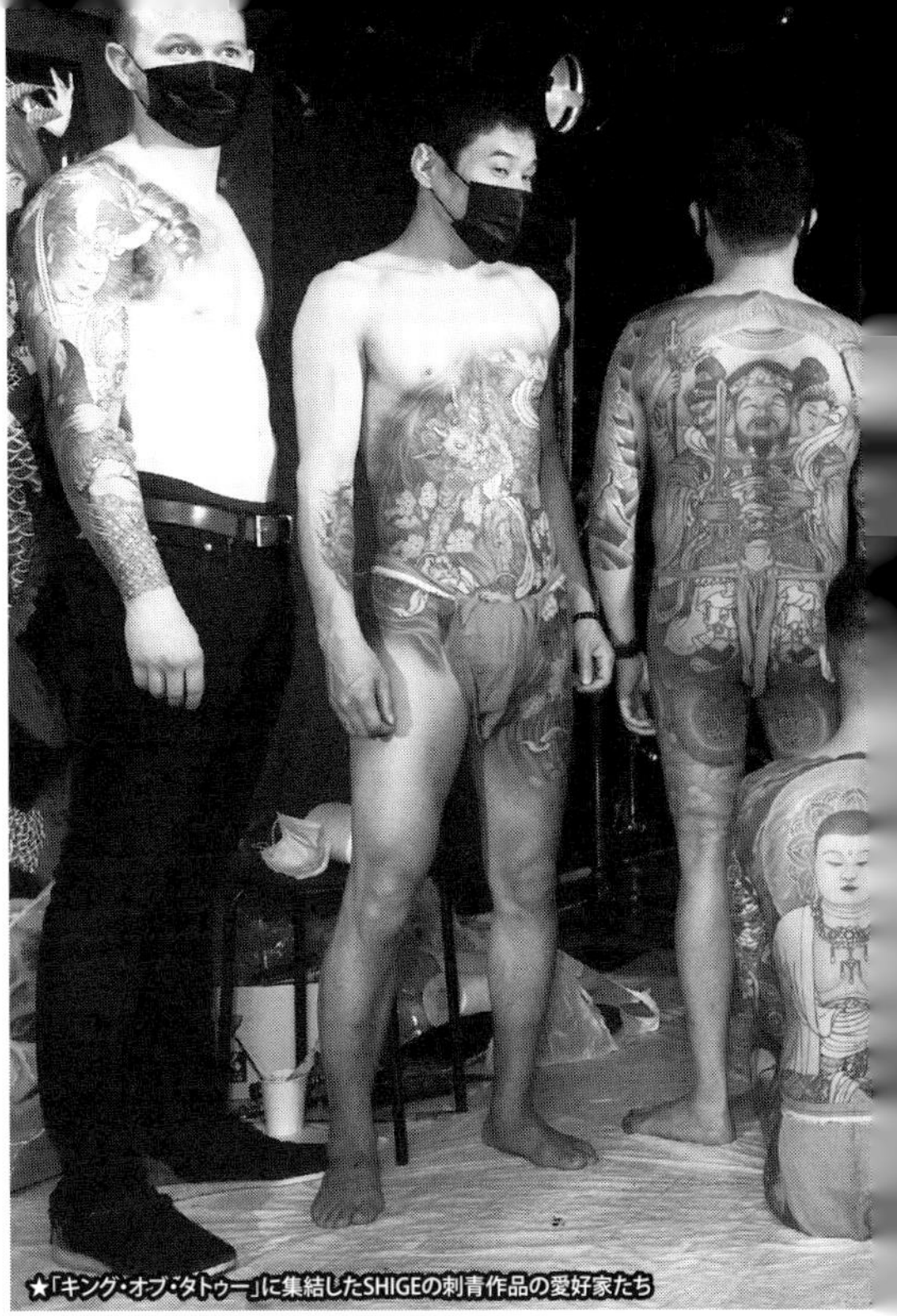

★「キング・オブ・タトゥー」に集結したSHIGEの刺青作品の愛好家たち

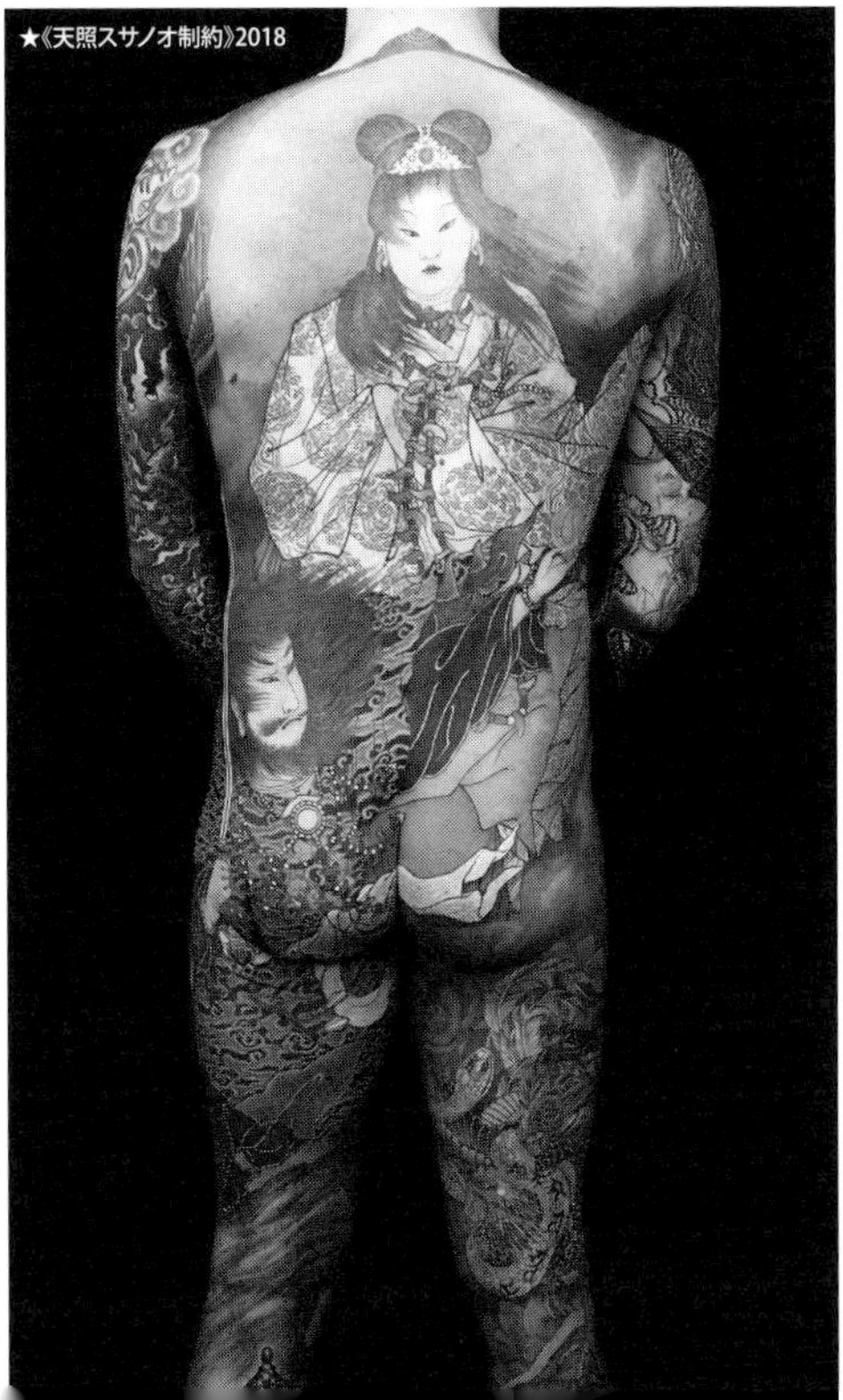

★《天照スサノオ制約》2018

けじゃないんです。

——日本の美術史もリサーチしていますね。

◉僕は刺青も絵も独学でやってきましたから、歴史からいろんなスタイルを学んでいます。たとえば、江戸時代の超売れっ子の円山応挙（1733-95）は弟子もいっぱい抱えて商売で絵を描いていた。一方、同時代に趣味で絵を描いている青物問屋のオヤジがいました。それが若冲（1711-1800）だったわけです。そこが若冲の特殊性です。現代においては、若冲はすごく評価されていますけど、30年前は違ったと思うんですよ。結局、アートって、なんぞや。何を求めて絵を描くかと思うわけです。

——若冲から学べる部分はなんでしょうか？

◉刺青は自分がやりたいものをやるというより、お題を決めるときからお客様との共同作業になります。そこにドラマが生まれてくるところが絵画やアートとの大きな違いになります。つまり、作品が仕上がるまでかなりの時間がかかりますから、お客様との信頼関係を築いていくことが大切。それを経て、刺青作品が仕上がるわけです。

　僕は自分が得意とするジャパニーズスタイルというジャンルで、タトゥーというものを日本や世界に認めてもらえるようにやってきました。もっとカジュアルでアーティスティックなタトゥーの世界ができたらいいなとも思っていますが、それは僕らの下の世代の人たちが自由にやっていってくれたらいいなと思います。

——刺青作品のアイディアはどのように?

◉僕の刺青作品の範囲は広いんです。主に、仏教美術と物語絵です。物語絵とは、歴史的な出来事を題材にしたものでそれこそが刺青の醍醐味とも言えます。浮世絵をそのまま彫るというやり方もありますが、伝統的な題材を今の世の中に受け

★《川中島》2018

入れやすくするためには、自分の感性や世界観で物語を再構築して、その場面を描き直していかないとダメなんです。

全身がひとつの作品となるので、一人の身体すべてをひとつのテーマで仕上げます。彫師にとって、そのような大作を死ぬまでにどれだけ仕上げられるのかが問題なので、お客様も特別なご縁がある方になって行きます。生きている間はずっと挑み続けたいですね。

――伝統についてはどうでしょうか?

◉伝統って、同じことの繰り返しだったらなくなっていくものだと思うんですよね。僕は伝統を背負ってないし、基本的に独学でやってきましたから。僕にとっての挑戦は、伝統と言われるようなものをぶち壊すこと。伝統は自分の考えで壊しちゃいけないものだという考えが職人さんとしてはあったと思いますから、以前はありえなかったことだったかもしれませんけど。

でも、ただぶち壊すだけじゃなく、それ以上にいいものにすることで残っているものが生まれていくわけです。だから、僕は伝統を壊してより良く蘇生するという役目を背負っているのだと思っているんですよ。

――仕事場には貴重な仏像のコレクションなどもあって、文化的に価値のあるオリジナルのものから仏教美術や日本美術のエッセンスを吸収されていることがよくわかります。

◉少し古い時代の話になりますが、芸大の前身である東京美術学校で、その第1期生だった横山大観らに美術を指導した橋本雅邦が『心持ちの美学』ということを言っているんです。僕が思うに、雅邦の絵にしかないものは何かと言えば、その言葉で言われていることなんです。

つまり、腹黒い人にはいい絵は描けない。普段の心持ちがどうか、その人の心持ちが絵に現れるわけですよ。でも、アートというのは、突き詰めたら、そういう精神的な領域に入っていくと思うんですよね。

――海外事情はどうでしょうか?

◉タトゥーについては、日本だけ世界に大きく取り残されているガラパゴスですけど、まあ、そこでやっているからいいのかもしれない部分もあります。

僕にとってすごく嬉しい話は、今年はインディアンモーターサイクルの120周年で、ハーレーよりも歴史が古いんですが、その周年記念の新モデルが出るんですよ。そして世界で3台だけ、彫師とコラボレーションしてのカスタムモデルと作ることになって、僕がその一人に選ばれたんです。アメリカのポートレートの重鎮カルロス・トレス（Carlos Torres）、オーストラリアのカリグラフィーの神様マヨネーズ（Mayones）、そして、日本から僕と。

面白いのは、実際に刺青として人の身体に彫られているデザインを使いたいというんですよ。ちょうどそれにぴったりのお客様がいて、完成間近だったのでわざわざ撮影隊が来たりしています。

自分が選ばれたことは光栄なことなんですけど、今後、こういうことは普通になっていくし。彫師のレベルも上がってしかるべきだし、やっぱり美大出身とか当たり前になっていくだろうなと。

――アメリカだと、たとえば、有名彫師のティム・カーンさんも美大出だから、絵で食っていこうとしたときの選択肢として彫師というのが入っていく感じですよね。

◉そうなんですよ。職人としてやるべきことはありますから、普通のアートのようにお気楽にできない部分もありますけど。これからはアートの側面がもっと求められていきますから、ここから改めて若い人たちを再教育していければなと思います。

――本当にそうですね。ありがとうございました!

SHIGE（シゲ）

1970年3月生まれ、広島県出身。ハーレーのメカニックを経て、95年より独学で刺青を学び、日本の伝統的な題材などをもとに独自のジャパニーズスタイルを追求している。

2000年、横浜・石川町に「YELLOW BLAZE TATTOO STUDIO」をオープン、翌年から世界各地のタトゥー大会に参加し、海外彫師と交流する。06年ロンドン大会ポスター提供、07年ミラノ大会ポスター提供。08年「サンフランシスコ・アジアン・アート・ミュージアム」にて展示、レクチャー＆実演披露。2009年アートブック『SHIGE』（State of Grace Inc. USA）刊行。2010年天明屋尚キュレーション「BASARA展」にて、12名の刺青作品披露。2014年『TATOUEURS, TATOUÉS』（パリ ケ・ブランリー美術館）に絵画出展。2015年メルボルン大会ポスター提供、「Drawing Blood Ⅲ」（Glitch Gallery, USA）に絵画出展。2017年ロンドン大会ポスター提供。2019年『勇の鍾馗展』（河鍋暁斎記念美術館）に絵画出展。

★YELLOW BLAZE TATTOO STUDIO
神奈川県横浜市中区石川町1-15-6 東源元町ビル5F
10:00～19:00 予約制 金曜定休 Tel.045-662-7807 https://yellowblaze.net

ダークサイド通信 no.4

はだかの王女様

最合のぼる　文・写真

昔々、とある小さな国に少し変わった王女様がいました。何が変わっているかというと、この王女様は生まれてから一度も服を着たことがないのです。赤ん坊の時からおくるみを嫌がり、はいはいをするようになっても、掴まり歩きをするようになっても、服どころか下着さえも身に付けることを嫌がりました。侍女たちは何とかして服を着せようと躍起になりましたが、その度に王女様は逃げ出しました。広い王宮の中をすっぽんぽんの子供が無邪気に走り回る様は微笑ましくもありましたが、成長するにつれ事態は深刻になりました。

お母様であるお妃様は、王女様を産むと同時にお亡くなりになっていました。不憫に思った王様は一人娘である王女様を大変甘やかして育て、そのせいなのか元々の性格なのか、王女はとても我が侭でした。乳母や侍女は元より、王様の言うことでさえ聞き入れません。どんな些細なことでも自分の思い通りにならないと、酷い癇癪を起こしました。そんな王女様ですから、王様がどんなに高価なドレスを仕立てても窮屈だと言って着ようとしませんでした。

年頃となった王女様はそれはそれは美しい女性に成長しました。王女様は毎朝産まれたままの姿を鏡に映して、うっとりと眺めます。思春期特有の羞恥心のお陰で日中は羽衣のようなガウンだけは纏うようになりましたが、極薄い生地なので桃色の乳首から下半身の繁みまでほとんど透けて見えてしまいます。そんな悩ましい姿で、王様に謁見しにくる貴族や他国の王子様たちの前に現れるものですから、理性を保てる殿方は誰一人いませんでした。実際王女様は奔放に振る舞ったので、父親である王様でさえ惑わされそうになる始末です。このままでは王女様のお腹が大きくなるのは時間の問題で、誰の子とも知れない赤ん坊が生まれてしまいます。

思い悩んだ王様は、考え抜いた末にある妙案を思いつきました。

激しい雨の降る真夜中です。突然辺りが白く光り、地響きのような雷鳴と共に姿を現したのは恐ろしい魔女でした。意地悪そうな目に、カエルのような緑色の肌。黒くて長いマントで身を包み、とんがり帽子からは藁のようなごわごわの髪が広がっています。魔女が現れたのは王様の寝室でした。魔女は、天蓋付きの大きなベッドで眠る王様の羽布団を鋭い爪のある指で摘まみ上げると、鼻が曲がるほど臭い息を吹きかけました。

「一体どういう風の吹き回しだい？」

あまりの臭さに王様は顔をしかめて目を覚まします。ところで王様は魔女を見ても怖がる様子がありません。なぜなら魔女を呼んだのは、他でもない王様だったのです。王様は古い知り合いである魔女に、悩みを打ち明けました。そして王女様の身を守る魔法をかけてほしいと頼み、あらかじめ用意していた布袋に入った金貨を差し出します。王様の依頼を聞いた魔女は大きな口から黄色い歯を見せて愉快そうに笑い、布袋を引ったくって中身を確かめました。すると魔女は何を思ったのか、王様の胸元を引っかいたのです。驚いた王様は枕元に隠していた短剣に手を伸ばします。そんな王様の目の前に魔女が掲げたのは、先ほどまで王様の胸で輝いていた大きなダイヤのペンダントでした。魔女はにやりと笑うと、引き千切ったペンダントを布袋の中に落としました。

「明日を楽しみにするんだね」

魔女は闇に消え、王様の胸には一筋の赤い引っかき傷が残りました。

そして翌朝、王女様の悲鳴が城内に響き渡ったのです。

キャアアアアアア

駆けつけた王様は信じられない光景を目にしました。大きな姿見の前に、プラチナブロンドの髪も美しい王女様の、なんと首から上だけが浮いていたのです。空中で振り向いた王女様の顔は、恐怖と絶望に歪んでいます。家臣や侍女たちも次々に集まってきましたが、今度は彼らが悲鳴を上げる番でした。腰を抜かす者、泡を吹いて倒れる者、みな我先にと逃げまどいました。王様は勇気を出して王女様の肩の辺りに手を伸ばしてみました。すると目には見えなくとも肩も腕もあることがわかります。王様の悩みを聞いた魔女は、どうやら王女様の身体が見えなくなる魔法をかけたようです。確かに裸が人目に触れなければ、貞操は守られるでしょう。しかしこんなことになるとは思いもしませんでした。泣きじゃくる愛娘を前に、王様は魔女に頼んだことを大変後悔しました。

王女様は、強いショックを受けました。何しろ今までのように身軽な格好で過ごしていると、まるで生首が宙に浮いているようにしか見えないのです。いっそ頭も全部見えなくなった方が良かったと思えるくらいでした。王女様は仕方なく首のつまったドレスを着て、いつも手袋をはめて生活するようになりました。王様はここぞとばかりにドレスを何着も仕立てました。豪華なドレスに身を包んだ王女様はそれはそれは美しく、王様は魔法をかけてもらって良かったと思うようになりました。美貌の王女様の噂は瞬く間に広がり、他国の王子様から次々に婚姻を申し込まれました。しかし妃となれば、ドレスに隠された秘密が暴かれてしまいます。どんなに金銀財宝を積まれても、断るしかありませんでした。

わたしのからだを返して
うらんでやる
ひどいお父さま
大嫌い

そんなある日、王様はうっかり口を滑らせて魔法のことを家臣の一人に話してしまいました。驚いた家臣は侍女に話し、また驚いた侍女はあろうことか王女様本人に話してしまいました。訳を知った王女様は激怒し、王様を心から憎むようになりました。王女様の生活は荒れ、朝からお酒を浴びるように飲み、夜会を開き、お城の財政が傾くほどのお金をどんどん使います。全て王様への当てつけです。困り果てた王様は再び魔女を呼び出して、王女様にかけた魔法を解くように頼みました。もちろんこの前以上の金貨と沢山の宝石も用意しました。しかし魔女は金貨と宝石だけ奪うと、嘲笑いながら消えてしまいました。その夜、王様の胸に残っていた魔女のひっかき傷が急に腫れ上がりました。傷はただれて広がり、あっという間に全身に毒が回りました。王様は十日間も高熱に苦しみ、王女様に恨まれたままこの世を去りました。

わたしのからだを返して
ドレスなんて着たくない
からだを返して
ドレスなんていらないわ
大嫌い

王様の死後、かつては大勢いた家臣たちも次々に城を去り、王女様は身の回りの世話をする若い侍女とたった二人だけで暮らすようになりました。王様の遺産はほどんどありませんでしたが、以前仕立ててもらった豪華なドレスが山ほどあったので、いくらでも金貨に換えることができます。当然、王女様はまた服を着なくなりました。どうせ身体は見えないのだからと、下着さえつけません。ところがそんな姿で暮らしているうちにお城に生首の幽霊が出るという噂が立ち始めたのです。すでにお城は廃墟のように寂れていたので、幽霊話がまことしやかに広がりました。

王女様は我関せずとのん気に暮らしていましたが、すぐに幽霊退治を名乗り出る者が現れ、様々な勇者が城に乗り込んでくるようになりました。忠誠心の強い侍女は必死で王女様を守りました。侍女の剣さばきは男勝りでしたが、次々とやって来る荒くれ者と戦い続けるのは限界がありました。とうとう侍女は、一人の若者の剣に倒れてしまいました。目の前で首を跳ねられた侍女の血しぶきを、王女様は体中に浴びました。さすがの王女様も恐れおののきましたが、なぜか血の滴る剣を持った若者も驚いた様子でこちらを見ています。若者が驚いた理由はすぐにわかりした。なんと血に濡れた王女様の上半身が、その血を触った両手も、目に見えるではありませんか。嬉しくなった王女様は若者に金貨を握らせ、侍女の血を搾らせました。

大盥いっぱいの血液を全身に浴びると、おぞましくも美しい王女様の血濡れた裸体が現れました。見れば若者は筋骨隆々とした美青年です。王女様はその場で若者を誘惑し、二人は発情した動物のように貪欲に交わりました。しかし血の効果は一晩しか持たず、翌朝には王女の身体は再び見えなくなってしまいました。すっかり王女様の体の虜となった若者は、王女に命令されるまでもなく、町の若い娘を次々にさらってきました。

はだかの王女様と人さらいの噂は、人々を恐怖に陥れました。

娘は泣き叫ぶので口に布を詰める
表情が見えないように頭に麻袋を被せる
大盥の上で首をはねて素早く逆さに吊るす
血液は採取しながら浴びると良い
死体はある程度まとめて燃やす

ある日、王女様が血液を搾り取った後の死体の山を見ていた時のことです。

王女様はほんの遊び心から、一番手前の死体のお腹を裂いて臓物を引っ張り出してみました。

殺したばかりの新鮮な臓物は、艶々としていて嫌な匂いもほとんどありません。

王女様は、試しにほんの少しだけ口に含んでみました。


淫らな夜が明け、そろそろ王女様の身体が見えなくなる時刻になりました。

ところが昼なっても夕方になっても、王女様の身体が消える様子がありません。

若者は王女様に誘われるままに、また享楽に耽りました。


次第に若者は、王女様の身体の変化を不審に思うようになりました。

いつものようにさらってきた娘を吊した後、物陰に潜んで様子を窺います。

やってきた王女様は盥の血には目もくれず、死体に近づきました。

そして首をはねた斧で腹を裂くと、内臓がどさりと落ちました。

王女様は血を浴びることより、効果のある方法を見つけてしまったのです。

若者は思わず悲鳴を上げてしまいました。

声に振り返った王女様は、獰猛な獣のように血の滴る臓物を咥えていました。

王女様は斧を掴み、何の躊躇いもなく若者の額めがけて投げつけます。

身も心も王女様に尽くした若者は、驚いた顔のまま死にました。

王女様はもちろんその亡骸も食べてしまいました。


人間の内臓や肉は、いつの間にか王女様の大好物になっていました。

今や身体が見えようが見えまいが、まったく気になりません。

はだかの王女は人喰い鬼となり、永遠に人間を食べ続けました。

とにかく人間が食べたくて食べたくて仕方がないのです。

これも魔女の魔法のせいなのでしょうか。

END

はだけるスキン
——第二の皮膚としてのレザー

◉文=馬場紀衣（文筆家）

レザーを人間の第二の皮膚にするというアイデアは、先史時代までさかのぼることができる。60万年前の骨の化石には、動物の皮をなめし、滑らかにするために使用したとされる「へら型骨角器」やレザーを縫うための骨製針があった。スペインや南仏の石器時代の洞窟には、動物の皮を着た人間の姿も描かれている。記録によれば、モカシン（一枚革で作られたスリッポンシューズ）は、なめした皮を足の周りに巻いて、生皮の紐でとめたことからはじまったという。『創世記』には「主なる神は人とその妻のために〈皮〉の着物を造って、彼らに着せた」との記述がある。レザーは世界最古の工芸品であり、ファッションの元祖でもあったわけだ。もっとも、レザーはエロティシズムと結びつきやすいらしく、特定の人の喜びの対象でもある。それでなくても、この素材は人類史にしっかりと根付いている。

皮を剥がされたマルシュアスとバルトロマイ

ギリシア神話には、楽器の名手マルシュアスがアポロンの怒りを買い、その罰として松の木に吊るされて生皮を剥がされたというなんとも痛ましい物語がある。「ああ、わたしの皮をはいでしまうなんて、なんということをなさるのです！」不幸なマルシュアスの叫びもむなしく、彼は生きたまま体の皮をすべて剥がされる。むき出しの血管はぴくぴくと動き、血濡れた内臓も、胸部の筋もはっきり数えられるほど、「内側」を暴露されてしまうのだ。ちなみに『マルシュアスの皮剥ぎ』はいろんな画家が描いているが、私のお気に入りはティツィアーノ。もっとも気味が悪くておすすめだ。それはさておき、マルシュアスは自分の皮膚を代償にして罰を引き受けたということになるのだろうか。

皮剥ぎといえば、スペインの解剖学者ファン・ワルエルダ・デ・アムスコも1556年に出版した『人体解剖学』の挿図に、皮を剥がれた聖バルトロマイを描いている。そこには小池寿子氏が述べているように、「残虐な刑罰による殉教を経て肉体性を脱し、精神的・霊的な存在として天の高みへとあげられた者に対する

★ティツィアーノ『皮をはがれるマルシュアス』(1570-76頃)

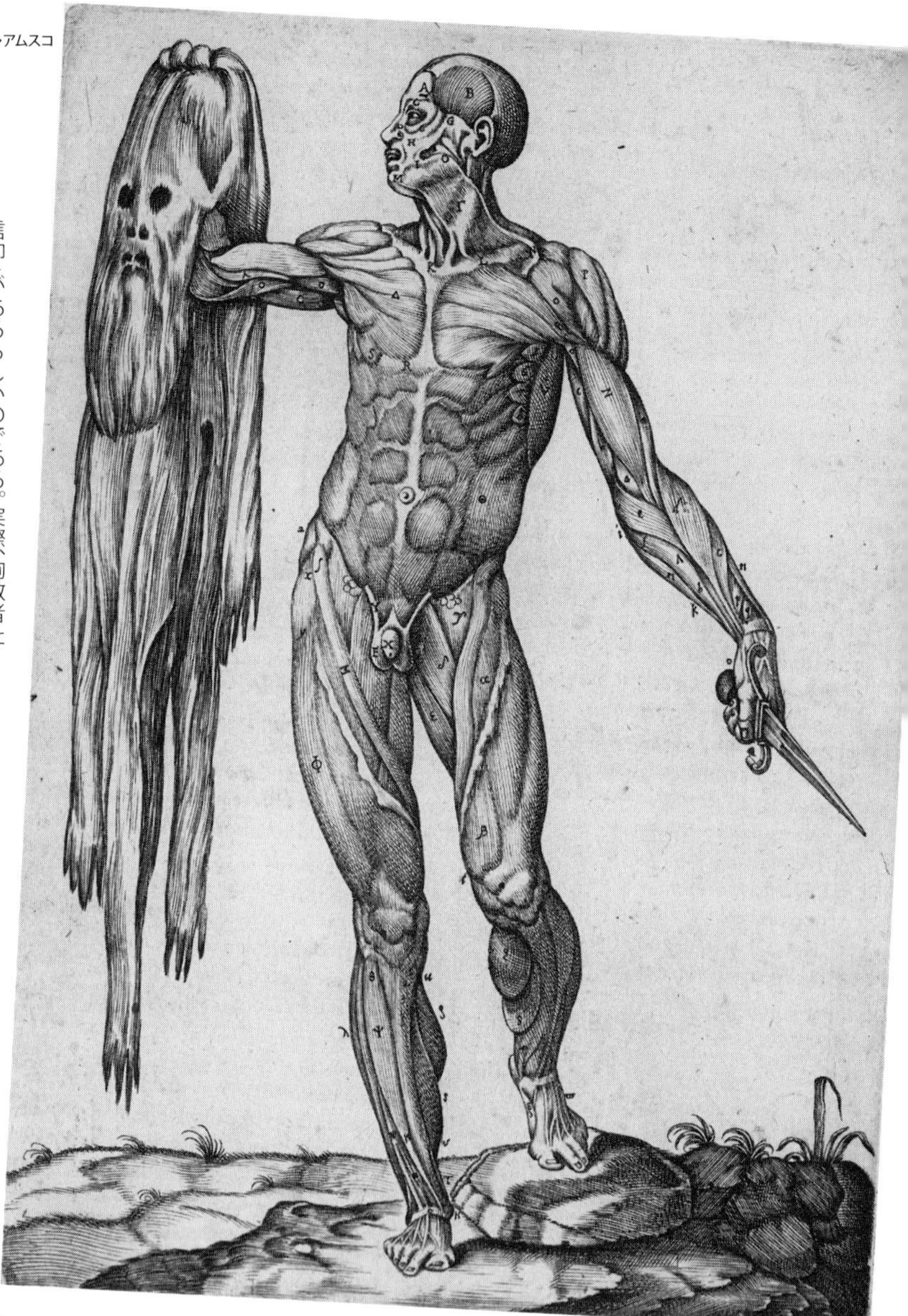

★ファン・ワルエルダ・デ・アムスコ『人体解剖学』の挿画

信仰」があるらしいのである。実際、殉教者たちの列伝を記した『黄金伝説』では、バルトロマイの名の由来を「高きにあげられた者の子」としているし、周囲に苦痛を見せることで到達するという死の過程は、信仰への確信を深める役目もあったと想像することができる。

レザーというもうひとつの「裸」

私が言いたいのは、次のようなことである。

つまり、皮を剥ぐ行為が自己分裂のシンボルとして、それまでの自分を捨て去り、新しく生まれ変わることを意味するのなら、レザーという第二の皮膚を身にまとう行為にも、特別な効果があると考えることができるのではないか、ということである。ところで私の妹は表参道にある高級インテリアショップで働いているのだけど、顧客の中には本革のソファーについたささやかな傷すら嫌だと、交換を申し出てくる人が少なくないらしい。その度に彼女は「動物の革だから」という言葉を飲みこんで接客しているわけだが、もちろん、本革である以上、生前の傷が残っているのは仕方がない。しかし、ほとんどの人びとは、それが「かつて生きていたもの」であり、人と同じ「裸の姿」であることを忘れている。ファッション業界でも、レザー商品はまだまだ人気だし、レザー製の品はその質感、柔らかさ、美感からして豪華でセクシーな印象を与える。それは皮膚の上に皮膚を被せるというよりも、むしろ上着を裏返すように、手袋をひっくり返すように、「もうひとつの裸」の表出であるように思えるのだ。

　レザーについて考えることは、必然的に動物の裸について考えることであり、裸とは人間の手や足や腰や、体の全体を包む膜のことである。すでに死物でありながら、生きている感を醸し出すレザーには不思議な魅力がある。それは、人肌とおなじくシワがあり、気孔があり、汗腺があり、傷もつけば、縮みもするし、手入れをすれば柔らかく、滑らかになる。触れると、湿っている感すらある。内層に水分をためこみ、世の根源的なるものの象徴として生き続けている感じがする。まるで、人肌そっくりに。あるいは、レザーは本質的には肌《スキン》だから本能的にその質感に私たちは馴染みがあるのかもしれない。それ自体が人の裸に近い性質を持っているために、この素材に惹きつけられるのだろうか。

呪いとしての衣装、信仰としてのレザー

　自然人類学者の近藤四郎によると、耳輪や鼻輪は、もともと魔物が耳の穴や鼻の穴から入りこまないようにするための呪い《まじない》だったらしい。古代の人びとは同じ理由から性器や肛門を覆ったのだという。防寒のためでも衛生的理由でもなく、もちろん羞恥心からでもなく、呪いのために衣装を求めたというわけだ。首輪や腕輪などの装身具もまた、刺青模様とおなじように、未知の力から自分の体を守るための役割を果たしていたと考えられる。こうした呪術というか、緊縛崇拝からはじまった装身具はやがて衣装として引き継がれ、人間はそれを体そのものとして、ときにはそれを意識的に引き受けるかたちで身につけるようになったのである。

　私たちの生活のなかで呪術や信仰はすっかり死に絶えてしまったけれど、それでもレザーを身につけた姿には（それが人工のものであるにせよ、自然のものであるにせよ）、奇妙にかきたてられるものがある。南アフリカには、戦士の盾を抱えてヒョウの皮をまとった信者たちが神に祈りを捧げる宗教儀式がある。プエブロ＝インディアンは、仮装により、動物を模倣することで、自らを獲物の姿に変身させる。三浦雅士の「衣装の源は装身具であり、装身具の源は身体加工である」との指摘は、だから説得力がある。

　影のように体に貼りつきながら、私を私であるのみならず、私に似た、あるいは私以外の者にしてしまうような効果が皮（革）という素材にはあるように思えてならない。では体にぴったりと密着するラバー素材や、毛皮ならどうかといえば、ラバーは材質・原料や生成方法が多様だし、獣たちの毛皮は野生の名において、毛を含む外皮を削り落さなくてはならない。人間の皮膚はすでに裸形なので、やはりレザーがもっとも人の裸に近しい素材であり、魔力的効果を発揮するように思う。

★レザーをまとって踊る南アフリカのズールー人

死体を裸にすること

●文・写真＝釣崎清隆（死体写真家・映画監督）

死体写真家として私がこだわってきたのは、なんといってもストリートだ。路上に斃れたヒトの死体現場だ。現場は故人の生前、死の直前の情報を刻み付け、その鮮烈な記憶が表現者を挑発し、挑戦してくる。路上という公共空間においてあらわになったエラー、ノイズは、国家機関によって速やかに秩序へと正常化されることになっている。特に我が国はゴアが公《おおやけ》に露出することを許さない。

私はそういった時空をエラー、ノイズとしてではなく現代の奇跡ととらえて、神聖な禁忌を引き受けるような心持ちで対峙してきた。死体のまとう衣服、装飾品といった雄弁な履歴書が、死という虚無化に強烈に抵抗する。私は死体に紛れもない人間を見ることができるのだ。

しかるに、現場を離れた死体が搬送されるモルグでは、とたんに彼らは無個性な「モノ」と化す。納体袋や白い防水シーツに包まれれば、性差さえも曖昧になる。

不特定多数の死者が集うモルグは、世界中どこのそれもだいたい似たり寄ったりのつくりで、タイル、銀のシンク、冷蔵庫とさしずめ「暗い調理場」である。それも機能的できわめてそっけないものだ。

遺体は衣服、装飾品を剥がされて全裸になる。記号や番号を付されて名前を失う。さながら大量の食材だ。縁もゆかりもない赤の他人と一緒くたに、無造作に、一ヵ所に詰め込まれる。

一九九五年、私はモスクワ地域に五十ヵ所以上もあるというモルグの中でも最大最古を誇る、モスクワ東部レフォルトヴォの第四法医学鑑定所を訪れた。厳めしい建造物の内部には解剖室からはみ出して廊下にまで、解剖待ちの死体が所狭しと並べられ、そのまま冷蔵庫まで列が続いていた。ここは常時二千体の死体を収容しているという。それは世界中どこを探しても見当たらない壮観さであった。

そこは二千体の死臭が充満する空間ではなく、まずやられるのは薬品の刺激臭だ。つまり、全裸の死体は臭気で個性を叫ぶことすらできないのがモルグなのである。

一八四八年創建の迷路のような館内の奥の奥、忘れ去られたような薄暗い一隅に案内された。ひどく立て付けの悪い、古典ホラーにでも出てきそうな古い木製のドアが開けられると、帝政ロシア時代からそのまま使っているという倉庫に、冷凍死体がうずたかく積みあがっていた。ひょっとして、一番下に隠れている死体は帝政ロシア時代のものなのではないのか。案内してくれた墓堀り人夫然とした技術者の男に聞いてみると、

「さあね」

と言って、いかがわしくにやにやしているだけだった。

旧ソビエト時代からロシアでは、死体からの自由なパーツ摘出およびその科学目的の利用が法的に認められており、人体パーツを使った新薬開発、移植医療などの研究が盛んで、一九八八年からは第四法医学鑑定所内にギリシャとの合弁企業BIO（ビオ）が設置され、外国へも大々的に死体パーツが輸出されることになって、欧米の製薬企業などが大量に眼球、肝臓、腎臓、血管などを買い付けた。しかしながらおかげでその実態が世界中に知られるようになり、国際的な非難に晒されることになった。

要するにモルグでは、ヒトは遺留品を剥がれ、衣服を脱がされ、裸にされて、赤の他人と一緒くたに積み上げられ、臭気で自己主張することも許されず、モノになるのである。実際に食肉や鮮魚のように売られることもあるのである。

私がストリートにこだわる理由は、こういったモルグの非人間性の問題による。

ただ、秩序ある社会における究極の非日常空間であるモルグという磁場は、実に魅力的なロケーションであることに間違いはない。

アンドレス・セラノが一九九二年に発表した『ザ・モルグ』はモルグの非人間性を見事に克服したゴージャスな表現で、私は大いに影響を受けたものだ。そして私自身もモスクワをはじめ、世界各国のモルグで撮影してきた。

その体験から気付かされたのは、なんとも説明のつかない不思議な美の所在である。

私はこれからも、死体を裸にすることの意義について、探求していかなければならないと思っている。

○文=浅尾典彦（夢人塔代表・メディアライター）

映画におけるヌード表現史
——草創期のファンタジー映画を中心に

旧約聖書の『創世記』によれば、天地創造を執り行った神は、6日目に獣と家畜を創り、神に似せた人を創られた。人はアダムと名付けられ、エデンの園と呼ばれる楽園に暮らしていた時は〝全裸〟であった。さらに神はアダムの肋骨からイヴを創ってアダムの妻としたが、神が禁じたにもかかわらず、蛇にそそのかされたアダムとイヴは「禁断の果実」を食べた。「禁断の果実」とは「知恵の実」であり、知性を持った人が最初にしたのは〝局部を隠す事〟だった。神は裸で暮らすことを望んだにもかかわらず。

神の意志に反して「羞恥心」を知ってしまった人は、「隠すことと見せること」にさまざまな意味合いを持たせはじめた。特に、肉体の一部の隠してある部分を見ることで、ある種の性的な興奮や快感を得るようになる。映画においても、草創期からそれを巡ってさまざまな表現が試みられた。それを概観していこう。

草創期のヌード映画

1893年、トーマス・エジソンが覗きからくり式の映写機「キネトスコープ」を発表。95年には、フランスのリュミエール兄弟が今の映画上映形式のルーツとなる「キネマトグラフ・リュミエール」の興行をパリのグラン・カフェで始める。ジョルジュ・メリエスは96年からロベール＝ウーダン劇場で、マジックや舞台経験を応用し、演出がほどこされた「映画」を生み出し、大成功する。映画はこうして産声を上げた。

この頃の映画はあくまでも見世物であり、「見る」という観客の興味を満足させるための試行錯誤を始めたばかりであった。汽車や車の動き、王様の戴冠式、赤ちゃんや動物の様子、地球の果て、異文化や風俗などなど、ありとあらゆるものを撮影し観客に提供しようと試みていた。その中に裸やお色気シーンを盛り込むことは当然の命題であった。

1896年11月に上映されたフランスの『Le Coucher de la Mariee』は、〝ヌードシーンがある〟現存する最初期の映画だが、全裸ではなく花嫁が着替えるストリップ形式のセミ・ヌードである。しかし、人前で生着替えを見せるということは、当時としてはかなりの衝撃であったはずだ。

同じくジョルジュ・メリエス製作の『Apres le bal』（1897）は、バーから

★（上から）『Le Coucher de la Mariee』『Apres le bal』『M・アーウィンとJ・C・ライスの接吻』

戻った女性が裸になり室内でたらいを置いて湯あみする映画。だがそれは疑似ヌードで、主役の女性は衣服を脱ぐとぴったりとしたボディタイツを身につけており、ヌードに見えるのだが全裸ではない。ポットから出て身体にかけていたのはお湯をイメージした黒い砂だった。当時の技術では透明な湯を美しく撮り見せることが困難だったからである。

同時代に、アメリカでは『M・アーウィンとJ・C・ライスの接吻』(1896)を公開している。エジソン社が制作したもので、〝映画史上初のキスシーン〟と位置付けされている。当時、これをエジソン社最新のスクリーン映写式「ヴァイタスコープ」で上映し大ヒットしたのだが、「公序良俗に反する」との理由で検閲に引っかかり上映は中止に。〝映画史上初のキスシーン〟は同時に〝映画史上初の上映中止作品〟でもあったのだ。

非合法を除き、アメリカ映画で最初の全裸シーンのある映画は『Inspiration』(1915)。「アメリカン・ヴィーナス」と謳われ、彫像や絵画のモデルとしても絶大な人気があったオードリー・マンソンが映画に出演。若い彫刻家が貧しい少女にインスピレーションを感じ、彫刻のためヌードモデルになってもらうというストーリーでポルノではない。マンソンは本当に全裸で撮影に臨んだ。検閲はこの映画を上映禁止にしようとして動いたが、すでに「サンフランシスコ万国博覧会」の展示物やマンハッタンの街中に彼女の裸体彫刻などが多数展示されており、この映画を禁止するとなると「ルネッサンス美術」の多くを否定しければならなくなるため、しぶしぶ断念した。賛否両論はあったものの映画は大ヒットし、1918年には『The Perfect Model』というタイトルで再上映されている。ただし、残念ながらこれらのフィルムはすべて失われており現存はしない。

★『Inspiration』(下の写真も)

ファンタジー映画の中の裸

では草創期の作品から、ヌード表現を持つファンタジー映画をいくつか紹介してみよう。

●『Birth of the Pearl』(1901)
ヴィーナスの誕生の誕生(未公開)

フレデリック・S・アーミテージ監督による1分間の白黒作品。サンドロ・ボッティチェッリの名画を模して、貝殻の中から女神が現れる。全裸のイメージだが、真っ白な全身タイツを装着しての演技だった。本当に全裸の「ヴィーナスの誕生」は、1989年にユマ・サーマンが演じた『バロン』であった。

★『Birth of the Pearl』

●『El Satario』(1907)
別題:El Sartorio(未公開)

アルゼンチンで撮影された最初のポルノ映画。川辺で遊ぶ6人の全裸の娘の前に角のある悪魔が現れ、一人を捕まえて森の中で性行為をおこなう。戻ってきた5人の娘たちが木の枝で悪魔を脅して退散させる5分弱の白黒作品。性器のクローズアップがあった。※1930年代にキューバで作られたとする説もある。

★『El Satario』

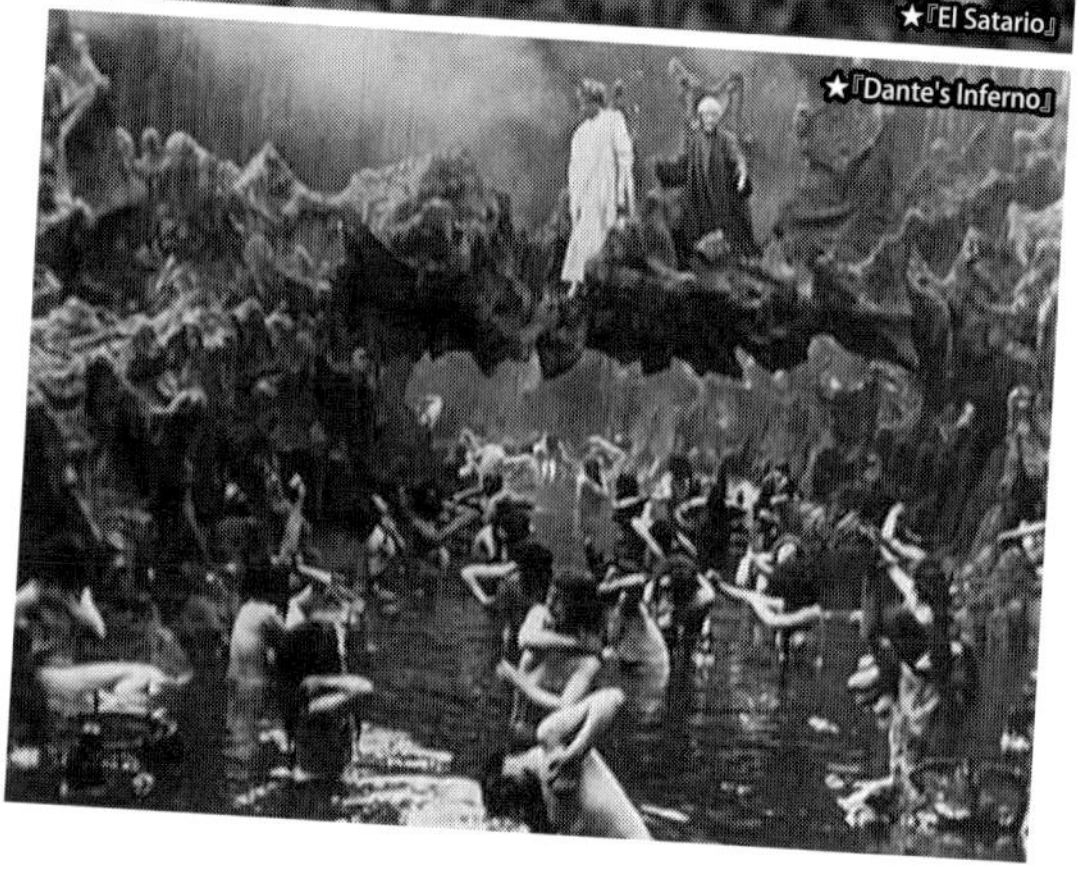
★『Dante's Inferno』

●『Dante's Inferno』(1911)
ダンテの神曲(未公開)

ダンテの神曲をモチーフにしたイタリア映画。悪魔に飲まれる人、切った首を捧げ持つ男、地獄の群像シーンなどの表現に男女の全裸シーンを多用した。制作に3年以上を費やし、イタリア映画初めての71分の長編映画として完成。ポルノではなく文芸大作として公開した。1924年にはアメリカでFOX映画社を創立したウィリアム・フォックスがヘンリー・オット監督を使って『ダンテの地獄篇』としてリメイク。さらにFOXは35年にはトーキ(サウンド入り)でリメイクした。いずれもヌードの群像シーンがあり、アメリカ版2作は日本でも戦前に劇場公開された。

●『A Fool There Was』(1915)
愚者ありき(未公開)

外交官スカイラーが、イギリスへ向かう船の中で「毒婦」と出会い、誘惑のため全てを失って落ちて行く不倫もの。その後大人気となる女優セダ・バラの初主演作で、本作で男をたぶらかし全てを吸い取るところから、吸血鬼をもじった「ヴァンプ」という新語が出来る(実際首筋にキスをされて男が頽れるシーンもある)。セダ・バラはこれ以降、男をたぶらかす「ヴァンプ」キャラクターとしてハリウッド初のセックス・シンボルとなる。本作は全裸こそないが、ネグリジェのような薄い衣装や煽情的な衣装で妖艶さ強調。バラは結婚し引退するまできわどいコスチュームで登場し続ける。2015年、アメリカ議会図書館は本作の歴史的価値ほかを認め、フィルムライブラリーに永久保存されることになった。

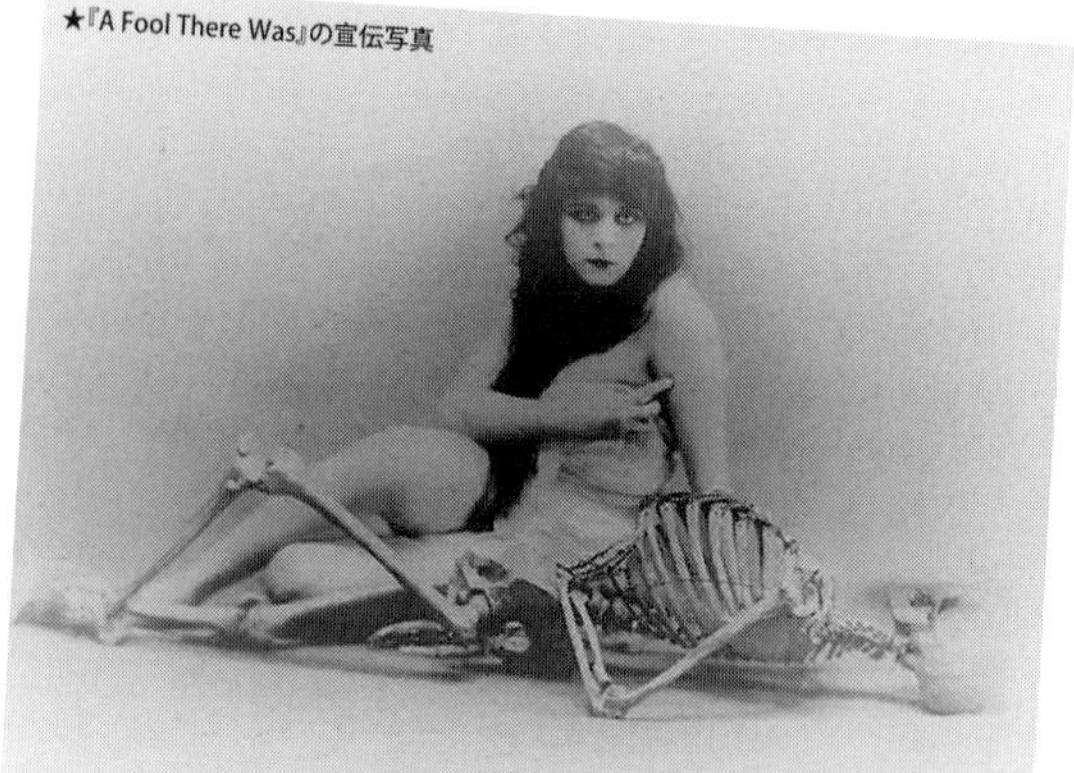
★『A Fool There Was』の宣伝写真

●『Hypocrites』(1915)
偽善者(未公開)

キリスト教の禁欲主義者と現代の牧師を並行して描く。マーガレット・エドワーズが偽善者の妄想として裸の姿で現われる。彼女は全裸だが、半透明の姿。撮影は多重露光撮影と編集技術によるもので当時高い評価を受けたが、繰り返される全裸シーンが衝撃的で物議を醸した。上映は何ヶ月も延期され、ニューヨーク市で暴動が起こった。オハイオ州では上映が禁止され、ボストンでは市長が「女性に服を着せるよう映画のネガを塗れ」と要求、検閲対象となった。

●『HAXAN』(1922)
別題 Witchceaft Through the Ages
魔女(日本ビデオ発売)

魔女の生態を扱った最初のスウェーデン・デンマーク合作の有名な作品。"教育映画"のふれこみで制作されたが、ホラー映画である。ベンヤミン・クリステンセン監督によるサバト、黒ミサ、魔女裁判、拷問などの再現シーンは目を見張るものがある。デンマークとスウェーデンで高い評価を得たが、全裸の女性(魔女)が悪魔とまぐわる性倒錯行為シーンや拷問シーンなどがあるためアメリカは上映禁止、他の国でも長く輸入規制の対象となっていた。

●『メトロポリス』(1927)

フリッツ・ラング監督のSF・ロボット映画の金字塔。コピーロボットを使い、心優しいマリアの似姿で労働者を先導しようとする近未来犯罪映画。ブリギッテ・ヘルム扮するマリアがフォルムを転写する透明チューブに入れられているシーン、スリット式で中の肉体が見える。偽マリアとなったロボットが上流階級のサロン「YOSHIWARA(吉原)」で、薄物を身につけ、ベリーダンスやバーレスクイメージでダンスを踊るシーンが煽情的だ。長らく失われていたシーンなのだが発見され、再編集で復元されている。

●『類猿人ターザン』(1932)
『ターザンの復讐』(1934)

ライス・バロース原作、水泳選手でオリンピック金メダルに輝いたジョニー・ワイズミュラー他主演のジャングル冒険もの。大ヒットで新旧取り混ぜて50本近い映画と、二つのテレビシリーズがある。ターザンは野生児なので始終半身裸、モーリン・オサリバン扮する恋人のジェーンもセミ・ヌードやシャドーストリップシーンを見せている。中でも話題になったのが『ターザンの復讐』(1934)の二人一緒に泳ぐシーンで、ターザンがジェーンの服をはぎ取り湖に投げ込む。オールヌードになったジェーンとターザンが水中で楽しそうに踊り、シンクロナイズ的な水中ダンスシーンを見せる。このシーンは、やはりオリンピック金メダルのジョセフィン・マッキムが吹き替えて泳ぎ、息のあった素晴らしいシーンを完成させた。しかし、その後の検閲によりリバイバル時にはバッサリとカットされてしまった。

★『Hypocrites』

★『HAXAN』

●『キング・コング』(1933)

海外怪獣の代表作品。巨猿コングと美女アン・ダーロウの哀しき「美女と野獣」ものなのだが、公開当時カットされたシーンがある。髑髏島の自分の巣にアンを連れて来たコングは、事もあろうかでアンの衣装をベリベリと剥がすのである。驚きながらもセミ・ヌードになるフェイ・レイ。このシーンは完成しながらカットされたのだが、ディノ・デ・ラウレンティスがリバイバルした『キングコング』(1976)では、機械仕掛け(アニマトロニクス)の巨大な指が美女ドワン役のジェシカ・ラングの衣装をずり下げ、トップレスにするシーンがある。

ヘイズ・コードの時代

時代は移ってトーキー時代。1933年公開の『春の調べ』には擬似性交シーンと全裸で泳ぐシーンが含まれていた。これはポルノ映画ではなく文芸作品の扱いであった。過激化した表現の広がりを懸念したアメリカでは、アメリカ映画製作配給業者協会が「ヘイズ・コード」と呼ばれる映画の表現における自主規制基準が設け、34年に施行された。これにより68年に廃止されるまでの長きに渡り、映画でのヌードやエロティック描写は原則禁止とされた。

もちろん、アンダーグラウンド作品や独立系のB級映画、外国映画の一部などは「ヘイズ・コード」を無視していた。しかし、大手の映画会社でもスター女優のヌードをシーンに取り入れようと試みた作品がある。恐慌のあおりとも云われている。

マリリン・モンローは、1953年に「プレイボーイ」創刊号のグラビアにヌードが載り、映画にも多数出演、50年代の〝セックス・シンボル〟のアイコンとしてすっかり定着していた。だが、彼女の最後の作品『荒馬と女』(1961)にヌードシーンがあった。一緒にいたクラーク・ゲーブル扮する恋人ゲイがキスして部屋を出て行く。シーツのみをまとったロズリンことモンローは、その後シーツを外しオールヌードでシャツに着替える。シーンは撮影されたのだが、監督ジョン・ヒューストンが必要性ないと考えカットした。このカットシーンをプロデューサーだったフランク・テイラーの息子が、父親の遺品として保管していたのである。もしこれを使っていれば〝アメリカ・メジャー映画史上初のヌードシーン〟になっていたがその栄誉は63年の『Promises! Promises!』に出たジェーン・マンスフィールドに譲ることとなった。なお、モンローが死の直前撮影していた、ロマンチック・コメディ映画『女房は生きていた』(1962/未完成)でも、モンローが全裸でプールを泳ぐシーンとプールサイドのシーンが撮影されている。

ヘイズ・コード撤廃

映画製作数が増え、反発も多く、実質的に機能していなかったアメリカの「ヘイズ・コード」は68年に廃止されることになった。

映画の製作会社は自主規制をはじめ、各国でそれぞれの基準でレイティングが取り決められるようになる。〝クローズ〟から〝オープン〟へ、今では映画の大学で授業素材にも使われているラス・メイヤー監督作品や、ヨーロッパ映画など、全裸や性交シーンも大手を振って描写されるようになる。

69年には、デンマークで「ポルノ映画」が正式に解禁される。「ポルノ映画」は新たなビジネスになり、ビデオや配信のメディア革命を迎えるまでの時代を華々しく飾る一大産業として成長していく。

問題視された一般映画たち

70年代になると、「ポルノ映画」のジャンルには属さない「一般公開」映画や文芸作品の中にでも、ヌードや性的な表現が過激で問題となる作品が次々と生まれるようになってくる。

★『Promises! Promises!』

●『ラストタンゴ・イン・パリ』(1972)

ベルナルド・ベルトルッチ監督の本作はニューヨーク映画批評家協会賞を受賞した名作だが、マーロン・ブランドによるマリア・シュナイダーの暴行的な性描写が問題になり、のちのち裁判沙汰になった。

●『愛の嵐』(1974)

ルキノ・ヴィスコンティが絶賛したイタリアの女流監督リリアーナ・カヴァーニの作品。ユダヤ人強制収容所時代、ナチス親衛隊員とユダヤ人女性の倒錯した愛の歴史を、年月を経て再燃させる。上半身裸にサスペンダーでナチ帽を被って踊るシャーロット・ランプリングはあまりにも有名。

●『エマニエル夫人』(1974)

日本でも有名になったジュスト・ジャカン監督のフランス映画。外交官との不倫を楽しむ若妻の性を奔放に描く「ポルノ映画」だが、〝女性でも見られる「ソフトポルノ」〟との触れ込みで「一般映画」として公開され大ヒットした。主演のシルビア・クリステルはこのシリーズで人気が高まり、70年代のセクシー・アイコンとなる。

histoire d'O
Oは愛のめざめ…Oは女のあかし…

完全ニュープリント
日本最後の公開

THE NIGHT PORTER

●『O嬢の物語』(1975)

フランスのポーリーヌ・レアージュ原作の傑作SM文学小説の映画化。女流写真家のOがルネにより〝主従関係から生まれる〟新たな倒錯の奥深い世界を体験する。「成人映画」だが文学作品として一般映画館で公開された。

●『愛のコリーダ』(1976)

大島渚監督がフランスと合作で「阿部定事件」を映画化した。倒錯した愛情で過激な表現や実際に性交をするシーンの表現があったため、日本では修正され公開されたが、ノーカットを見ようと、ハワイやグァムへの鑑賞ツアーが敢行された。映画公開時は問題なかったが、シナリオが検閲され、〝芸術か猥褻か〟という表現の自由をめぐって裁判沙汰となった。

●『リップスティック』(1976)

アメリカで社会問題になっていたレイプ被害の実態を、あえて前面に打ち出した社会派映画。勇気を持って立ち上がる被害者の女性役をマーゴ・ヘミングウェイが熱演。法廷ものだが、無理やり口紅を塗って暴行するシーンが過激だと物議をかもした一般映画。

●『グリーンドア』(1972)

アメリカ製のハード・コアポルノだが、当時アイボリー石鹸のCMモデルを務めていた美女マリリン・チェン

マリリン・チェンバーズ

製作・脚本・監督／ミッチェル・ブラザーズ
撮影／ジョン・フォンタナ／ダナ・フラー

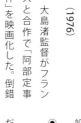

その《グリーンドア》の中で……彼女に何が起きたのか？
Green Door

バースが主演したことでセンセーショナルな話題をさらった。その後、彼女はポルノ女優・ストリッパーとして本格的に活躍するが、デヴィッド・クローネンバーグ監督のホラー『ラビッド』（1977）でも主演を務めている。

●『美しき諍い女』（1991）

初期のヌード映画『Inspiration』（1915）を思い起こさせるフランス映画。画家とヌードモデルのぎりぎりのせめぎ合いをジャック・リヴェット監督・脚本で見せる芸術作品。『天使とデート』（1987）で、清純な美しい天使役を見せたエマニュエル・ベアールがオールヌードで体当たり出演。陰毛も見えるモデルシーンの連続なのだが、芸術性を見せる目的として東京国際映画祭では無修正のまま上映された。これ以降、税関と映倫は芸術性の高いものに関してはアンダーヘア描写を許容するようになり、日本でも本格的に映画でのヘアヌードが解禁になった。

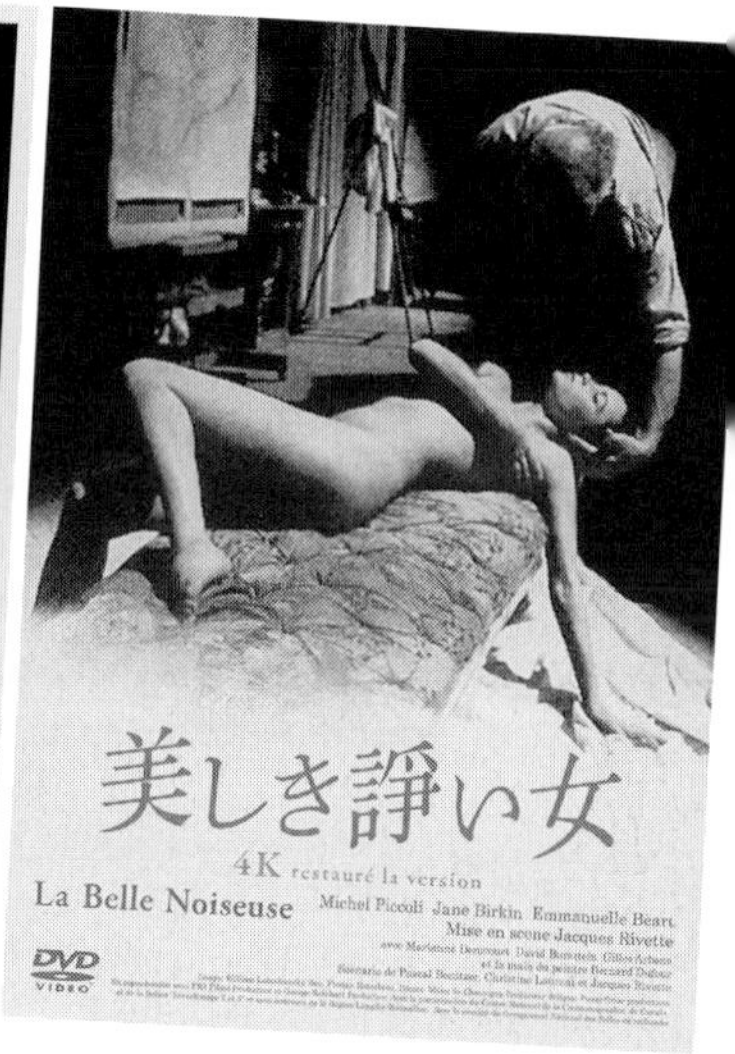

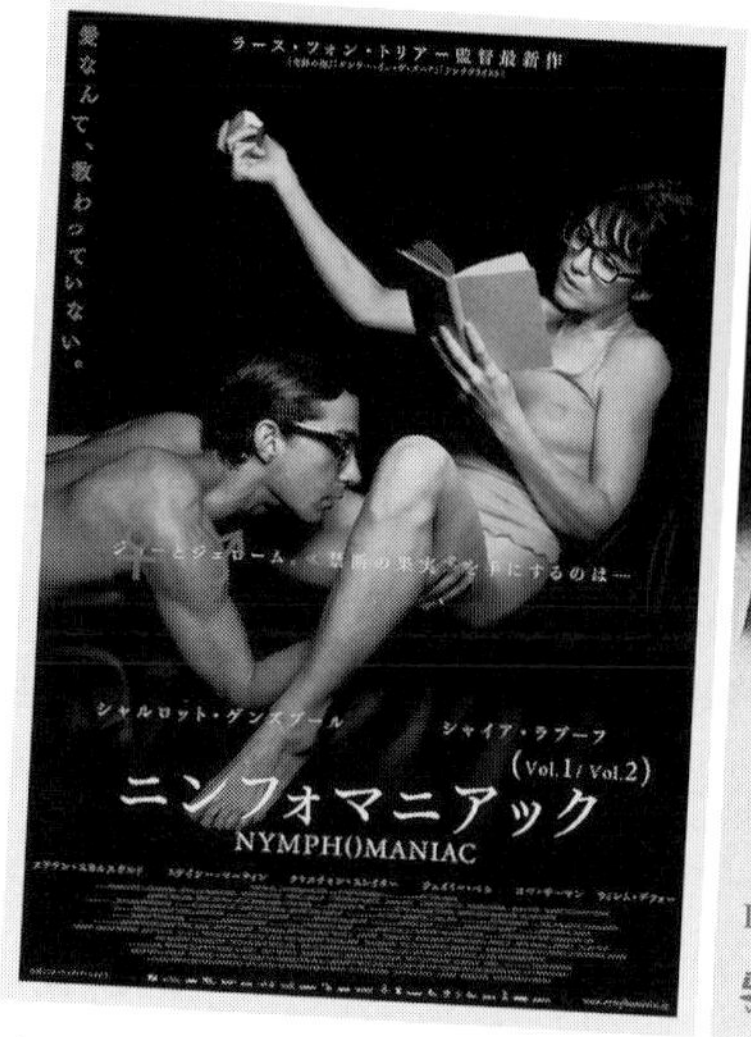

●『氷の微笑』（1992）

ポール・バーホーベン監督によるサスペンス。ショーツを履かず、短いスカートでいすに浅く腰を掛け挑発的な態度でゆっくりと足を組みかえる取り調べシーンが有名。このシーンでシャロン・ストーンは大スターの仲間入りをした。

●『アイズ・ワイド・シャット』（1999）

巨匠スタンリー・キューブリック監督の遺作。実際に夫婦だったトム・クルーズとニコール・キッドマンが主演で、フルヌードや性交シーンがあるため日本では「成人映画」で公開。

●『ニンフォマニアック』（2013）

ラース・フォン・トリアー監督・脚本の『アンチクライスト』（2009）、『メランコリア』（2011）に続く『鬱三部作』の最終作。色情狂（ニンフォマニアック）の女性の性の遍歴を二部全8章で描いた問題作。色情狂、異人種セックス、レイプ、SM体験など生々しく表現。実際の性行為も赤裸々に見せて物議をかもした。主演は『鬱三部作』のすべてに出演したシャルロット・ゲンズブール。

＊　＊　＊

今は、映画館で公開する「ポルノ映画」はほとんど作られていない。有名だった公開館の「プシー・キャット」も潰れ、クエンティン・タランティーノ監督の『ワンス・アポン・ア・タイム・イン・ハリウッド』（2019）の背景としてちらっと出てくる程度だ。

ビデオやDVDスルーや配信でアダルト映像を見る時代になり、課金システムなどビジネスの形態も変わった。また「規制」の方も、子供の視聴規制など新たな問題も生まれて来ている。

「全裸を良し」とした神の意思に反して、禁断の実を食べ、知恵と羞恥と欲望を持った人間は今も裸を求めて走り続けている。人間に本能がある限り、時代とともに形を変えながらも決してそれは失われることはない。

神から離れたアダムとイヴはまださ迷い続けている。いったい人は何処へ行くのだろうか。

何処からかオイオイと泣く声が聞こえる。
誰か居るのか、お前は誰だ。
しばらくするとアハハと笑い声が聞こえる。
誰だ、誰だ！
必死に手を伸ばすが其処は空虚。
誰だ、誰だ、誰だ！
走り回り、歩き回り、
足を止める。
頬に熱い滴り。
何だ、泣き笑い喚いて居たのは自分じゃないか。
裸の、独りぼっちの自分じゃないか。

岸田尚一コマ漫画 ◉コラージュ＆文＝岸田尚

近代的技術が、「裸体」の価値を転倒させていった

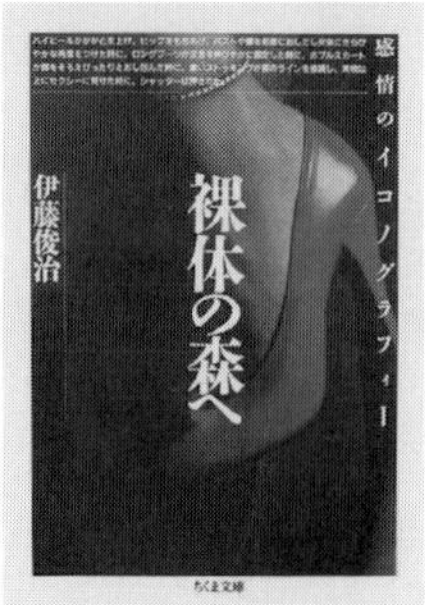

伊藤俊治

裸体の森へ
―感情のイコノグラフィー

ちくま文庫、880円

★本書の著者、伊藤俊治は、主に写真史を中心に近現代の芸術文化について、めまぐるしく更新され続けるテクノロジーの時代に並走するように書き続けている美術史家である。新著『陶酔映像論』では、来るべき東京五輪に備えるかのようにレニ・リーフェンシュタールの『オリンピア』に映る五輪選手たちの類いまれなる肉体の表象について検証し、他方ではジャン＝リュック・ゴダールや小津安二郎、マヤ・デーレン、ルイス・ブニュエルといった映画・映像史の巨匠について省察するが、そこに通底するのは「陶酔」という題が示すように肉体のエロティシズムという根本的な主題である。

裸体が含有する意味合いは人類が時代を重ねるごとにより多層的になっている。例えば日常生活のなかで、ウェブサイトの広告などでふとしたとき、予期せぬ裸を目にすることがある。かつて秘匿されたものとして価値を有した裸の価格は、日に日にデフレーションしている。

では、裸が特別な価値を持ち得た時代とはどのようなものだったのだろうか。その問いについて、本書『裸体の森へ』はエロティック写真を出発点として丹念な考察を加える。第一章において登場するセピア時代のエロティック写真黎明期の収集家たちの熱情は、直截な性欲とは異なるベクトルのフェティシズム、あるいは知的興奮を伴う博覧といった域に達している。美術家リチャード・マーキンは、写真を自身のコレクションに入れるか否かの判断を、当時禁じられたものであるか否かで判断したという。美術として受容されるヌードではなく、無名の写真家による無名の男たちに向けたものでなくてはならなかったのだ。この時代のエロティック写真とは、その出発点にして単なる性的欲求解消のものではなく、裸体という秘されるべきものへ向けた飽くなき探求なのである。

転換点となるのは、53年の雑誌『プレイボーイ』の創刊である。本書では、初期『プレイボーイ』がプレイガール＝最上級のエロスとして定義した美女のグラマラスな肉体について、その哲学が解題される。整形や豊胸といった人体改造とはまさしく医学、すなわち近代的技術の産物であり、顧みるにそもそもって雑誌『プレイボーイ』が成り立つのもまた、大量流通出版といった近代的技術があってこそだ。

あらゆる新たな技術が手を取り合って、秘められた「裸体」の価値を転倒させていく。『プレイボーイ』に登場するマリリン・モンローのヌードが、ポルノにまつわるある種のいかがわしさを背景としながらも絶対的な美を誇るのは、ここに大量出版時代のヌード写真の美学としてエロスの完成を見るからかもしれない。

ヌードが特別な価値を有した時代に遡り、エロティック写真から裸を紐解いてゆく『裸体の森へ』は、2021年においてもアクチュアルさを失わず、それどころか近現代最大の「裸体のデフレーション」の時代であるからこそ再読する価値がいや増した一冊である。（安永桃瀬）

「はだか」に理想の形＝モードを纏うことで「私」になる

★「はだか」とは、なにも纏うものがなくむきだしになっている状態を指す。纏うものがあるということは、そこには中身があるのだろう。服をめくれば皮膚があり皮膚の下には肉がある。しかし、そこに「私」はいるだろうか。
　日本を代表する現象学者、鷲田清一は自身の領域である哲学の切り口からモードを解体することで、「私」と「衣服」の関係性に新たな視座をもたらすファッション論を切り拓いた。その嚆矢となったのは87～88年にファッション誌『マリ・クレール』で連載したものをまとめた著書『モードの迷宮』である。本書において鷲田は「衣服の向こう側に裸体という実質を想定してはならない」と語る。衣服と裸体は互いに独立したものではなく、相即的に「私」として現れる身体である。私たちは裸体の上に衣服を、デザイン、カラー、テクスチャといった多元的な意味を被せずにはいられない。

鷲田清一
モードの迷宮

ちくま学芸文庫、900円

　こうした鷲田の論を引継ぎ、現代日本における「ファッション批評」を打ち立てた蘆田裕史は、著書『言葉と衣服』において、この衣服観をヴァーチャルの世界まで押し広げる。オンライン会議で加工アプリによって自らの姿をジャガイモに変えるとき、ジャガイモの姿は衣服であり自己の身体でもあるとし、「衣服が身体と同一化しうる」という20世紀以降の発想が、インターネットの普及により現実化したのだと語る。

　このように衣服と裸体が密接に切り離せないものだとしたら、「はだか」とは一体なんだろうか。根源的なディスプロポーションを抱える不安定な「私」という存在は、常に移り行く理想の形＝モードを求め揺れ動く。私たちは衣服を纏うことで理想の形を手に入れようとし、そこに固有のアイデンティティを確立しようとする。こうして可視化された自己が自己像として機能し、他者との関係を築いていく。衣服とは単なる裸体を覆うものではなく、ある人が存在するとき、その身体に含まれるものなのだ。

　では「はだか」は身体の一部が欠落した不全な状態を指すのだろうか。冒頭に述べたように「はだか」という語が使われるとき、そこには何かが何かに覆われた状態（＝着衣）が照応されている。果たして「はだか」とは不完全な姿だろうか。

　ここで人体の形に視点を移すと、そこには理想の形などないはずである。人それぞれ身体的特徴や肌の色の差異こそあれど、それは優劣のつかない個性である。しかし、「裸体＋衣服」としての身体を有する私たちはそこに到達することができず、理想の身体を求めては流行の服に着替え迷宮に迷い込む。

　衣服を伴う身体によって可視化され立ち現れるものが「私」であるが故に、衣服を取り去った「はだか」はもはや「私」ではない。衣服を纏う中身であったはずの「私」は消え去り、そこには未知の「はだか」がある。「はだか」とは、志向される理想のスタイル＝モードを纏い可視化された自己が辿り着くことのできない、永遠に無人のユートピアなのである。（安永桃瀬）

少女の純真無垢な「はだか」に心を解かれていく青年

★川端康成は、日本の文学史の中でも特異な位置を占める作家だ。

まずは言うまでもなく日本人として初のノーベル文学賞受賞者であり、あの有名な『雪国』や『伊豆の踊子』の作者。そこからは「伝統的な〝日本の美〟の表現者であり、守護者」というような「優等生」のイメージが、自動的に立ち上がる。

だがその「優等生」的なイメージにもっとも悩まされてきたのが、ほかでもない川端自身ではなかったか。実際にはそうした枠の中に収まらない、幻想的で退廃的な作品も多く書いたにも関わらず（『眠れる美女』や『みづうみ』など）、川端のイメージはついに「美しい日本と私」から更新されることがなかった。また川端自身、そのような作家としての自己のイメージが破壊されることを恐れていた節もあり、結婚して子供もありながら、彼はついに実生活を題材にした私小説的な作品を書くことがなかった――「はだか」になることができなかった。そうした「はだか」への憧れが、もしかしたら二七歳の彼に『伊豆の踊子』という作品を書かせたのかもしれない。

川端康成
伊豆の踊子

新潮文庫、430円

『伊豆の踊子』の物語は、一高（現在の東大）の学生である「私」が、旅先で出会った芸人一座の中にいる美しい踊り子の少女となんとか知り合おうとするところから始まる。「私」は一高の制帽がエリート（＝「優等生」）の証として人々を恐縮させるものであると知りながらあえて外さずにしておくような、まあ、プライドの高い「嫌なやつ」だ。だから当然、踊り子のことも「いざとなったら金で買えばいい」ぐらいにしか考えていないのだが、いっぽうで同じ宿に泊まった踊り子が向かいの料理屋から戻ってこないと「今夜、他の男に汚されるのではないか」と悶々としたりする（なんという身勝手！）。

そしてその翌朝。憂鬱な気分を引きずったまま露天風呂へと出向いた「私」は、そこで「手拭いもない真裸」の状態で手を振る無邪気な踊り子の姿を目撃し、安心して笑みをこぼす。そんな踊り子の無防備な「はだか」を見たことをきっかけに――と言ってしまっていいかは不明だが、少しずつ「私」も旅先で出会った人々に対して心を開き始める。あれだけ外すことを拒んでいた一高の制帽も、気づけば店で買った鳥打帽に変わっている。

それでは「私」の踊り子に対する好意は、身分の差という垣根を越えて、恋愛として成就したか。答えはノーだ。旅の途中、旅費が尽きそうになった「私」は、エリートとしての使命を思い出したかのようにあっさりと旅芸人の一座に別れを告げ、帰ることを決めてしまう。また踊り子のほうにしても、いくら「子供である」とはいえ、もし本当に「私」を男として意識していたら、あれほど素直に心を開いて「はだか」の姿を見せていたか、どうか。そして帰りの船の中で、はじめて「私」は人目もはばからず、心を「はだか」にして泣く。

女と子供の間で揺れ動くさなぎのような少女が見せた一瞬の「はだか」と、その純真無垢な「はだか」によって心を解きほぐされていく青年の姿を捉えた、希有な作品だ。（梟木）

共同体の暴力による「はだか」の無垢の喪失

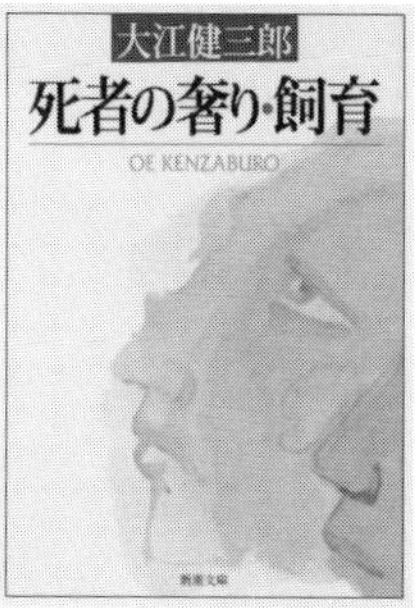

飼育

大江健三郎

「死者の奢り・飼育」所収、新潮文庫、590円

★大江健三郎は「はだか」の作家だ。

氏の代表作であり出世作である『飼育』には、原初的な無垢の状態としての「はだか」への憧れが、深く刻まれている。

それはもちろん『飼育』だけに限られた話ではない。一九五八年の長編『芽むしり仔撃ち』で村人に見捨てられた子供たちが互いに自分の性器を勃起させあうシーンから、一九八九年の長編『人生の親戚』のヒロインである「まり恵」の陰毛についての異様に細かなディティールまで、大江の小説にはしばしば象徴的な「はだか」が登場し、物語を彩ってきた。さらに二〇〇〇年以降における、老人としての自らの滑稽さや醜悪さを隠すことなく描いた私小説的な作品群（この場合は「身体の裸」ではなく「心の裸」ということになるが）まで含めると、「はだか」は一貫して大江文学のモチーフであり続けたとさえいえる。しかしその原点に、一九五八年の芥川賞受賞作『飼育』があったことは間違いない。

舞台は戦時中、先の洪水と山崩れによって一時的に外界と隔絶された「森の奥の谷間」に存在するという村。語り手の少年である「僕」は、そこで弟や友人とともに戦争の暴力とは無縁の日々を過ごしていた。ところがある日、村の上空でアメリカの飛行機が撃墜され、パラシュートで黒人兵が降りてくる。捕まえた黒人兵の処置を決めかねた村の大人たちは、県庁からの指令が下るまで「僕」の家の地下室で黒人兵を「飼う」ことに決めるのだが……。

本作には印象的な「はだか」の登場する場面がふたつある。まずは小説の序盤、村の共同水汲場で「僕」の友人である「兎口」が、裸になりながら台石の上に寝そべり、同じく裸の女の子たちに自身の「薔薇色のセクス」を弄ばせるシーン。そしてもうひとつは、黒人兵と仲良くなった子供たちが彼を水汲場へと連れて行き、狂ったように笑い合いながら裸で水浴びをするシーンだ。兎口はここでも女の子のひとりを掴まえて「彼の猥らな儀式」を始め、それを見せつけられた黒人兵もまた「英雄的で壮大な信じられないほど美しいセクス」を誇示しながら泉のそばにいた牝山羊へといどみかかる。性的なタブーの存在しない、原初的な無垢の状態への憧れが、黒人兵と村の子供たちの交流を通してもっとも美しい形で表されている。

だが、そのような幸福な時間も長くは続かない。県の指令で移送が決まると、黒人兵は「僕」を盾にして必死に抵抗し、かんかんになった村人たちは「僕」の安全を顧みることなく黒人兵を殺害してしまう。騒動が過ぎ去り、心身に深手を負った「僕」は天啓のように自分がもう子供でないことを悟るが、それはあたかも原初的な無垢の空間との決別を、作者が宣言しているかのようだ。

おそらく今後はもう、大江のような作家は現れないのではないか。才能や資質の問題だけではない。「炎上」というゲームを中心として歪な形で発展した現代の情報社会は、作家が無防備な「はだか」のままの状態でいることを恐ろしく難しくしてしまった。共同体による暴力を通して「はだか」の無垢が喪失されるまでを描いた本作に、そのような社会の到来が予見されていたといったら、言い過ぎだろうか。（梟木）

恋愛には「はだか」になることができない男

★『ヲタクに恋は難しい』とは、若い世代のマンガファンを中心に共感を集めた恋愛マンガのタイトルだが、普通の人にとっても恋は難しい。それはひとつには、身も心も丸裸にして相手にぶつかっていくという恋愛のプロセスが、ひとによってひどく困難に感じられるからでもあろう。たとえどれだけ恋愛経験が豊富でも、セックスの関係にまで進めないというひとは少なからずいる。そしてそれは逆の場合も、どうやら同じのようだ。

『SHAME―シェイム―』はイギリス出身の映画監督スティーヴ・マックイーンによる、二〇一一年の長編映画作品。セックスの経験豊富だが恋愛は長続きしないエリートサラリーマン役を、映画『X-MEN』シリーズでマグニートーを演じたマイケル・ファスベンダーが務める。日本では映像に大幅な修正を加えた上で公開されたが、R―18区分の「劇場公開版」では、彼の堂々たる巨大なペニスを確認することができる。

スティーヴ・マックイーン監督
SHAME―シェイム―

主人公のブランドンは、ニューヨークの高級アパートに住む独身のサラリーマン。イケメン高身長という絵に描いたようなモテ男である彼は上司のデイヴィッドとともにリッチな女漁りの生活を続けていたが、そのいっぽうでコールガールとのセックスを頻繁に行い、会社のトイレでも自慰行為に耽るなど、セックス依存症のような毎日を過ごしていた。そんなある日、ブランドンにとって唯一の肉親である妹のシシーが彼のアパートへと転がり込んできて……。

ブランドンは異性との正常な恋愛関係を、いや、それどころかまともな人間関係そのものを放棄してしまったような人物だ。ブランドンの家の電話番号には何度も妹（や、恐らくは行きずりの関係になった女性たち）から、彼が電話に出ないことを非難するメッセージが送られてくるが、ブランドンはそれらのメッセージを再生しながら、いかにも無関心というふうを装って自慰行為を始めてしまう。そんなブランドンがいかに自分の生き方の「まずさ」に気がつき、変えようとしていくかが、この映画の大きなポイントだ。

物語の中盤、ブランドンは職場の同僚であるマリアンヌという女性をデートに誘うことに成功するが、会話や食事のマナーはちぐはぐ、おまけにホテルでは緊張で勃起しないという大失態を演じてしまう。このとき女性はすぐに裸になったにも関わらず、ブランドンが最後まで服を脱がなかったのは象徴的だ。まじめな恋愛関係を築こうと誓った女性の前でさえ、彼は「はだか」になることができなかった。

ブランドンにとって「恥」（シェイム）とはなにか。それは一夜限りのセックスのために裸になることはできても、恋愛のためには「はだか」になれない――素の状態の自分を相手の前にさらけ出すことができない、ということだ。本作の経験を通して、ブランドンはその事実を嫌というほど突きつけられたわけだが、現実にはそれを「恥」と認識できていないひともたくさんいる。その意味ではブランドンが劇中で流した血も、涙も、そしてスペルマも、決して無駄ではなかったということだろう。

（梟木）

身も心も「はだか」になり社会や人間にぶつかっていく

全裸監督

武正晴監督

Netflixにて配信

★まさに「はだか」が生んだ奇跡、といったところだろうか。

二〇一九年八月八日。Netflixから一九〇ヶ国に向けてドラマ『全裸監督』の配信が始まると、日本のアダルト産業を舞台にしたそのアヴァンギャルドな作風が話題を呼び、世界的なヒット作となった。同作はあくまでNetflixに登録すれば誰でも自由に視聴できるコンテンツであるため、収益ベースでの影響力は計り知れないものの、作品の配信前後で会員数が六〇〇万人増加した、というデータもある（本橋信宏『全裸監督　村西とおる伝』文庫版のためのあとがき）。いったいこの作品のなにが、世界中の人々を惹きつけたのか？

『全裸監督』は山田孝之主演によ,る、実際の出来事に基づいて作られたドラマ作品。好景気に沸く一九八〇年代後半の日本を舞台に、英会話教材の販売員から大手〝ビニ本〟販売チェーンの経営者、そして唯一無二の個性をもつＡＶ監督へと成り上がっていく男の姿を描く。ともするとアダルトビデオの撮影風景を完全再現した、俳優陣によるきわどいシーンにばかり目が行きがちだが、そのじつ〝性欲〟という誰にとっても避けがたい（にも関わらず公の場で語ることがタブー視されてきた）テーマについて真正面から取り上げた、いたってまじめな作品でもある。

秀逸なのは、実在のＡＶ監督である村西とおるをモデルとした主人公の「村西」をはじめとする、登場人物のキャラクター描写だ。カメラマンと男優と監督の三役をひとりで兼ね、全裸に白のブリーフという奇妙な格好で撮影に臨む様子は現実における村西のスタイルを踏襲したものだが、それは彼が身も心も「はだか」にして社会や人間に対してぶつかっていける人物であるという印象を、私たちに与える。事実、ドラマの中の村西は作品の質を大切にするあまり、女優に〝本番〟を要求したり、無謀な海外ロケを敢行しようとしたりして周囲との衝突を繰り返すが、その姿は商売人というより、性表現の革命を志す冒険家のようだ。そしてそんな彼の魂に呼応するように、幼い頃から性的に抑圧された家庭で育ち、ＡＶ女優になる（＝人前で「はだか」になる）ことで解放の歓びを得ていく黒木香という（やはり実在した）女性の物語が、並行して描かれていく。

驚いたのは、日本のアダルトビデオ業界黎明期というニッチな時代を捉えた本作が、作り手の想定を大きく超えて、村上つとむや黒木香といった固有名をほとんど知らない（はずの）若い世代のネットユーザーにまで強くアピールしたことだ。とりわけ敏感に反応したのがYouTube系の配信者で、作品をただ「見た／見ない」というだけで一本の動画が作られるまでになった（水溜りボンドの日常『【素晴らしい作品】カンタに全裸監督を見た感想を純粋に聞いてみた！』など）。近年の動画サイトやＳＮＳにおいて、裸体の表現が排除される流れにあったことを考えると、これはほとんど「事件」であったといえる。

あるいはそれだけ、本心に近いところでは「はだか」の表現が求められるようになってきている、ということなのか。カメラの前で「はだか」の自分を堂々とさらけ出し、作品に全力でぶつかっていく村西監督の姿が若い世代のクリエイターの間でリスペクトの対象となる日も、そう遠くはないはずだ。（梟木）

人類が衣服という〝原罪〟から解放されるための神話

キルラキル

今石洋之監督

★ひとはなぜ、身体の大部分の毛を失って肌をさらすようになったのか。

そしてなぜ、その上から衣服を纏い、肌を隠すようになったのか。

そこに明確な答えはないものの、キリスト教はそれを、人間の〝原罪〟として説明している。アダムとイブが神に背いて禁断の木の実を口にしたそのときから、人類は「はだか」を恥じて肌を隠すようになったのだ、と。今石洋之監督のテレビアニメ『キルラキル』は、この「ひとはなぜ服を着るのか」という問いにSF的な視点から解答を示した、唯一無二のアニメ作品だ。

舞台は生徒会長・鬼龍院皐月を頂点として強大な権力のもとに統治される高等学校、本能字学園。学園では「生命繊維」という物質を縫い込むことで着用したものに人智を超えた力を与える制服「極制服」の研究が進められ、それを操る一部の生徒らによる支配が続いていた。主人公である纏流子もまた父の仇を追って本能字学園へと転校してくるが、極制服を身につけた学園の生徒らを前に、なすすべもなく敗れてしまう。やがて自宅の地下で喋る学生服の「鮮血」と巡り会った流子は、彼を戦闘コスチュームとして着こなす（血液を与える）ことで得られる強力なパワーを武器に、本能字学園の生徒会に戦いを挑んでいくことになるのだが……。

セーラー服の「鮮血」を変形させた流子の戦闘コスチュームは、ほとんど「はだか」に近いような、露出度の高いものだ。はじめ、流子は「鮮血」を装着して戦うことに恥じらいを感じて躊躇うが、それは彼女が衣服という名の〝原罪〟に囚われた存在であることを、物語ってもいる（同様に男性キャラクター側から注がれる流子の「はだか」に対するセクシャルな視線も、決して排除されてはいない）。深夜アニメ的なお色気表現、といってしまえばそれまでだが、しかし本作における後半の展開を考えると、それだけともいえない。

やがて（第十六話以降）物語のキーマンの口から明らかにされる、衝撃の事実。なんと「生命繊維」の正体は宇宙侵略生物だった。彼らの目的は衣服として人間に寄生し、文明を乗っ取ることであり、そのために人類が全身の毛を捨てて衣服を纏うよう、進化の方向性を促してきたという（気の長い話だ）。そして『キルラキル』のドラマもまた、衣服を着た人間同士の争いから、衣服と人間の戦いへとシフトしていく。

そのような因果が明らかにされた世界において「はだか」とは、もはやタブーを犯した状態ではない。作品の後半では流子を精神的にサポートする満艦飾家の人々から生徒会の人間まで、じつに多くの登場人物が画面に入り乱れ、生命繊維の支配に対抗する組織の一員としてほとんど「はだか」に近い状態で戦いに身を投じていく。『キルラキル』は人類全体が衣服という〝原罪〟から解放されるための、壮大な神話だったのだ。（梟木）

家では全裸生活の江古田ちゃんの哲学

瀧波ユカリ
臨死!! 江古田ちゃん
講談社アフタヌーンKC、全八巻

★夏の時期は、家では作務衣ですごすことが多い。すずしいから。冬はポロシャツの上にセーターとか着こむ。はだかでいるのは、入浴前後くらいである。冬ならもちろんさむいし、夏だって、自分の素の姿はあんまりみたくない。年々蓄積してきた贅肉や、ブラブラ揺れる股間も妙な感覚がして、お風呂からでたあとはすぐに下着など身に着ける。そんな私はもう三十二歳になる。おいおい三十二だよ、と自分でビックリする。医者になってからもう六年目だ。もう六年か、といつまでもビックリする。

江古田ちゃんは二十四歳だ。外ではそれなりに着飾って、家ではずっと全裸で過ごす。「深刻な相談も全裸で受け付け」、「『洋楽で学ぶ英語』も全裸で実践」、とつぜん放送局の受信料集金がやってきても、「今　人様の前に出られないかっこうなんで」とインターホン越しの言い訳も全裸でする。

人様の前に出られないかっこうでも、できてしまうのが一人住まいの、自分の家だからこそだ。あんまり実家暮らしとか、子供のいる家庭で全裸生活する女性の話はきいたことがない。江古田ちゃんいわく、「全裸　すなわちライフスタイルでサービスにあらず」、「それにしても　どうして全裸なのかって?」「じゃあどうしてあなたは服を着ているのですか?」。

なんか哲学ぽい問いである。全裸生活。しようとおもったことがなかったから気づかなかったけれど、いろいろ利点もあるらしい。いわく、「紙を探さなくてもすぐメモできる」。内ももに書くのがおすすめだそうである。内ももにものを書こうと思ったことがなかったから初耳感がすごかったが、いまためそうとしたらボールペンの芯が肌に当たるだけで痛すぎた。

ほかにも、自分で腕に吸いついて「人肌恋しさと口淋しさを同時に解消できる」、冷えた尻と足先を自分で温めることで「生きていく自信がつく」んだそうである。服を着てても冷え性の私には難関そうだ。

家で全裸の江古田ちゃんは、敏感な年頃の読者に向かっても歯にもの着せずズバズバ言う。セフレのひととの事後の独白も、哀愁の勢いがすごい。わりとゆきずりのセックスも多いし、バイトではヌードモデルもやっている。全身に砂を塗られて撮影されたり、局部ばかりアップな写真を撮られたりする。

三十二歳の私は、つくづく、若さがすばらしいなあとおもう。さいしょに江古田ちゃんのマンガを読んだのは、二〇すぎごろで、年上のネエちゃんすげえなあとおもっていたら、いつのまにか私のほうがずいぶん年上だ。人生はあっというまに過ぎる。ましてこのコロナ禍のさなか、誰がいつ死んでもおかしくない世の中だ。今日五分後に死んだとしても、私は悔いはそこまでないなと思う。お風呂はいろうとする途中、全裸ですべって転んで、丸裸の死体で発見されるたりすると、ちょっとは恥ずかしいのだけれど。(日原雄一)

銭湯・温泉主義者たちの裸のユートピア

◎文＝日原雄一（精神科医）

今週は七日のうち五日間当直だった。ほぼ連続の病院暮らし。おかげでだいぶあたまがおかしい。もともとよくない体調がさらにヒドイ。当直室の硬いベッドは、自宅の薄い布団とくらべてどっちがからだにいいかは不明だけど、とりあえず背中と節々がいたい。薬はいくらものんでても、疲労と疼痛がぎゅうづめだ。

バブがいいですよ、と、患者さんが教えてくれた。私の患者さんはみんなやさしいのだ。主治医が疲れた顔をしていると、自分もたいへんなのに気づかってくれる。ほんとうにありがたいことです。

バブ、なつかしい響きだ。シュワシュワお湯にとけて、からだがあったまって、気持ちよかったのをなんとなくおぼえてる。さいごにあれ使ったのは、何年前になるだろう。フツーに十年は経ってそうだ。まだ実家にいたころで、母親は入浴剤好きだったから、或る時期まではおなじみだったのに。実家をでてからまるでゴブサタだった。

さっそくその日、ドラッグストアでさがして。でも現物は見つからなくて。それっぽい似たシロモノと、温泉のもとの詰め合わせを買ってきた。志賀直哉の『城の崎にて』はすきなので、とりあえず「城崎温泉」の袋から。

お風呂にお湯をためたあと、現物をサッと振りまいたら、めっちゃ紫にそまってびびった。城崎には行ったことはなかったけれど、城崎温泉のお湯って、こんなに紫なんだろか。我が家の湯船がかぐわしい香りにつつまれて、耽美な色の湯につかると、全裸のからだから日々の疲れがどろどろ溶けだしていく気がした。

普段の私はカラスの行水で、からだの表面だけ流したらソッコーで出てしまうのだが、ひさしぶりにゆったり湯船につかった。顎をなでまわしたり、肘の裏をマッサージしてみたり。私は仮性だから包茎の皮を剥いて、つるつるした自分の亀頭をあらためて眺めたり、カリの外側をこすってみたり。えちい行為のとき以外で、この部位をいじるのもひさしぶりだ。睾丸袋のシワをのばしてみると、あんがい広がって面白くなったりする。幼少期の北杜夫のように、潜水艦ごっこもしてみたくなる。

立川談志いわく。「銭湯は裏切らない」。けれども、自宅のお風呂もなかなかのものだ。局部いじりや潜水艦ごっことか、銭湯でやったらただの変態だし。春風亭一之輔の『堀の内』では、あわてものの男が風呂で自分のお尻を掻いてたら、隣の男に怒られる。「私のお尻になにをする」。隣の人のお尻だったのだ。

自分のお尻と他人のお尻の区別がつかない、ってのもスゴイ話だが。お風呂であったまって頭もぼーっとすると、そんな思考になるのかしらん。「ごめんごめん、じゃあ俺の尻掻いて」って頼んで、もちろん「やだよ」と断られる。「せちがらい世の中だなあ」と嘆く男は、だいぶのぼせてるんだろう。ぶっとんだ発想する人物が全裸でいると、ただの不審者である。もうすこし進めばハッテンバになりそうな。

片山ユキヲの『ふろがーる!』は、自宅のお風呂タイムを生きがいに定時退社する生実野さんの話だ。五月に菖蒲湯、十二月の柚子湯は定番だが、四月にはお花屋で桜の枝買って「桜湯」をたのしむ。月ごとに季節の湯がある、なんてぜんぜん知らなかっ

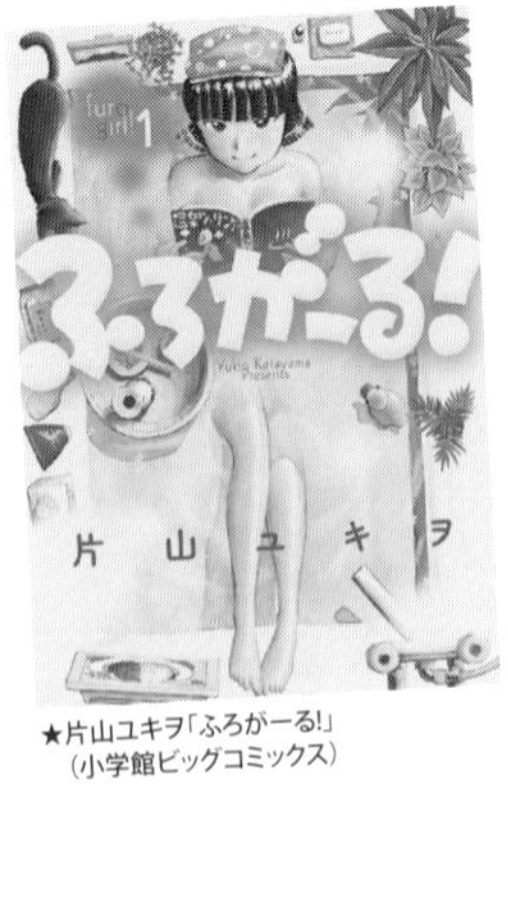

★片山ユキヲ「ふろがーる!」
（小学館ビッグコミックス）

た。七月は桃湯、十月はしょうが湯、二月は大根湯なんですと。六月の「どくだみ湯」もとうぜん彼女は実践する。「ドクダミは殺菌、抗菌、消炎作用で、肌にええらしいし」、「身体ポカポカ」で大満足の生実野さんである。どくだみ湯、ぜひ新型コロナにも効いてほしいですね。

生実野さんにも友達はいて。日曜にはともにバイクで出掛け、露天風呂につかり、「じ～っくりつかってると…からだとお湯が一体化してどこまでが自分の体かわからへん…」って状態になる。仲のいい友達とも「はだかのつきあい」をすることで、より仲が深まったりする。私も中高の部活の合宿で、みんなで温泉いったことがありました。ふだんは部活仲間だけれど、一緒にお湯につかると、日常では出会えぬ秘密の世界にともにいる感覚になる。WくんとかFくんとか、かわいい後輩のだいたいが毛深く巨根の持ち主で、ほーん、とおもいましたですね。

温泉主義とアルコール主義

そんな温泉にもいきたいけれど、この新型コロナちゃんだ。コロナはもう飽きたとみんな言ってるなか、それでもつづく禍の中。ワクチンも痛いしね。きづいたらインド型やらなんやらふえてるし。

だから、近場に温泉があるのはつよい。湯河原に住んだ種村季弘は、温泉にまつわるエッセイを数多く残してる。『種村季弘のネオ・ラビリントス』では、温泉にまつわる作品だけで『温泉徘徊記』なんて一巻が。『ああ、温泉』なんて本もすごくて、種村季弘を筆頭に、赤瀬川原平、秋山祐徳太子、巌谷國士、池内紀、川本三郎、池田香代子、平賀敬といった豪華メンバーの座談会本だ。サブ・タイトルは『種村季弘とマニア7人の温泉主義宣言』。発行は二〇〇一年。あのころはまだ、みなさんお元気だったのですね。巌谷國士は今もお元気そうで、ツイッターでおことばが読めるのはほんとにありがたいことだ。

その種村氏いわく。「温泉好きは温泉好きで、なにも主義主張で温泉に行くわけではない」。「あるとすれば無為無言主義。ひたすら湯につかって、上がって一杯また一杯。ソレ主義しか能のあるはずもない」。

じつにいい主義でありますね。ソレ主義ならばわたしも加わりたい。実際には温泉のもと主義だけど。かぐわしい香りに自分の裸体がつつまれて、肌がピリピリもして、でも場所は自宅の湯船なので、温泉のもと主義者を名乗りたい。

はだかでひとりで湯につかる。それだけでだいぶ、心身ともにリラックスする。『晴浴雨浴日記』では、種村氏はこう書いている。「晴れた日も、雨の日も入浴する。晴耕雨読はとても柄ではないが、素寒貧人生に、耕すべき土地も、読むべき本もあろうはずもない。ただやけくそにすっぱだかになって湯にとびこんだ」。

★種村季弘「晴浴雨浴日記」
（河出書房新社）

すっぱだかで飛び込む湯船に、絶景やアルコールがついてくれば、それはすばらしいものでしょう。椎名誠は『新宿赤マント』のエッセイ『温泉ばなし』で、「ぼくが温泉が好きな理由は、そのあとのビールに密接に関係しているのだろうと思う」、『ビールの前に温泉、ビールのあとも温泉』というのがいわゆるひとつの人生のシアワセの基本構造であるような気がする」と書いている。

吉行淳之介の『北陸温泉郷・芸者問答』では、温泉とともに芸者さんとの退廃的なやりとりが描かれる。文学だなあ、とおもう。天龍三郎の浪曲『豪商紀州の戻り船』だと、紀州の豪商が吉原の店に一万両を預けてあそぶ。みんなはだかで大浴場につかり、背中をかわいい娘さんが流してくれる。いい気分で風呂から出ると、着ていた服が「あんまり汚のうありんすゆえ」ぜんぶ捨てられてる。新しく用意されたふんわり柔らかい着物で、お酒を飲んで花魁と……。ふとおもう。浴場は欲情にも通ずるか。

サウナで起こる灼熱の修羅場

もちろん、温泉には女性客もいる。太宰治『美少女』では、温泉街の大衆浴場で、妻と一緒に湯につかると。先客が老夫婦と、その孫ぽい美少女だ。それは「きたない貝殻に附着し、そのどすぐろい貝殻に守られている一粒の真珠である」、「二重瞼の三白眼で、目尻がきりっと上っている。鼻は尋常で、唇は少し厚く、笑うと上唇がきゅっとまくれあがる」、「コーヒー茶碗一ぱいになるくらいのゆたかな乳房、なめらかなおなか、ぴちっと固くしまった四肢、ちっとも恥じずに両手をぶらぶらさせて私の眼の前を通る」。向こうもはだかだから、一瞬でこれだけの姿が目に焼きつくわけだ。そして湯から出て「あの少女は、よかった。いいものをみた、とこっそり胸の秘密の箱の中に隠して置いた」。

　これは、むかしの温泉だから混浴だけど、現代の浴場は、フツーは男女別だ。混浴のとこがあっても、水着の着用が必須で。せちがらい世の中だなあ。

★太宰治「新樹の言葉」（新潮文庫）／「美少女」を収録

　まんしゅうきつこはサウナ風呂に憑かれてた。「早くサウナ行かないと漫画が描けない」って呻くほど、重度のサウナ依存症。『湯遊ワンダーランド』全三巻は、はだかの彼女とサウナ風呂との対話の軌跡だった。サウナに集う濃い人種と、まんしゅう氏とのやりとりがスゴイ。「私には全然感謝が足りないんだ」、「自分の体に感謝するといいんだ」と大発見したまんしゅう氏、弟に報告すると「よくわかったね」。そして弟氏はサウナに向かい、「ねーちゃんもサウナ行けよ」。「今あるモヤモヤも毒もぜーんぶ抜けるのに……」。

　そしてサウナに行くまんしゅう氏。

　さっそく常連客から、「股が丸見えなんだよ」って注意される。とくにサウナの「ヌシ」の存在感が……。はだかでサウナの床にでっぷり座って陣どって、マナーの悪い客にビシバシ注意する。水風呂に入る前には水かけろ、ぬるくなるから、と。全裸でサウナの床に居る「ヌシ」、ラスボス感ありすぎである。

★まんしゅうきつこ「湯遊ワンダーランド」（扶桑社）

　椎名誠『問題温泉』の主人公も、大のサウナ好きだ。サウナの機械がパチパチ火花飛ばしてるのも気にせず、灼熱の中じっとたえる。そして、いざ水風呂にはいろうとすると、水風呂はカラである。がっかり気分でタライで水をかけ、マッサージ機に身をゆだねる。そのうち閉場時間が来て、従業員は気づかず電源切って去る。マッサージ機にからだを捕縛されたお客がもだえているうちに、パチパチと鳴る火花の音が、だんだん近づいてくる。

こんなふうに浴場死したい

　そんな死にかたはしたくないけど。種村季弘の晩年のエッセイに、『永くて短い待合室』がある。「温泉地に関するわたしの理想、というか好みは、そこにいるのが特別のリクリエーションではなくて日常であること。そこの共同浴場である日倒れて、そのまま救急車で運ばれてお陀仏になる、あの世行きの永くて短い待合室であること」。

　いいなあ、としみじみおもう。ゆったりと入浴しながらの昇天。とくにそれが、美少女、美少年と混浴のさいちゅうならなおさらだ。そういえば、神木くんと温泉宿で出会うというエロ小説を、むかしBadiに書いたことがありました。タイトルは『旅先でしか会えない男』だったような。あのゲイ雑誌も今はない。このコロナ禍のなか、変わらず続いてあるもののありがたさを感じる。

　太宰治の『美少女』では、温泉で邂逅した美少女とその後、町の散髪屋で再会する。私は冥界で美少年と再会したい。きっとその美少年も、毛深くて巨根にちがいない。あのころ見た後輩くんたちのはだかは、十年以上たった今も、こっそり胸の秘密の箱の中に隠して置いてある。

『肉体と死と悪魔』と『生の館』が赤裸々に語る
――マリオ・プラーツ小論

◎文＝岡和田晃（文芸評論家、現代詩作家、「ナイトランド・クォータリー」編集長）

マニエリスム／バロック研究の鬼才マリオ・プラーツ（一八九六〜一九八二）。その名が最初に知られるようになったのは、浩瀚ながらも画期的な批評の書『ロマン主義文学における肉体と死と悪魔』（1930、邦訳『肉体と死と悪魔――ロマンティック・アゴニー』、倉智恒夫・草野重行・土田智則・南條竹則訳、国書刊行会、一九八六）の衝撃によるだろう。

★マリオ・プラーツ『肉体と死と悪魔――ロマンティック・アゴニー』（国書刊行会）

　一八世紀の初期ロマン主義《ロマンティック》、一九世紀のラファエル前派・象徴主義等の世紀末芸術から二〇世紀初頭のデカダンス文学に至る潮流に、「怪奇趣味」や「悪魔主義」といったレッテルを貼って済ませるのではなく、かといって「古典主義《クラシック》」を弁証法的に乗り越えるものだと単線的に片付けてよしとするわけでもない。主にイギリス・フランス・イタリアの文学をトライアングルとして比較・対照させながら論じてゆくことで、近代ヨーロッパの精神史において伏流のごとくに張り巡らされた暗黒の美意識を析出・可視化させてみせたのだ。

★ダヌンツィオ

★スウィンバーン（D・G・ロセッティ画）

　多岐にわたって言及される芸術家のなかでも、柱になっているのはイギリスのスウィンバーン（一八三七〜一九〇九）、それにイタリアのダヌンツィオ（一八六三〜一九三八）である。『肉体と死と悪魔』では彼らの仕事が、イギリスとイタリアの芸術の到達点として位置づけられており、ボードレールやサド、ゴーチエといったフランスの作家は、それらの美意識を説明するためにこそ召喚される。こうしたスタンスは、イギリスの大学で最初に教鞭をとったプラーツ自身の経歴とも無関係には思われない。

　一八六四年、スウィンバーンはフィレンツェを訪れ、ミケランジェロの女性頭像を鑑賞し、得られたイメージを六八年、批評にまとめて発表した。そこでは「死をもたらすウェヌスの化身」、「まえよりも豊穣な美をまとい、蛇にはない女の性質《さが》はいっさい脱ぎ捨てたラミア」としての女性像が強調され、裸身を彩る装身具が、文脈を補強している。「張りつめた、裸のまばゆい乳房のうえ、ちょうど首の付根のあたりに」通されている「金属で出来ているようなバンド」は、あたかも「黄金と血を求めてやまぬ高慢非常な欲望」の体現のよう……と。

かように特異なルネサンス美術の受容も、プラーツにかかれば「苦痛淫欲《アルゴラニア》の昇華」として

★フェリシアン・ロップス《聖アントワーヌの誘惑》(1878)

★D・G・ロセッティ《魔性のヴィーナス》(1864-68)

の「自由」を「女神」に求めたゆえだと論じられるのだ。あるいはゴーチエ作品からの強烈な〝刷り込み〟を軸に、一八六一年の『テバルデオ・テバルディ年代記』においてスウィンバーンは、ルクレツィア・ボルジアの裸身を描いた。そこで現出させようとした「永遠の女性」性は、キーツが「つれなき美女」(1819)で詠った男を虜にする魔性を全面に押し出したものであり、こうした「宿命の女《ファム・ファタル》」像を、スウィンバーンはD・G・ロセッティらラファエル前派の中世イメージをも経由することで学んだという。

　対してダヌンツィオはどうか。一八九四年の『死の勝利』では、詩ではなく散文の形で、ゴルゴンさながら」の「官能のわななき」を与える肉欲の権化として、ヒロインのイッポリータ・サンツィオが描かれている。こうした女のイメージは、「まったき本性」としての強度を有し、巨人のように、あるいは神話のようなスケールをもって君臨する。一九〇三年に刊行されたダヌンツィオの『生の讃歌』では、ギリシア神話におけるミュケーナイの王母イポダミア(ヒッポダメイア)が、「悪という悪にみたされた壺」、「色欲と/虐殺に酔い痴れて」、「欺瞞を糧とし」、「私の芸術を/虜にしている〈闇〉の気高い姿を」と詠われている。こうした死をもたらす美を、プラーツは、P・B・シェリーらの詩に出てくる「メデューサ」のイメージで捉えているのだ。

　さらにダヌンツィオは、スウィンバーン流の「罪の官能」を剽窃することで、『死の勝利』のイッポリータをさらに超人的に高めた、別種のヒロイン群をも創造していったとプラーツは述べる。こうしてスウィンバーンの『ライオネスのトリストラム』(1882)と、ダヌンツィオの『フェードラ』(1909)に直接の対応すら見出していく。「そして、水際と海原のはざまに、すっくと立っていた、/裸身のまま、神にも似て……」(スウィンバーン)、「裸身で、日没最後の/輝きのなかに、神々のなかでもひときわ美しい神のごとく、美しかった」(ダヌンツィオ)といった具合だが……確かに、酷似している。ただし、スウィンバーンが「イギリス風の苦痛淫欲」としてのサディズム描写(鞭打ちなど)に着目したのに比べ、ダヌンツィオは「言葉に対する官能的嗜好」そのものを重視した、という違いはあった。

　こと批評家の意義を、各々の芸術観に通底する要素と微細な差異を腑分けする審美眼に置くとしたら、プラーツほど批評家らしい批評家もそうはいない。その文学的ルーツをたどるために、しばしば参照されてきたのが自伝的な著作『生の館』(1958、上村忠男監訳、中山エツコ訳、みすず書房、邦訳二〇二〇、以下引用は邦訳による)だ。ここで語られるプ

★（右）マリオ・プラーツ（1978）
（左）マリオ・プラーツ『生の館』（みすず書房）

ラーツの像は、ヴィスコンティ監督の『家族の肖像』（1976）に出てくるような隠者然とした「老教授」ではなく、反対に、ユイスマンス『さかしま』（1884）の主人公デ・ゼッサントのような人工楽園に引きこもる高等遊民でもない。一九三四年に、若い妻と新居を探すときの逸話から始まる『生の館』は、「悪魔主義」はもとより、プチ・ブルジョワ然としたビーダーマイヤー（小市民性）からも、巧妙に距離がとられている。「地方都市の古く気品のある道のように静か」だったジュリア通りを最初に訪れた、と書いてあるくらいなのだから。それは「塹壕にも似たこの裂け目のような道のあいだには、過去の霧が流れを止めてとどまっている」と描写されているように、かろうじて二度の大戦によって破壊されずに済んだ場所でもあった。

それから『生の館』では――いまはマリオ・プラーツ美術館となっている――屋敷のなかの〈もの〉にまつわる記憶を通して、批評家が通過してきた歴史、そして出逢った人たちとの関わりが語り直されている。『肉体と死と悪魔』との絡みでいえば、バイロンゆかりの品について言及されている部分が印象深い。バイロンは『海賊』（1814）が「アウト・ロー的な類型」、あるいは吸血鬼小説の文脈など、もっとも頻繁に言及される書き手の一人として『肉体と死と悪魔』に出てくる。『生の館』では、プラーツの最初期の著作に『イギリスにおけるバイロン受容史』（1925）があり、それはうまく書けなかった――バイロンを「ひとつの山」としてのみ捉え、それが「火山」であって「なにかとても熱いもの」があったことを理解できていなかった――との反省が綴られている。表面的な熱狂とは距離を置き、いつか爆発する「火山」として、「彼がその身をおいたさまざまな場所に今も存在するかのように感じさせる」こと。プラーツの問題意識が、ここではバイロンという固有名を介して赤裸々に語られているのだ。

あるいは、『肉体と死と悪魔』について、厳しい批判を行ったとして知られるベネデット・クローチェとの関係も、そう単純なものではないということがわかってくる。手紙と葉書を介し、ダヌンツィオについての卒論（それは『肉体と死と悪魔』に取り入れられる）を書こうとしていたプラーツを批評家としてデビューさせたのはクローチェだったが、プラーツは弟子にはならず、両者の間には距離が生まれる。そして、クローチェは『肉体と死と悪魔』を、「健全でない者」が「感情を高め」ても「健全な者」にとっては「滑稽」でしかなく、「不健全」なロマン主義がどうして一九世紀においては表舞台を占めることになったのかを説明できてもいないと批判したのだ。

しかしながら、クローチェが示したプラーツの「健全さ」への距離は、第二次世界大戦下、ムッソリーニとファシズムへの加担ではなく、距離、からかいの顕われでもあるのだと『生の館』では示される。一九四三年、教えていた学生たちがナチス親衛隊（SS）によって動員されるのを避けるため、大学の講義が行われなくなると、プラーツは「暇つぶし」にロシア語を学び始めた。その個人教授をつとめた若い女性アーニャはプラーツの娘の家庭教師でもあった。彼女はロシア人とポーランド人のダブルという身の上であり、自分のアパートにSSに見つかったら捕まるであろう人々を匿っていたと、プラーツは書く。ということは当然、プラーツ自身も見つかれば危険にさらされる状況にあったはずだ。プラーツは、ファシズムの先駆とされるダヌンツィオらを論じながらも、「翼賛」への加担から周到に距離をとってきた。『生の館』からは、そうした矜持がはっきりと伝わってくるのだ。

※本文における算用数字は、原著の出版年等を示します。

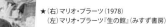

無花果考
——ヌードとフィーグ

◉文＝志賀信夫（批評家・編集者）

禁断の果実

『創世記』によれば、アダムとイヴは、初めは全裸だった。それが、楽園であるエデンの園で、蛇の誘惑によってイヴが禁断の果実を食べて、それをアダムに分け与えたことで、二人に羞恥心が芽生えて、無花果《いちじく》の葉で股間を隠すようになった。それを知った神は、アダムとイヴを楽園から追放した。それが現在の人間の性と愛を生んでいる。

この「禁断の果実」は、一般にはリンゴとされており、例えば、そこから喉仏のことを「アダムのリンゴ（Adam's apple）という。だが、実は聖書にはリンゴとは書かれていない。ラテン語では、「善と悪の知識の木」となっており、その「悪」の部分にあたる「邪悪な」という意味の形容詞「malus」がリンゴと同じ綴りのため取り違えられたか、二重の意味として考えられたらしい。また、当時、地中海やアラビア半島では、リンゴは栽培されておらず、一般的ではなかった。そのため、さまざまな果実などが、禁断の果実だと考えられた。

★アルブレヒト・デューラー『アダムとイヴ』（1504）

東欧やユダヤ教の神秘思想では、ブドウとされる。スラブ語では、「楽園」に関するものとして、トマトを禁断の果実だとした。ヘブライ語では「罪」につながるとして小麦となった。マルメロ、ザクロ、キャロブ（イナゴマメ）、シトロン（柑橘類）、ナシ、ダチュラ（チョウセンアサガオ）なども考えられた。

もちろん無花果もその一つだ。イタリアなど地中海地方では、無花果はレモンの次に一般的だったこともある。だが、まさに無花果の葉で股間を隠したことから、禁断の果実も無花果とされた。リンゴが一般的なドイツや英国では、リンゴとされたように、地域性も一つの要因だろう。

そして、アダムとイヴ以降、無花果の葉は、裸、性器を隠すものの象徴となっている。では、性器を隠すことと無花果は、どういう関係と意味があるのだろうか。

美術と無花果

現在、ネットの普及により、性表現の規制が厳しくなっている。エロを目的としたサイトでは、表現が過激になる一方だが、反対に一般のサイト、特にSNSでは規制が厳しい。テレビ番組でも、以前は深夜番組や芸能人水泳大会などで普通に乳房や乳首が映し出されており、二時間ドラマでは、セックスシーンやレイプシーンが決まりごとで、乳首が出ることも多かった。現在は、これらはほとんど自主規制され、特にレイプシーンは、性暴力やセクシャル・ハラスメントの助長として、お茶の間には許容されにくい。

だが、美術作品については、美術番組などでヌードが許容されている。美術については、絵画ではルネサンス以来、彫刻では古代から、多くの作品が裸をモチーフにしている。ところが美術作品も、最近は時折、問題になることがある。例えば、有名なミケランジェロの『ダビデ像』（一五〇一〜〇四年）でも、二〇一三年に、島根県では、「パンツをはかせ

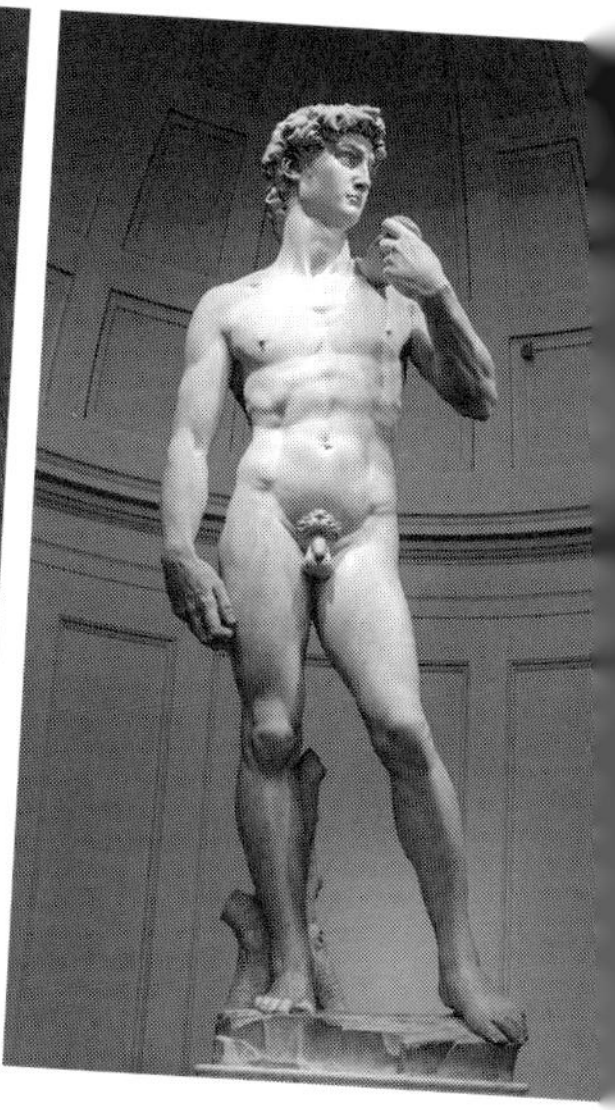

★（右上）ミケランジェロ『ダビデ像』（1501～04）
（その左）ミケランジェロ『ミネルヴァのキリスト』（1521）
（左上）マルチェロ・ヴェヌスティ『最後の審判』当初の模写の部分（1541）
（左下）ミケランジェロ『最後の審判』部分（1534～41）

ろ」という声があがったという。

しかし、調べてみると、ミケランジェロの時代も、彼の作品は公序良俗に触れるという意見が教会から出ており、「ポルノの発明家」とも呼ばれたらしい。そのため、多くの彫刻に腰布が加えられたりする規制が行われた。ミケランジェロの作品がきっかけとなって、「無花果の葉運動」が起こり、彼の彫刻『ミネルヴァのキリスト』（一五二一年）には下半身に布がかぶせられている。また彫刻『ブルッヘの聖母』（一五〇一～〇四年）の裸体の幼児キリストには何世紀も覆いがかけられていた。さらに、ロンドンのヴィクトリア・アルバート博物館のダビデ像の複製彫刻には、箱入りの「無花果の葉」があり、女性王族が来たときに像の局部を隠すために使用されていたという。島根県の反応も、さほど特異ではないわけだ。

絵画についても、例えば、有名なシスティナ礼拝堂の壁画『最後の審判』（一五三四～四一年）は、ジョルジョ・ヴァザーリの『画家・彫刻家・建築家列伝』（一五五〇年）によれば、キリストまでが裸で描かれていると問題になって、ミケランジェロの弟子のダニエレ・リッチャレッリ（一五〇九頃～六六年）が、無花果の葉や腰布を書き足したりしたそうだ。そのためリッチャレッリは、「ふんどし画家」（Il Braghettone）と呼ばれたらしい。リッチャレッリは、シエナ派のソドマとバルダッサーレ・ペルッツィに師事した後、ミケランジェロに師事し、バチカンを含めて、多くの作品を残している優秀な画家なのだ。『最後の審判』の腰布などは、一九九三年の修復時に、一六体は取り除かれたが、オリジナルの絵の具が失われて、そのままになっているものもある。これを最初のものの模写と比較すると、中央のキリスト周囲で、多くの人の股間に布が描かれているのがわかる。

このように、腰布や衣服以前に、性器を隠したのが、無花果の葉である。実際にこの葉は、適度な大きさで局部だけを隠してくれる。さらに、古典絵画に登場する無花果やその葉は、アダムとイヴの股間だけではない。

例えば、三島由紀夫が愛した作品、アンド

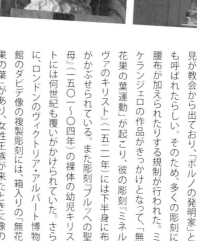

★アンドレア・マンテーニャ
『聖セバスティアヌスの殉教』（1480頃）

レア・マンテーニャの『聖セバスティアヌスの殉教』（一四八〇年頃）では、体に矢の刺さった姿の足下に無花果の木が植わっている。また、ジョヴァンニ・ベッリーニによる『茨の冠のキリスト』（一五一五年）の背景にも無花果の木が見える。

無花果と聖書

聖書には、『創世記』以外にも無花果が登場する。有名なのは、新約聖書の『マルコによる福音書』で、キリストが空腹のときに、無花果の木を見つけたが、実がなってなかったので、呪ったら、その木が枯れたというものだ。単なるわがままで神の力を使ったとも思えるのだが、いくつかの解釈がなされている。

そのエピソードも絵画になっているが、有名な二つの解釈の一つは、このように神の力は偉大なので、神を信仰すれば、山が海に入るように、何ごとも可能になるというものだ。そしてもう一つは、古代のユダヤ人が信仰に欠け、すべきことを果たさないので、実を結ばない、恩恵を受けられないことを比喩したというものだ。こじつけのようにも思えるが、そう考える人も多いためか、さまざまな解釈が示されている。

また、『ルカによる福音書』でキリストは、実がならない無花果の木を、切り倒すのではなく、実るように世話をし、肥料を与えて育てるというたとえ話を語っている。他方、バラモン教では無花果はヴィシュヌ神、古代ギリシャではディオニュソスへの供物で、ローマ神話の建国者ロムルスとレムスは無花果の木陰で生まれたとされている。

★キリストが無花果を指さして枯らす場面の絵

無花果と性

無花果という名の文字は、花を咲かせずに実をつけるように見えるため、中国でこう名づけられた。また、中国語では別名「映日果」というが、これは、無花果がイランからインドを経て中国に伝わったときに、中世ペルシア語「アンジール」を「映日」として「果」を足したものだ。それが一七世紀初めに中国から日本に来たときに、「映日果」を「エイジツカ」と読んだのが訛って「イチジク」となったという。

また、それ以前、一五九一年にポルトガルのリスボンから神父が天草に無花果を伝えたとされ、当初は「唐柿」や「蓬莱柿」、「南蛮柿」、「唐枇杷」などと呼ばれていた。現在も南蛮柿と呼ぶ地域があるらしい。

無花果は、その名が示すとおり、花を咲かせずに実がなる木だと思われている。そのため、不妊、子宝に恵まれず、子孫が途絶えるという迷信が生まれている。また、庭に無花果の木を

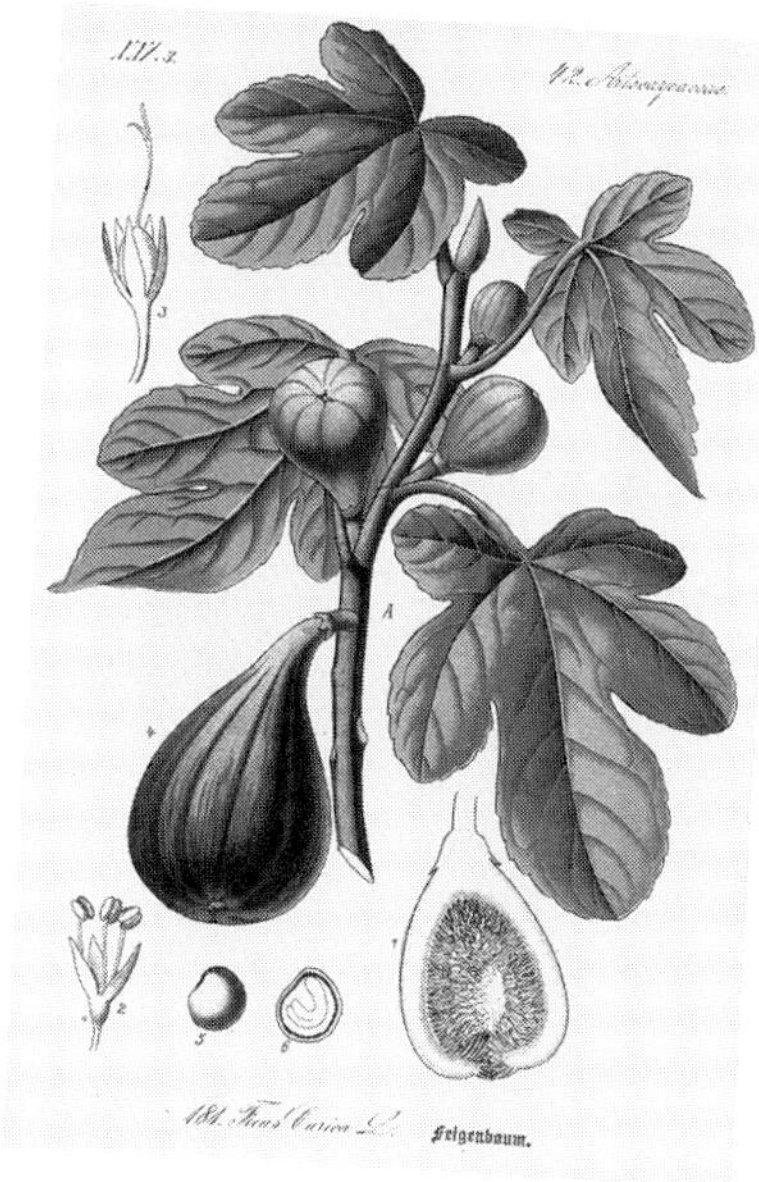

★オットー・ヴィルヘルム・トーメ
『ドイツ、オーストリア、スイスの植物』（1885）より無花果の図

植えると、病人が出る、害を招く、人の死が絶えないといった迷信もある。

実際は、無花果は挿し木ですぐに根付いて成長する、とても生命力の高い植物である。つまり、花を咲かさないということと、どこでも成長するということから、人間が死んでも成長するとか、子孫が途絶えるといった迷信が生まれているのだろう。

ところが、実は、無花果は、その実（花托）の中で花が咲いている。花が見えないだけなのだ。そして、挿し木で簡単に成長するという生命力の強さと、一つの木に多くの実をつけることから、無花果の花言葉は、「多産」、「子宝に恵まれる」、「実りある恋」などである。つまり、不妊・不幸と多産・幸福というまったく相反する内容が、民間信仰として信じられているのだ。

無花果は女性の象徴ともされる。それは、一つには、多産と幸福、成長、生命力という点からだろう。そしてまた、無花果の断面が女性器を連想させるからとも考えられる。さらに、実際に無花果には、女性ホルモンのエストロゲンに近い植物性ホルモンが豊富だということだ。

石榴《ざくろ》も同様に、百合とともに女性の象徴であり、女性ホルモンに近い成分があるらしい。ただ、石榴は割ったときに粒感が大きく、形状としては無花果のほうが女性器に近く見える。

他方、無花果の外観は男性の性器、睾丸に似ている。実際に英語やフランス語などで、無花果（figue）というと、俗語で「ふぐり、睾丸」といった訳語が出てくる。ちなみに、この「ふぐり」という日本語は、外国語の「ふぃーぐ」「ふぃぐ」と音が近い。

無花果の葉は、三枚と五枚のものがあるが、三枚の形状が、まさに男性器、陰茎と二つの睾丸の形に見えるだろう。それも、アダムが股間を隠すのに適切だったのではないか。

そして、無花果の茎や葉からは、白い液が出る。これは、しばしば男性の精液や女性の乳になぞらえられる。この樹液は、ゴムと同じラテックスの一種のフィシン（フィカイン）で、タンパク質分解酵素、システインプロテアーゼの一つだ。肉を柔らかくしたり、チーズの凝固剤としても、ギリシアなどで使われている。そのため、無花果には整腸作用があり、乾燥した無花果は漢方で使われる。

また、樹液は民間治療で、日本ではイボに効くという。ただ、肌につくと痒みを生じるので、注意が必要である。

つまり、無花果の実は外見は男性の睾丸に似ており、二つに割ると断面は女性器に似ている。葉の形状は男性器、陰茎と二つの睾丸に似ている。そしてさらに、樹液は女性の乳にも、男性の精液にも似ている。また、無花果の実には女性ホルモンに似た植物性ホルモンがある。

このように、無花果は、多くの点で、人間女性と男性の性に重なる部分が多い植物、果物なのだ。そして、不妊・不幸と多産・幸福という相反する二つの概念も伴っている。

無花果浣腸

無花果で、イチジク浣腸を思い出す人もいるだろう。これは、一九二五（大正十四）年に、東京・本所の開業医、田村廿三郎が開発したものだ。子どもの発熱やひきつけを起こす便秘に対して、田村はグリセリンを注入していたが、家庭でできないかと、八年かけて考案した。ヒントは、往診時に吠えかかる番犬に、スポイトにヒリヒリする液体を入れて撃退したことだった。当初は、セルロイド製の「イチジク印軽便浣腸」で、大ヒットしたが、セルロイドは固く割れやすいので、一九五三（昭和二十八）年にポリエチレン製になった。

イチジク浣腸の由来は、その形が無花果に似ていること、整腸作用があり、乾燥無花果が漢方の緩下剤であること、さらに、無花果の実は熟すのが早いので、即効性からという諸説ある。また、童謡、静岡発祥とされる数え歌『いちじくにんじん』の歌詞、「いちじく、にんじん、さんしょにしいたけ」に依ったという説もあるらしい。

成分であるグリセリンは、一七七九年にスウェーデンの化学者、カール・ヴィルヘルム・シェーレ（一七四二～八六年）がオリーブオイルから発見したもので、甘味があり、ギリシア語の甘味（glykys）が語源。シェーレは、多数の元素を発見しているが、酸素と窒素の最初の発見者でもある。このグリセリンは、浣腸すると、直腸内の浸透圧の差で水分を奪って刺激し、軟化潤滑作用で排便を促すが、便とともに排泄されるので安全なのだ。

文学と無花果

文学に目を移すと、フランスの詩人、ロートレアモンの『マルドロールの歌』（一八七〇年）には、「ロバがイチジクを食べても笑わないが、イチジクがロバを食べたら人は笑う」というフレーズがある。

昔の哲学者は、ロバがイチジクを食うのを見て笑った。だが俺はイチジクがロバを食うのを見た！　それでも俺は笑わなかった。（中略）

笑いとはどんなものか知りたくて、俺はナイフで自らの唇を左右に大きく切り裂いてみた。しかし鏡の中の顔を見た俺は、その笑いが人間のそれとは違うことに気づいた。（中略）

俺は笑わなかった。正直なところ、口のどんな部分も微動だにしなかった。ただ激しい泣きたい欲求が俺をとらえて、眼に一滴の涙を落させた。俺はむせび泣きながら叫んだ。

「自然よ！自然よ！カササギがスズメを八つ裂きにし、イチジクがロバを食い、サナダムシが人間を食う！」

ロートレアモンは、このようにも書く。

もしもある人が、ロバがイチジクを、それとも、イチジクがロバを食うのを見たなら、（詩の中でもなければ、この二つの場合はそうたびたび現れるものではないが）その際、彼はどういう態度をとるべきか知るために、二、三分間考えた後で、道徳の道を捨てて、雄鶏のように笑い出すだろう。（中略）だが、その笑いは憂鬱な笑いであってほしい。笑え。しかし、同時に泣け。もし君たちが眼で泣くことができないなら、口で泣け。それもできないなら、小便をたれろ。

最初の引用で、哲学者が、ロバがイチジクを食うのを見て笑うというのは、笑い死にしたとされる、クリュシッポスのことだ。

ディオゲネス・ラエルティオスの『ギリシア哲学者列伝』（三世紀）によれば、古代ギリシアの哲学者クリュシッポスが、イチジクを食べるロバを目撃し、イチジクのヌルヌルと格闘するロバの姿が間抜けで笑った。そこでロバにワインを与えて酔わせるが、酔っ払ったロバがそれでもイチジクを食べようとする姿の面白さに、彼は息つぐ間もないまま笑い続け、笑い死にしたという。なお、クリュシッポスは、魂の本質は徳であるとし、運命論に寄りつつも、悪の必要性も説いた哲学者だ。

このエピソードは、夏目漱石の『吾輩は猫である』（一九〇五～六年）にも出てくる。

「笑うのも毒だからな。無暗に笑うと死

ぬ事があるぜ」

「冗談云っちゃいけない。笑う門には福来たるさ」

「昔し希臘にクリシッパスと云う哲学者があったが、君は知るまい」

「知らない。それがどうしたのさ」

「その男が笑い過ぎて死んだんだ」

「へえー、そいつは不思議だね、しかしそりゃ昔の事だから……」

「昔しだって今だって変りがあるものか。驢馬が銀の丼から無花果を食うのを見て、おかしくってたまらなくって無暗に笑ったんだ。ところがどうしても笑いがとまらない。とうとう笑い死に死んだだあね」

★（右）ロートレアモン（左）西脇順三郎

そして、詩人、西脇順三郎も、ロートレアモンの驢馬と無花果の部分に注目した。

西脇順三郎は、一九二五年に英国から戻ると活発な詩作と批評活動を行う。そのなかで、シュルレアリスムに言及して、彼独自の「超現実主義」理論を展開する。それは、フランスなどのシュルレアリスムとはちょっと異なって、特に「ユーモア」に注目する。異なる二つのものが出会うと、笑いが生じるということや、価値観の転換などで生じる笑いに注目する。

西脇の超現実主義のユーモアは、アンドレ・ブルトンが『黒いユーモア選集』（一九四〇年）などで展開したシュルレアリスムのブラックユーモアとは、異なるものだ。ちなみにこのブルトンの「黒いユーモア」も、いわゆるブラックユーモアとは違う。過去の作家などについて、シュルレアリスムに通じるものを選び出したアンソロジーなのだ。

西脇は、その「超現実詩論」として、逆転による笑いに注目したが、ロートレアモンの「イチジクがロバを食う」は、まさにそこではまったのだ。そのため、たびたび詩の中で、無花果に触れている。

イチジクが
人間を喰っている（『鹿門』）

犬にとっては犬がいちじくを食おうが
いちじくが犬を食おうが
どちらでも同じことだろう
偉大なシュルレアリストだ（『禮記』）

永遠に流れる山々と野原は
再び帰ることはない
しかし
永遠に接ぎ木をして
永遠に生きることは
この青い無花果が
しゃべろうとしたことであった
人間よ再び路傍にもどれよ
説教してはいけない
すべて眼に写るものは正しい
すべての存在は
無花果の中にひそんでいる
（『失われた時』）

美術とマノフィカ

『無花果を持つ青年』（一六一五年）という絵がある。一七世紀フランスの画家、シモン・ヴーエ（一五九〇〜一六四九年）が描いたものだ。にこやかに笑う青年が左手に無花果を持っている。誘うように首を傾げた縮れ毛の青年の顔は、よく見ると、口紅、そして瞼にも紅をさしている。さらに衣服もドレープが多く、胸元は心なしか膨らんでいる。衣服と中身が合っていない感じがする。モナリザやフェルメールの絵画にあるような、中世からルネサンス期の女性の衣装だ。だが、口元には髭の剃り跡も見られ、明らかに女装した男性である。

左手の無花果の実は、一つの茎に二つなっているのか、それとも一つを二つに割いたものなのか、二つに見える。そして、右手に目をやると、親指を人差指と中指の間に入れている。こ

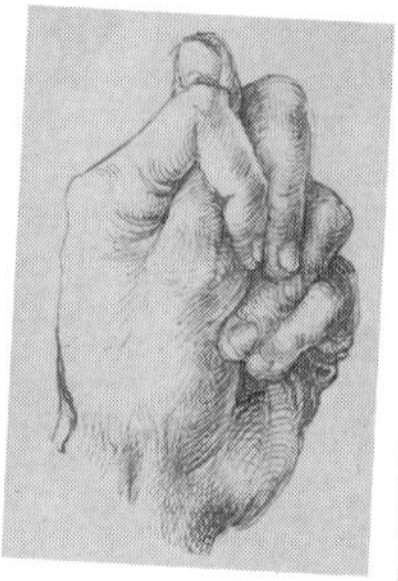

★(右)シモン・ヴーエ『無花果を持つ青年』(1615)
(中央上)カラヴァッジオ『女占い師』(1594)
(中央下)シモン・ヴーエ『女占い師』(1617)
(左上)アルブレヒト・デューラー『素描』(1495)

れは、日本では性行為を意味するハンドサインだ。いったいどういう絵なのだろうか。

　左手の二つの無花果は、二つぶら下がった男性の睾丸を象徴しているように見える。そして右手のハンドサインは、各国共通のものだった。

　このハンドサイン「マノフィカ」は、ロシアなどのスラブ文化圏では、親指が陰茎かクリトリスを表し、相手を拒むときに使う。トルコでも同様で、攻撃的なニュアンスを持つ。中米では、中指を立てるファックサインと同じである。インドネシアでは、日本と同様に、親指が陰茎、中指と人差指が女性器で、その性交を意味する。マダガスカルでは、女性器を指し、侮辱的に使われる。

　イタリアでは悪魔払いの動作として知られ、ポルトガルやブラジルでは、嫉妬などを防ぐもの、幸運への願望を意味するという。つまり、ある地域では、古代ローマから、各地に伝わる、男性器を模した幸運のお守りのようにも使われるのだ。

　これは、中指を立てる有名な「ファックサイン」とも似ている。ファックサインは、立てた中指がペニス、残りが睾丸を示すとされており、マノフィカに似ている。なお、日本でこのファックサインが使われだしたのは、比較的最近で、一九八〇年代以降だろう。「ファック(Fuck)」という言葉が広く知られるようになるとともに、徐々に浸透したが、映画やドラマの影響が大きいと考えられる。

　フランス語で、マノフィカの動作は、「faire la figue」という。「無花果をつくる」、「無花果する」といった意味だ。「faire l'amour」が性行為をするという意味なので、ほぼ同様の意味でとらえられるのではないか。

　この絵画を描いたシモン・ヴーエは、バロック時代のフランスの画家だが、早くにイタリアに渡り、イタリア絵画の影響をフランスに持ち込んだ。特に、カラヴァッジオの影響を強く受けていることが、この絵画からはわかるだろう。ヴーエは、日本版ウィキペディアにも記載のある画家で、二〇一四年のカラヴァッジオ展では、カラヴァッジオの有名な『女占い師』(一五九四年)との関係で、ヴーエの『女占い師』(一六一七年)も来日展示されている。

　この絵画は、大手サイトでも紹介された。カラヴァッジオの『女占い師』は占い師と少年二人だが、こちらは中央の男、左に占い師、そして右にもう一人いて、左手を男のポケットに手を伸ばしている。カラヴァッジオの占い師も少年から指輪を盗んでいるが、ヴーエ作品では、もう一人が左手で男から何かをすり取ろうとしている。そして、右手を男の肩に載せているが、よく見ると、この手も、まさに

「無花果」しているのだ。そのことは、日本に来たときには、ほとんどの人は気がつかなかっただろう。ヴーエの作品には、他にもこのハンドサインが見られるものがある。

このハンドサインは、「マノフィカ」や「女握

★ミケランジェロ『システィナ礼拝堂天上画』部分（1508〜12）

り」と呼ばれる。マノは手で、フィカは無花果なので、無花果手型とでもいえばいいだろうか。西洋東洋問わず、多くの絵画などに残っている。例えば、アルブレヒト・デューラーのデッサン（一四九五年）、さらに、ミケランジェロのシスティナ礼拝堂の天上画にも、あるのだ。天上画の一つは、男が無花果の果実を取ろうとしているが、なぜか、その股間が女性の顔のかなりすぐそばにある。もう一つは、無花果の葉と果実の束を抱えた青年の横で、男が別の男に棒で打たれている。

以上のことをふまえて、シモン・ヴーエ『無花果を持つ青年』について考えてみると、女装した青年が、睾丸に似せて二つの果実の無花果を持ち、反対の手では性行為を暗示しているので、相手を性的に誘惑する青年という意味にとらえられるだろう。

無花果の意味

無花果が、アダムとイヴの「禁断の果実」から始まって、股間を隠すのみならず、男女の性と深く関わっていることが、ご理解いただけただろうか。

それが、欧州のみならず、私たち日本人も親しんでいる、性行為を示す手の形、ハンドサインにまでつながっている。

つまり、無花果はその形状、性質などから、「性」を想起させる植物なのだ。そのため、無花果を描くことは、意識的にせよ無意識にせよ、性と関連のある表現になる。図像学的にも、無花果が現れたら、「性」を考えたほうがよさそうだ。

植物と人間の関係は、絵画や美術と人間の関係より、当然、長い。無花果の性質はよく知っているはずだ。ゆえに、禁断の果実を食べたアダムが、自分の性を無花果の葉で隠したのは、当然の行為だった。それが、性と性行為を暗示し、子孫を得て生きてきた現実につながるからだ。

フランス料理では有名だが、めったに食べることのない無花果のコンポート。食べると美味しい生の無花果だが、枝を手折ると、出てくる白い樹液の粘つきと青臭い匂いも、子ども心に気になったものだ。

今回、無花果を探索していて、思わぬ世界に足を踏み入れた思いがある。それは、三十年以上前に、ロートレアモンと西脇順三郎の無花果に興味を持ったのが、一つのきっかけだった。また、庭で無花果が生えたときに、母親が「縁起が悪い」といっていて、数年後に父親が亡くなったことも印象に残っている。その迷信から、ようやく解放されたようにも思うのだ。先日、知人宅で木を見かけたが、さて、いま、果物店に無花果はあるだろうか。

★鳥居清長「女湯」
銭湯を詳細に描いた最初期の浮世絵として知られる。
この図版はボストン美術館蔵のものだが、輸出時に陰部の毛などが修正されている。

movie

カノウナ・メ
──可能な限り、この眼で探求いたします
第44回 WW20² シン延長戦

加納星也

　さて、前号の原稿でも延長戦を宣言して、現在リアルな前回の禁じ手の延長は解除されて映画館は再び解放されたはずなのだが、もう一つの一年延長となった大きな5つの輪をめがけて迫り来る何回目のインパクトを前に、皆さんいかがお過ごしでしょうか？

　スクリーニングならぬスクリーン状況では、黄金週間めがけて上映予定されていた作品が途中で急ブレーキをかけられて、約一カ月半の休止からの目覚めで、上映期間がこれからどうなるのか？さて、これから再び迫りくる五輪の影響で、再びのアディショナルタイムがどうなるのか？気になる状況ではある。

　さて、そんなことを言っている間に次の禁じ手が用意されているようなのだが、こちらの締め切りにもう禁じ手は使えないので、さっさと続きを書いておこう。

　昨年から備忘録代わりにネットにその日にみた映画の感想などを短いコメントで投稿しているが、これは自分でも書いたものが何のことか思い出せなかったりもする代物。しかし、あまり修正しすぎては、当時の生のライブ感が損なわれるので、今回も引き続き、できるだけ原文ママで羅列し、それにコメントを付け加えていく。

　映画はこのコロナ禍で、ますます映画館でみるものではないという勢力が強くなってきているが。こんな映画もあるんだ？と、これを見過ごしたら、二度と出会えないだろう作品の宝探しに、これからも邁進していくことを、このシン延長戦の開会式前に勝手に宣言して、とりあえずまずは今、この気分にぴったりのタイトルの映画から始めていこう！

■『新感染半島 ファイナル・ステージ』

◉『新感染』を目撃。外に向かう隣国の半島エンタメパワーは凄い。内に向かう島国は鬼滅で、釜山からハリウッドに向かうエキスプレスをゾンビ並みに追いかけられるか？2次元から3次元の壁は全集中の呼吸と細かい技だけで超越出来るのだろうか？

▽これも、マニアの間では以前から話題になっていた作品。もともとはアニメで、実写版は韓国で大ヒットを記録し、日本でも話題を呼んだゾンビパニックアクション「新感染　ファイナル・エクスプレス」。その4年後を描く続編。人気俳優カン・ドンウォンを主演に、前作から引き続きヨン・サンホ監督。とにかく、他でも指摘されているが凄いのはゾンビの疾走感。もたもたしているイタリア初の死に損ないでも、アメリカ映画のマーケットで見かけるありきたりのものでもなく、かと言ってゾンビになった原因や治療法だの説明過多のJAPANアイドル・ゾンビでもなく、韓国製はとにかく走る。ゾンビと名付けなくても、名乗らなくてもいい。一目見れば怖い、逃げなけりゃ自分が死人になる。そんな生存欲求にしたがって、老人も、女、子供も走る。軍人だろが、犯罪者やならず者だろうが、そんなことはどうでもいい。とにかく、まっすぐに走る、その美学が何もなくなっても希望が未来に残る。この建設的な破壊精神が、この作品の持ち味だろう。

カンヌ国際映画祭オフィシャル・セレクション『PENINSULA』!!
新感染
半島
ファイナル・ステージ
PENINSULA
あれから4年──。
かつての祖国は、別世界となっていた。
2021.1.1
「パラサイト」に続く韓国映画の新たな金字塔!!
GAGA

　あらすじ：人間を凶暴化させる謎のウイルスが半島を襲って4年後。香港に逃げ延びた元軍人のジョンソク。彼の任務とは、感染された半島に戻り、限られた時間内で大金が積まれたトラックを回収し脱出することだった。チームのメンバーも犠牲になるが、彼はトラックを回収し任務完了と思われたが。民兵集団によりジュンソクたちはトラックを奪われてしまう。

　データ：２０２０年・第73回カンヌ国際映画祭（新型コロナウイルスの影響で通常開催

を見送り」のオフィシャルセレクション「カンヌレーベル」作品。２０２０年製作／１１６分／韓国／原題：Peninsula／配給：ギャガ

■『夏時間』

◉１９９０年生れのユン・ダンビ監督の初長編『夏時間』は祖父の家での夏休みの出来事を少女の視点から描く。懐かしくも切ない時の流れは普遍的な名作の風格。家族、恋、社会、そして別離。『はちどり』と共に韓国映画の新しい収穫。

▽韓国のユン・ダンビ監督の初長編。10代の少女と、家族や友人との関係を描き、第24回釜山国際映画祭で4部門を受賞。まさしくひと夏の出来事。実際にある郊外の家を撮影場所に選び、家族のそれぞれの人生に寄り添いみつめる。

　あらすじ：10代の少女オクジュと弟ドンジュ。父親が事業に失敗し、おかげで郊外だが、大きな庭のある祖父の家に引っ越すことに。しかし、そこには母親の姿はない。弟はすぐに新しい環境に馴染むが、オクジュはどこか居心地の悪さを感じる。さらに離婚寸前の叔母までが来て、ひとつ屋根の下で暮らすことに。その夏はオクジュにとり、自分と家族との在り方を初めて感じとる季節の始まりだった。

データ：２０１９年製作／１０５分／韓国／原題：Moving On／配給：パンドラ

■『燃ゆる女の肖像』

◉『燃ゆる女の肖像』セリーヌ・シアマ監督。18世紀仏の孤島を舞台に、父の名前でしか作品を発表できない女性画家の眼。修道院から望まない結婚のため実家で肖像画を描かれる令嬢の横顔。寡黙な状況下で印象的に流れる2曲は意表をつく感動を呼び起こす。

▽「水の中のつぼみ」のセリーヌ・シアマが監督・脚本を手がけ、エロイーズを「午後8時の訪問者」のアデル・エネル、マリアンヌを「不実な女と官能詩人」のノエミ・メルランが演じた。

　この映画は冒頭から視線の映画である事を示唆する。物語のある映画ではあるのだか、構造は純粋な実験映画ともいってもよい。美しい海辺の邸宅で、そこにあるのは愛に満たされた熱い視線。物語はその方便にすぎない。そこに聞こえてくるのは、波と風の音だけ。バックグランドになる効果的な通常の音楽など必要ない。

　それと触覚。はじめて主人公がエロイーズに出会った時の風にそよぐおくれ毛と首筋の美しさ。主人公が赴任した古城のベッドで不意に生理に襲われた時の茂みの湿度感。二人ベッドに横たわり、肌を合わせながら絵を描く時のぬくもりの伝わり方。これだけが映像と状況音で伝われば、それで十分なのだ。

　映像の強度は、ラストの劇場のシーンで不意に演奏される音楽に結実する。あまりにも美しくはかない、この虚構のドラマの中でずっと奥底なある流れが一気に迸る瞬間だ。

　あらすじ：18世紀フランスが舞台。望まぬ結婚を控える貴族の娘と彼女の肖像を描く女性画家の鮮烈な恋。画家のマリアンヌはブルターニュの貴婦人から娘エロイーズの見合いのための肖像画を依頼され、孤島に建つ屋敷へ。ところが、エロイーズは結婚を嫌がり、マリアンヌは正体を隠して彼女に近づく。密かに肖像画を完成するが、エロイーズは、その絵は真実ではないと言う。描き直す決意をしたマリアンヌに意外にもエロイーズはモデルを快諾する。キャンパスを挟み見つめ合う２人。海岸を散策し、音楽や文学について語り合ううち、激しい恋に落ちていく……。

データ：２０１９年製作／１２２分／フランス／原題：Portrait de la jeune fille en feu／配給：ギャガ

■『ヘルムート・ニュートンと12人の女たち』

◉『ヘルムート・ニュートンと12人の女たち』は女性蔑視、差別主義者、ポルノとも呼ばれる20世紀を最も騒がせた写真家のドキュメンタリー。批判的なスーザン

ソンタグとの討論映像もあるが全体に常識を越えた美のビジョンを讃えるお伽噺か？

▽見れば見るほど、どの写真も実は多大な影響を受けた写真ばかり。あのパルコや西武のコマーシャルも彼の作品の影響なしには生まれなかっただろう。しかし、証言で出てくる女性は全部、彼の信奉者ばかり。シャーロット・ランプリングしかり、グレース・ジョーンズしかり、難解な「写真論」を展開するあの辛辣なスーザン・ソンタグでさえ、作品は嫌いだが、本人は好きだと言い放つ。女たちに愛された男の、MeToo 問題もなかった幸せな時代の今は昔の伝説か？

あらすじ：一流ファッション誌で女性を撮り続けた世界的ファッションフォトグラファー・ヘルムート・ニュートン。1920年にドイツで生まれたニュートンは、50年代半ばからヴォーグ誌などファッション誌に衝撃的な作品を次々と発表。従来の女性像を覆す力強い女神。バロックなインテリアに覆い尽くされた死さえも象徴する独特の作品世界。それまでの着せ替え人形的モードを否定して、賛否両論を巻き起こした。映画の中で女優シャーロット・ランプリングやイザベラ・ロッセリーニ、米国版ヴォーグ誌の編集長アナ・ウィンター、モデルのクラウディア・シファーらのインタビューも。「20世紀を最も騒がせた写真家」とも呼ばれるニュートンの作品世界を、12人の女性の視点から捉える。

データ：2020年製作／93分／ドイツ／原題：Helmut Newton - The Bad and the Beautiful／配給：彩プロ

■『THE CROSSING～香港と大陸をまたぐ少女～』

◉香港と中国・深圳を毎日行き来する少女の姿に2つの文化、家族と友情、階級、日常と犯罪の交錯を描く白雪《バイシュエ》監督『THE CROSSING～香港と大陸をまたぐ少女～』。中国大陸の現状と青春の脆さと美しさを見事に捉えている。

▽隣接する2地域を行き来し、それぞれのアイデンティティを持つ少女が主人公。香港と中国大陸の越境問題や経済、社会情勢、現地の青少年の裏事情をリアルに重ね、青春のみずみずしさを描く。2019年・第14回大阪アジアン映画祭で「過ぎた春」のタイトルでコンペティション部門「来るべき才能賞」を監督が受賞。

あらすじ：香港人の父と中国人の母を持つ16歳の高校生ペイ。毎日、深圳から香港へ越境通学する。母は家で友達と麻雀に興じ、一方、父は香港に別の家族がいて国境付近のトラック運転手をしている。孤独なペイの楽しみは学友ジョーと過ごす時間で、2人は日本の北海道へ旅行に行くことを夢見て小遣い稼ぎに精を出す。ある日、船上パーティでハオという青年に出会い、クールなハオにジョーが好意を抱く。そして、ペイはハオからスマートフォンを香港から深圳へ持ち出す密輸の仕事を持ち掛けられ、その裏仕事を引き受けるが……。2019年・第14回大阪アジアン映画祭では「過ぎた春」のタイトルでコンペティション部門で上映され、監督のバイ・シュエが「来るべき才能賞」を受賞した。

データ：2018年製作／99分／中国／原題：過春天 The Crossing／配給：チームジョイ

■『タイトル、拒絶』

◉山田佳奈監督『タイトル、拒絶』は紛れもない傑作。とにかく女優も男優も生きている。2020年の邦画ナンバーワン！本年の日本映画を一本しか見ないなら、鬼滅じゃなくこれでしょう。大人なら！映画館で。

▽2019年・第32回東京国際映画祭「日本映画スプラッシュ」部門に出品され、主演の伊藤沙莉が東京ジェムストーン賞を受賞。個性に乏しい日本映画の中でぶっちぎりの個性派映画。これなら何回も見てみたいし、舞台もみてみたい。

あらすじ：それぞれ事情を抱えながらも力強く生きるセックスワーカーの女たちを描く群像劇。劇団主宰の山田佳奈が、

2013年初演の同名舞台を自ら映画化。雑居ビルにあるデリヘル事務所。自分勝手なデリヘル嬢たちの世話係をするカノウは、個性的なスタッフから様々な問題を突きつけられ右往左往。店で一番人気のマヒルほか、モデル並みの若い女性など個性もバラバラ。この店内の人間関係やそれぞれの人生がやがて……。

データ：2019年製作／98分／日本／配給：アークエンタテインメント

■『パピチャ 未来へのランウェイ』

◉アルジェリア内戦の暗黒10年を背景に女性の抑圧に対する解放を描いた『パピチャ 未来へのランウェイ』。ファッションデザイナーの夢を持つ学生の視点で劇的。自身の経験も投影した新鋭ムニア・メドゥール監督の瑞々しい本国未公開の映画。▽アルジェリアで17歳まで過ごした監督の母国の女性弾圧の実態を描いた人間ドラマ。2019年・第72回カンヌ国際映画祭ある視点部門で上映。本国では上映禁止。

あらすじ：90年代、アルジェリア。大学生のネジャマは、ナイトクラブで自作のドレスを販売していたが、イスラム原理主義の台頭で女性にはヒジャブの着用を強要するポスターがいたるところに。そんな現実に抗うネジュマに悲劇的な出来事が。これを契機として自分たちの自由と未来をつかみ取るため、命がけでファッションショーを開催する。

データ：2019年製作／109分／フランス・アルジェリア・ベルギー・カタール合作／原題：Papicha／配給：クロックワークス

■『Malu 夢路』

◉「アケラット ロヒンギャの祈り」が2017年・第30回東京国際映画祭の最優秀監督賞に輝いたエドモンド・ヨウ監督。日本・マレーシア共同制作の意欲作『Malu 夢路』は、心を病んだ母と幼い頃に別れたマレーシア姉妹の過去・現在・未来。永瀬正敏と水原希子も助演、音楽は細野晴臣。異国まで彼岸まで次代までまとわりつく〈恥〉とは？

あらすじ：幼い頃に決別したランとホンの姉妹。他人も同然だった2人は母の死を機に20年ぶりに再会し、同居生活を。しかし、ある朝、姉のホンが目を覚ますと、そこにランの姿はない。数年後、ホンのもとに日本でランの遺体が発見されたとの知らせが届く。ホンは仕事も家庭も捨て、日本へと旅立ち、ランの知り合いから彼女の知らないランの人生を知る。

データ：2019年製作／112分／マレーシア・日本合作／配給：エレファントハウス

さて、これで3号にわたって秋・夏・冬と映画の記憶を辿ってきて、さて今年のうららかな春から夏にと思ったところで、残念ながら今回のシン延長戦は時間切れ。現在の夏時間では、それこそ、『シン・エヴァンゲリオン』や『アメリカン・ユートピア』、さらに『海辺のおんなのこ』『猿楽町で会いましょう』とか、まさにオンタイムで語りたい映画はあるのだが、これは五輪インパクト後の世界での楽しみに。今は、この3号の話の間に、未だに現れてこない2年分にわたる映画の「春」を想う。果たして、春の不在とは？ この続きは次号に本当にあるのか？ これは今やコロナ、ワクチン、五輪の3つ巴の結末と同じくらい予測不能な未来だ。

といったところで、今回はこれにて。

新・バリは映画の宝島

チンタはインドネシアの今世紀を語る
――リリ・リザ総括

友成純一

　インドネシア映画は八〇年代に黄金時代を迎えたものの、不道徳で退廃的としてスハルト軍事政権に弾圧され、九〇年代に壊滅的な打撃を受け、年に数本しか作られない状況が続いた。が、九八年にスハルト政権が倒れて〝開放〟が始まり、文化弾圧もなくなって映画界が復活。今世紀に入って急速に回復し、今では年に百本を超える映画が製作され、八〇年代に優るとも劣らない勢いを取り戻している。その牽引車となったのが、リリ・リザとミラ・レスマナのコンビだった。

　なので、折りあるごとにこの二人に触れざるを得なかったわけだが、考えてみれば、彼らの仕事を俯瞰的に捉えたことがなかった。たとえば、今世紀初頭に二人が製作しルディ・スジャルウォ（彼も復興を支えた立役者）が監督した「ビューティフル・デイズ」が、インドネシア映画界復活の狼煙となったわけだが、続編はリリ自身が監督し、さらに「ミリー＆マメット」という第三部もあって、こちらは今やラブコメの巨匠となったエルネスト・プラカサ（本連載で紹介済み）が監督している。この三部作は、リリ監督の他の作品、初期の「永遠探しの五日間」や最近の「自由Bebas」ともテーマが重なっている。

　一方でリリさんは、「虹の兵士たち」「ジャングル・スクール」など僻地とされる地域を舞台に、インドネシアという大きな国の裾野の広がり、潜在的なパワーを感じさせる作品も撮り続けている。特に最近は、「サムドゥラからの知らせ」や「アタンブア」、「黄金杖秘聞」などで、インドネシア東部の問題を抉り出しつつ、独自の文化を称揚する作品が目立っている。

　改めてリリ・リザについて、書いておこうと思う。

「ビューティフル・デイズ」とインドネシア娘のメンタリティ

　「ビューティフル・デイズ」（02）はインドネシアで記録的なヒットとなり、未だに語り継がれている作品で、日本でも劇場公開された。が、おそらくメンタリティが違うからだろう、日本では話題にならずに終わった。時間を置いて作られた続く二作も日本では、国際映画祭で紹介はされても劇場公開はされていない。

　一作目の邦題は「ビューティフル・デイズ」だが、原題は「チンタ、どうしちゃったの？ Ada Apa dengan Cinta?」。〝チンタcinta〟は、インドネシア語で〝愛〟を意味する。つまりこの題名は、「愛って何？」という問い掛けでもある。

　女子高生のチンタには、同じ歳のミリー、アリヤ、マウラ、カルメンという四人の親友がいる。何をするのもいつも一緒、まさに一心同体で、〈死ぬまで五人は一緒よ〉みたいな誓いまで立てている――このお友達同士の仲の良さがまず、昨今の日本人には異様に感じられる。恋愛より何より女の子同士の関係がはるかに大切で、ベタベタ五人でくっ付いて回っている。嬉しいと言っちゃあ抱き合い、悲しいと言っちゃあ一緒に泣く。五人の間にはプライバシーもなく、深夜早朝を問わず電話を掛け、悩みを打ち明け合い、秘密などないのだ――互いに距離を置いてプライバシーを尊重し合うのが前提となっている今の日本人には、ちょっと気持ちが悪い。冒頭で五人の〝仲良し振り〟を見せられた時点でもう、この映画には付いて行けなくなる。

　インドネシアの娘たちは、本当に皆んな、こうなのだ。女の子同士の友情こそ永遠で、熱愛中の彼氏だろうが夫だろうが、友情の前には影が薄い。時に彼女らは、互いを〝恋人〟とすら呼び合う。この女の子たちの〝友情〟を真っ正面に押し出したことこそ、この映画が大ヒットした要因だと思う。

　本作の表面上のテーマは、偏屈で堅苦しい少年ランガと、開けっ広げな純情娘チンタの初恋である。チンタは詩が大好きで、学校で毎年行われる詩のコンテストで、いつも優勝していた。ところが今年は、ランガという誰とも交わろうとしない少年の詩が選ばれた。新聞部にいるチンタは悔しくはあるが、こいつがどんな奴か好奇心に駆られ、インタビューを試みる。しかし「僕はコンテストに応募していない。勝手に僕の詩を送った奴がいて、こんなことになっちゃった。だから送った奴か、選んだ審査員にでもインタビューしろよ」とケンもほろろ。

「なんて傲慢な、嫌な奴」チンタは怒り狂うが、この変わり者の少年に妙に惹かれてしまう。それを親友たちにも見抜かれるのだが、友情が壊れるのが怖くて、チンタはランガへの思いを断固として否定する。ランガにも「君は、自分を殺してまで皆んなでツルんで、それが楽しいんだろう。そうやってりゃ良いじゃん」と明け透けに言われるのだが……互いに罵り合ううちに、詩と音楽が好きだという共通点もあり、二人は仲良くなってしまう。詩の本を探しに一緒に古本屋に行ったのをきっかけに、デートが始まる。友達にこれを言えなくて、こっそりデートをしていたものだから、親友の間でチンタだけが浮いてしまう。

親友の一人アリヤは、家庭内暴力に苦しんでいた。父親が母親に暴力を振るう。その延長で、娘のアリヤまで暴力の犠牲に。四人の親友たちは、いつもアリヤの相談相手になっていた。アリヤは特にチンタを信頼していて、苦しいとしきりに電話をしていた。ある夜、チンタはランガとこっそりコンサートに。出掛けにアリヤが泣きながら電話を入れて来たが、デートで頭が一杯のチンタは「私、具合が悪くて、これから病院に行くの。後で連絡するから」と切ってしまう。コンサートから帰ってみると、アリヤが自殺未遂を図って深刻な状態だと連絡が。両親と共に慌てて病院に駆け付けるが、親友たちはチンタの嘘を知って、怒ってしまう。

アリヤと親友たちに申し訳ない一心で、チンタはランガと絶交するのだが――二人の恋の行方は？　親友との関係は？

ラスト、ランガはチンタに振られたまま、父親と共にニューヨークに行く。親友

にいったんは敬遠されたチンタだが、それは彼女がランガとの関係を隠し、嘘を吐いたから。アリヤは回復し、チンタとランガの仲を自分が邪魔してしまったと悔やんでいた。親友たちも、チンタとランガの仲が戻ることを望んだ。そして彼女らに後押しされて、空港までランガに会いに行く。

ここでまた、たいていの日本人が驚く。高校生の彼女らが制服姿でボルボを運転して、空港に行っちゃうんだなあ。日本でも十八歳、高校三年生の時に運転免許を取ることは可能だが……制服姿で、女の子五人に男の子一人がすし詰めになって、高速を突っ走って空港まで行くってのは、なかなかないと思う。インドネシアでももちろん……しかし、これは青春“メルヘン”で、こういうのが高校生の夢なのだということで……ちなみにこの時の男の子の名は、マメット。“のび太”と渾名されるメガネで反っ歯のオタク少年で、部活が一緒のせいでいつも彼女らの周りをウロウロしていた。ボルボは彼の親父さんの持ち物なのだが、たまたま学校に居合わせたせいで、誘拐されるみたいに車を使われてしまう。

映画はいちおう、偏屈だが純情な男の子と女の子の初恋の物語という風に紹介されている。が、実は純な初恋以上に、女の子同士の友情がテーマとなっている。

監督ルディ・スジャルウォは本作で映画界の第一線に立ったが、この人の特徴は女の子の描き方の旨さにある。女の子をアイドルとか人気者として、キレイに可愛く撮ることは決してしてない。抑えた演出で役者たちから自然の演技を引き出し、あくまで等身大の女の子として撮って行く。本作をきっかけに、チンタを演じたディアン・サストロワルドヨは国民的なスター・アイドルとなり、マウラを演じたティティ・カマル、カルメンを演じたアディニア・ディナスティも、今や大スターである(共に本連載で紹介済)。

姉と妹の関係を描かせると、ルディの右に出る者はいない。ワガママな妹と、その妹の面倒を一所懸命に見る姉――それがルディの姉妹パターンで、代表作「いきなりダンドゥット」「ポチョン2」(共06)は、それぞれ音楽映画、怪奇映画に分類されるが、それ以上に姉妹の心理描写の妙が、しみじみと感動させてくれる。腰

の据わった演出は、日本の相米慎二を思わせる。

　女の子五人が冒頭、流行の歌に合わせて一緒に踊り、歌うシーンの、楽しそうなこと。ランガとのデートの前に、ウキウキとしかし念入りにお化粧するチンタ……女の子の暮らしのディテールが、木目細かく描かれて行く。

　高校時代の青春ドラマながら、並行して当時の社会問題をも取り込んでいる。アリヤが被る家庭内暴力は、日本と同じく、インドネシアでも大きな問題になっている。

　また、ランガが偏屈で友人を避けるのは、父親の問題があった。素晴らしい学者で思想家なのだが、それこそが問題だった。スハルトを批判する文章を公にして職を追われ、政権が倒れて民主化が進んでいるとは言え、そんなのは上辺だけ、未だに迫害されている。民主化が実は、インドネシア社会に潜む問題を、ちっとも解決していない――これは、リリ・リザが今も変わらず訴えていることだ。

「ビューティフル・デイズ2」は
大人の恋のジョグジャ巡り

　一作目はリリさんは製作しただけだが、十四年後の続編「ビューティフル・デイズ2」(16)は自分で監督もしている。今はすっかり大人になったランガとチンタたち五人の今を、描いている。今度は大人の恋の物語だ。

　あの小生意気で可愛かったミリーは、今はすっかりおデブに。五人娘に付き纏っていたオタクな"のび太"マメットと結婚していた。出産を間近に控えている。マウラも既に結婚していて四人の子供がいる。家庭内暴力に悩んでいたアリヤは、交通事故で亡くなっていた。そしてチンタとニューヨークに引っ越したランガとは、五年間の遠距離恋愛を続けていたが、十年前に別れていた。チンタは何の説明もなしに振られ、一方的に縁を切られたのだった。長い間苦しんだが、今はようやく立ち直り、ジャカルタでアート・カフェを経営、新しい彼氏と婚約していた。

そして結婚する前に、念願だったジョグジャカルタ(略称ジョグジャ)に旅行するつもりだった。

　女たち皆んなが、亭主や彼氏も引き連れて集まっている。カルメンが遅れて、仲間に加わる。実は彼女は、結婚に失敗したのをきっかけにドラッグに走ってしまった。入院して、リハビリを終えたところだった。彼女の復帰祝い、ミリーとマメットの妊娠祝い、そしてアリヤの死を悼んでの集まりだった。傷心のカルメンを皆んなで元気付けるために、チンタのジョグジャ旅行に便乗、女だけで旅行に行くことにした。

　一方のランガ。ランガは今、ニューヨークで友人ロベルトとカフェを経営していた。そこに腹違いの妹スクマ、再婚した母の娘が訪ねて来た。一作目でランガの母は、親父さんが世間から迫害されることに耐え切れず、ジョグジャの実家に帰ってしまったと説明されている。ランガは父を捨てた母が許せず、二度と会おうとしなかったし、周囲には母が死んだように言っていたのだが――その母がランガに会いたがっていると。母を嫌っていたランガだが、気持ちが動いた。

　久し振りにインドネシアに帰った。ジャカルタに到着して、まず、別れてしまったチンタを探した。しかし、見付からない。そして、母と新しい家族のいるジョグジャに向かう――ジョグジャで、かつての娘たちと思い掛けず再会し、チンタと顔を合わせてしまうのだった。

　そもそもはランガがチンタを捨てたのだが、それには辛い事情があった。ランガはその事情を説明したいのだが、捨てられてさんざん苦しみ、新しい恋人と出会ってようやく傷が癒えつつあるチンタは、会おうとしない。親友たちが色々と仕組んで、結婚へのケジメとしてランガとの問題にケリを付けるため、会うことになった。

　ほんの一、二時間の再会のはずが、夕食を共にし、食後にコーヒーを飲みに行き……縁は切れたと言いながら、なかなか別れられない二人……話し込むうちにランガがチンタと別れざるを得なかった事情が判り、実はまだチンタに思いを寄せていると知り……二人はジョグジャの外れ、誰も知らないランガの好きだった森の中の廃墟を訪れ……朝まで語り合うのだった。

　いったんは消えた二人の間に、愛が再

び目覚める。が、チンタには婚約者がいるし、ランガに一方的に振られて、以降、十年間も放り出されていたわけで、思いは複雑だ……ランガが熱心になればチンタが引き、チンタが燃え上がればランガが慌てる……見ていて歯痒い、実にイライラするやり取りが後半は続く。それは、いったん大人になった者同士の複雑さであり、どうするのが二人にとって一番良いのか、幸福とは何か、どんな関係が愛なのかを、模索する過程でもあった。この〝ウダウダ〟は、リリさんならでは。

演劇的な大仰なセリフや感情表現は、一切ない。何気ない日常会話で、それぞれの思いが淡々と語られ、表出して行く。お話の中心舞台はジョグジャで、ジョグジャの街並み、昔ながらの庶民の市場、ジョグジャに残る仏教やヒンドゥーの遺跡、ローカルな食事処、味に煩いカルトなカフェ……そして何より、ランガとチンタが一夜を語り合うジャングルの中の廃墟の建物……そうした風景を、人々が生活する様を、リリは丁寧に切り取って行く。ジャカルタからジョグジャまで移動する間の物語ではないのだが、それでも描かれるジョグジャの風景は旅人の見るそれであり、本作は紛れもないロードムービーである。

これぞインドネシアの中産階級の暮らし

「ミリー&マメット Milly & Mamet」(18)。「ビューティフル・デイズ」二作では脇役だったミリーとマメットの、今の暮らしを描く。シリーズ三作目というよりは、スピンオフというべきかも知れない。

製作はリリ&ミラのコンビだが、監督はエルネスト・プラカサ。中華系のスタンダップ・コメディアンで、映画やテレビであまり触れられることのなかった中華系インドネシア人独特の暮らしや生き方を、抱腹絶倒のコメディに仕立てて評判になった。インドネシアでは中華系は、差別されて来たのである。

彼の映画で描かれる中華系は、家族皆んなで、たいていは雑貨屋とか中華料理屋を営んで、賑やかに当意即妙な人間関係を築いている。エルネストは今は、インドネシア映画界に欠かせない俳優であり監督である。本作は中華系家族とは全く無関係の作品だが、一作目とも二作目とも違う、まさにエルネストならではの家族の、そして職場の人間関係のお話で、シュールな笑いが溢れている。

トロいので〝のび太〟と渾名されていたマメットだが、ミリーを射止めて結婚。ミリーには婚約者がいたのだが、それを押し除けての結婚だった。映画のプロローグで、それが示される。そしてシリーズ第二作は妊娠中の出来事だったわけだが、続くこのスピンオフでは、もう子供が生まれている。マメットはミリーの親父さんの縫製工場を継いで、経営者となっていた。ミリーも経営陣の一人だったのだが、出産を機に引退、今は剽軽なお手伝いと一緒に赤ちゃんに振り回される毎日だった。

明るくて思いやりに溢れるマメットは、社員にも好かれていて、縫製工場はいつも笑いに溢れていた。ミリーも皆んなに弁当を持って来たりして、和気藹々を暮らしていた。が、会長であるミリーの親父さん、マメットの義父は厳しい性格で、そんなマメットのやり方が気に入らない。マメットはマメットで、本当は自分がオーナーシェフとなって、レストランを経営したい思いがあった。

ついにマメットは義父と激突、縫製工場を辞めてレストラン経営に走る。マメットをその気にさせたのは、大学の同級生アレクサンドラだった。これが大変な美女(演ずるは格闘技美女ジュリー・エステル)で、かつやり手。マメットとアレックスは大学時代に、いずれは自分たちのレストランを経営したいと夢を語り合っていた。彼女がスポンサーを見付けており、二人の夢が実現し、本当にレストランを開くこととなった。親友のマウラやカルメン、チンタも、レストランの開店祝いに駆け付ける。

ミリーは疎外感を覚える。マメットが浮気などするわけはないのだが、美女との仲の良さに嫉妬しないわけに行かない。さらに、美女の連れて来たスポンサーのジェイムスという二枚目野郎が、どうも怪しい。二人はどうも、恋人同士らしくて、ミリーはちょっとホッとするが、しかしスポンサーの背後にいるオジサンたちが、どうやら社会的に危ない人たちらしいのだ……冒頭でミリーの婚約者だった男が弁護士なのだが、いかにも弁護士らしい生真面目さで、問題の解決に大いに貢献してくれる。

最後には八方丸く収まって、メデタシメデタシなのだが、それまでの出来事が軽快なテンポで、笑いと共に描かれる。登場人物の一人一人が実にユニーク——例えば、悪巧みジェイムスの秘書はペットをたくさん飼っていて、オフィスの受付にも金魚鉢を。自宅のペットが具合が悪くなったと言っては、金魚鉢ごと社長に預けて早退してしまう。猫を〝イヌ〟と名付けており、「うちのイヌが病気なんだ」というと猫のことだ。犬には〝サル〟と名付けており、「サルがイヌに噛み付いた、大変だ、帰らなくちゃ！」てな調子。この秘書に命じられて、金魚鉢ごと金魚の面倒を見てやるわけで、悪巧みジェイムスも実は良い人なのである。意地悪な義父もまた……そんなこんな、脇役の一人一人の言動が面白いし、理性のタガの外れる可笑しな出来事が次々に起こるので、こちらは目が離せない。これぞ、エルネスト・プラカサ。

こんな風に、「ビューティフル・デイズ」三部作は、三作とも監督が違うが、どの作品も個性的な監督が自分の作品として撮り上げており、スケールの広い三部作となっている。この三作を通じて、スハルトが倒された後、今世紀に入ってからのインドネシアの中産階級の暮らしが判る？ リリ＆ミラのプロデュースの巧みさが、よく示されている。

今世紀に入ってからのインドネシア
——若者たちの二十年

リリ・リザのコロナ直前の作品に、「自由Bebas」(19)がある。韓国の大ヒット映画で、日本でもリメイクされた「サニー」のインドネシア版である。

韓国映画「サニー永遠の仲間たち」(11)は、四十二歳の女性が、離れ離れになった高校時代の仲間たちを探す過程で、青春時代の輝かしい日々を取り戻す話だった。彼女らの高校時代は、七〇年代から八〇年代に掛けて、韓国がグイグイと高度成長を遂げた時代。安定成長期の今と違って、荒っぽかったが活気が溢れていた。女性親友グループの絆の強さを描くと同時に、今や失われてしまった時代に思いを馳せる。

誰でも歳を取るほどに、思春期だった頃を懐かしく思い出す。それは同時に、昔あって今は失われてしまったもの、今はあるけれど昔はなかったものを、振り返ることでもある。この感傷はどの地域にいても、そして世代の垣根を超えて共通するものに違いない。ゆえに「サニー」は世界的に大ヒットし、振り返る時代をその国の実情に合わせてアレンジしつつ、香港、ベトナム、日本、そして合衆国でリメイクされている。

リリ＆ミラは韓国を訪れた際、「ビューティフル・デイズ」二本を見て感激した韓国の製作会社CJエンタテイメントから、「サニー」のインドネシア版を作らないかとオファーされたという。二人は当初、断った。なぜなら「ビューティフル・デイズ」は二作を通じて、まさに「サニー」と同じテーマを扱っている。同じことを繰り返して作る気はないと——しかし「サニー」本編をまだ見ていなかったミラに、リリが見ておくことを勧めた。ミラは見て、大いに刺激を受けた。そして、インドネシアの実情に合わせて設定を変え、リメイクする気になったとのこと。

インドネシア版は、スハルト政権末期だった九五年以降の、政権転覆に向けて社会が胎動していた時代、最も熱かった時代を振り返る形になっている。

インドネシアではここ数年、八〇年代の黄金時代の大ヒット作品のリメイクが続いていると書いて来た。それと並行して、今の連中に取っては青春時代であり子供時代だった九〇年代、まだスハルト政権が健在だった時代を振り返る作品が数多く作られている最中で、「自由」はこの流れに沿って作られた。同時にこれは今も記した通り、「ビューティフル・デイズ」の延長上の作品でもある。

こんな風にリリさんの作品を振り返っ

てみると、全く関係なく撮られた「永遠探しの三日間（3 Hari untuk Selamanya）」（06）も、このシリーズの一環に見えて来る。

ユスフはジャカルタの大学で建築を専攻する大学生だった。ジョグジャカルタで従兄弟が結婚式をあげることになり、披露宴で使う一族の伝統のアンティック食器を、車で運ぶことになった。車には従兄弟の妹で、十九歳のアンバルが同乗する。二人はのんびりと旅をしながらジョグジャへ向かう。真面目で慎重なユスフ、一方のアンバルは奔放で大胆なセクシー娘だった。二人は結婚や人生について様々な会話を交わしながら、旅を続ける。わずか三日間のドライブだったが、途中で様々な事件があり出会いがあり、旅の最後の夜に二人は結ばれるのだが……

この映画は成人指定になっている。ドラッグ描写のせいである。この二人も、二人が旅の始めにバンドゥンで出会う若い連中も、ドラッグやりまくり。二人とも三日間、片時もドラッグを手放さない。さらにラストのクライマックスで、二人のセックス・シーンをじっくり撮っていることもあるだろう。本作が作られた〇六年には、スハルト政権が倒れた後の解放感がまだまだ漂っていた。同時に、世の中がどんな風に変わって行くか判らない、新しい時代への不安と恐れもあっただろう。ドラッグ表現に、それが現れている。

二〇年代に入っている今、インドネシアでのドラッグに対する取締は大変に厳しいし、"民主主義政権"は安定している。一方、モスレム過激派のテロ、コロナを始めとする感染症の問題もあり、時代の空気は「永遠探し」のゼロ年代とは大きく異なっている。今や、ドラッグに耽るのは時代遅れとされている。

「永遠探し」で二人が向かうのは、ジョグジャカルタ。「ビューティフル・デイズ2」でランガとチンタが再び自分たちを見詰め合った、あの街である。

ジョグジャは、ジャワ島で強大な王国を築いたマトラム王国の首都だった場所で、日本で言うなら京都に相当する古都と言えよう。マトラム王国には新王国と旧王国がある。新マトラムは日本の徳川時代に相当する時期のモスレム王朝で、実際に徳川幕府に相当する巨大な権力を握っていた。旧マトラムは日本の奈良とか平安時代に相当する時期の王朝で、ヒンドゥー政権であり仏教も入って来た。だからジョグジャ近郊には壮大な仏教遺跡ボロブドゥールがあるし、ヒンドゥー文化が栄えた。バリ島が今では唯一のヒンドゥーの島だが、あれは後にモスレムに押されてマトラム王国から移住したものだった。

ジョグジャカルタにはだから、モスレムが入って来る以前の、原インドネシア文化とでも呼ぶべきものが残っており、名所旧跡がたくさんある。ジャワ人の原点とも呼びうる場所なのであろう。ジョグジャカルタが舞台となる映画が撮られる時には、特別な思い入れのなされることが少なくない。

ちなみに、インドネシアでもコミックスは盛んで、ここ半世紀の間に千数百人のスーパーヒーローが誕生しているが、その多くがジョグジャを舞台にしている。コミックス出版社の多くが、ジョグジャに拠点を置いているからである。この古都はコミックスの街でもある。

「永遠探し」で主人公ユスフを演ずるのは、「ビューティフル」でランガを演じたニコラス・サプトラだった。ユスフとランガ、偏屈なまでに真面目で慎重という、同じ性格をしている。そしてアンバルを演ずるのはアディニア・ディナスティ、「ビューティフル」で男勝りでしっかり者のカルメンを演じていた。高校時代にはまだ子供で純情だった二人が、十九歳の青年になって（インドネシアでは十七歳で成人）、様々な夢を抱きつつ悩みを抱えている。そんな中で、アディニア演ずる娘はドラッグ中毒の土壺に嵌ってしまった？ さらに、二本ともジョグジャに対して強い思い入れが込められているし――

「ビューティフル2」は、いったん薬物中毒に陥っていたカルメンが立ち直って療養所を出て来たところで始まる。私には「ビューティフル2」、「永遠探し」の延長上にあると同時に、ゼロ年代と二〇年代の時代の違いが現れているようにも思えてならない。

よりぬき［中国語圏］映画日記

小林美恵子

見直し「台湾ニューシネマ」——『風櫃の少年』『冬冬の夏休み』『童年往事　時の流れ』『恋恋風塵』

四月末からの再びの緊急事態宣言後、多くの映画館が休業となった中で健闘している小劇場には是非観客としてバックアップしたいということで…。そんな映画館の一つで四月～六月にかけて開催された企画『台湾巨匠傑作選二〇二二、ホウ・シャオシェン（侯孝賢）大特集』に通う。実のところ今回上映された侯孝賢作品（製作・出演も含む）二十二本のほとんどはすでに見ているが、その中でも私を台湾電影の世界に導いてくれたともいえる八〇年代「台湾ニューシネマ」作品を集中的に復習見直しということにした。侯孝賢作品でいえば、他監督とのオムニバス作品『坊やの人形』（八三）はちょっとパスして、製作順に『風櫃の少年』『冬冬の夏休み』『童年往事　時の流れ』『恋恋風塵』の「四部作」である。

★風櫃の少年（一九八三／監督＝侯孝賢、脚本＝朱天文、撮影＝陳坤厚）

台湾の離島、澎湖島の風櫃で育った阿清《アチン》という青年の郷里での腕白・ケンカ三昧、警察沙汰という日々、野球で頭にケガをして介護が必要となった父への接し方から家族ともめて家を飛び出し高雄に移り住む暮らしぶり、その中での淡い恋やその破局?を描く。風櫃の海岸での四人の青年がはしゃぎ踊るシーンが写真にもなって有名だが、彼は高雄に出る時も仲間たちと一緒に行き、アパートで共同生活を送る。常に群像劇的に仲間の青年たちや、故郷に戻れば大家族の中にいる彼の姿が描かれ、しかも彼自身のドラマというより父の死や友人の転職など周りの人々のドラマの中で、自身の行く道が見出せない青年として描かれている。後半になると阿清の悩めるクローズアップなどもなくはないのだが、全体的に遠めのカメラワークは登場人物の個性を際立たせることをしない。若い役者たちがこの段階では無名（未熟?）なこともあってか、社会の中でどこにでもいるような名もなき青年たちの群像劇という描き方になっている。この映画は、出身地は別として侯孝賢自身の青春がモデルだというが、となればこの無為のあと主人公は兵役に行き、帰って映画学校に進み映画の世界を歩き出すことになるわけだ（これは主演の鈕承澤自身も同じ?）。

★冬冬の夏休み（一九八四／監督＝侯孝賢、脚本＝朱天文、撮影＝陳坤厚）

母の入院で、台北から銅鑼の母の実家に預けられてひと夏を過ごす冬冬《トントン》とまだ幼い婷婷《ティンティン》の兄妹。その夏休みの間、地元の子どもたちと遊び惚ける冬冬の周辺では友人の行方不明、遊びから仲間はずれにした妹婷婷の思わぬ事故と紙一重の生還、二組の思わぬ妊娠、強盗事件、叔父の結婚、思いがけない逮捕、痔の手術、精神に障害があるらしく村の中で孤独な持て余し者のようになっている寒子《ハンズ》の事故と流産、そしてもちろん台北の母の病気と手術と、さまざまな事件が起きる。ここでは冬冬は結局のところ傍観者で、むしろそれらの事件にかかわって共に悩み、慌て、相手との関係を断とうとしたり、逆に内緒で支えたりというような祖父母や村人たちが集団として描かれている。医師として周囲からは尊敬されているいわば村の名士的な立場であるはずの祖父もその輪の中では例外的存在ではないし、息子（叔父）の件では思い通りにならず悩む姿も描かれる。

寒子の妊娠をどうするか、大勢の村人たちが彼女の父の「生ませたい」ということばそっちのけで協議するシーンが「善意」によるものだけに怖い。ことばを持たぬ寒子と幼い婷婷がいわばもっとも豊かな感情を持って交流するのだが、それを人に伝えるすべがなく、弱者が周辺の好意の中で思う通りには生きられない悲しみが胸をつく。

脚本を書いた朱天文の祖父母の家がモデルで、撮影も実際にそこで行われたという。

★童年往事　時の流れ（一九八五／監督＝侯孝賢、脚本＝侯孝賢・朱天文、撮影＝李屏賓）

広東省から渡って台湾・鳳山に住み着いた外省人一家の子、侯孝賢自身の子ども時代がもっとも色濃く投影されているという、これこそまさに八八年、日本公開時に私の台湾映画への目を開かせてくれた作品。ということで何回も見てきたが、そのたびに違った見方ができる映画だとも思える。前回までは、主人公の少年の混沌と模索的なあがきと、対比して大陸に帰ろうと迷子になってしまう祖母の望郷ばかりが眼に残ったが、今回は家長として老母や幼い子供を引き連れて台湾に幸せを求め、成功して帰るつもりで安価な竹製家具ばかりをそろえ、その竹の椅子に座って人生半ばで亡くなる父の無念や、夫亡き後老姑がまだ生きている中で、子どもたちもまだ独立しないのに病を得てなくなる母のつらさ、帰郷の夢を果たせず孫息子たちにもみとられずに一人死んでいく祖母の孤独が胸に沁みる。

大陸からやってきた外省人一家一世の滅びの過程、そしてまだ独立して地歩を固めているとはいえない二世の迷いが、やはり一種の群像劇として描かれているようだ。映画の最後、祖母の遺体の世話をする葬儀屋のにらむような視線の先にいて、祖母の死を茫然と見つめるしかできない四人の孫息子たちの姿にもそれを強く感じる。

★恋恋風塵（一九八七／監督＝侯孝賢、脚本＝呉念真・朱天文、撮影＝李屏賓）

この映画でも、今回つくづく思ったのは主人公阿遠《アワン》と阿雲《アフン》の恋が二人だけの恋物語でなく人々の中にあることか。九份の金鉱の街でも二人の家族は隣接して住み、父を含む鉱夫たちはともに働き、仕事後もともにたむろして過ごす。その周りでは阿遠の弟妹たちや彼らを含む村の子どもたちが集団で駆け回っている。台北の街に仕事を求めて出た阿遠は不器用な田舎者というふうだが、ともに住む友人、職探しをしてくれる友人、田舎からやってきた阿雲に職を探してくれ、一緒に歓迎の飲み会をしてくれる仲間たちがいる。阿遠が兵役に就く金門島でもしかり。『風櫃』と同じく、彼らはこの時点では無名の俳優たちによって演じられ一人一人の事情が詳らかにされるわけではないし、顔が大写しになることもない。これは主人公の二人さえも同様で、特別な二人というよりどこにでもいるような青年として、いわばこの時代の台湾の社会を映しているのだと感じさせる。そう考えると兵役に就いた阿遠の帰りを待たず郵便配達員と結婚してしまう阿雲も、貧しい父に贈り物としてもらったライターを漂流して金門島に流れ着いた一家に記念品として与えてしまう阿遠も、親しい人をさえ、個人的なつながりよりも、もっと大きな集団的なつながりの中で見ているのかもしれない。まさに名もなき人々の群像によってこの時代の社会や若者が描かれている。それを情感もたっぷりに描き出せているのは、それとは対極にいるような孤高に特異な存在感で映画に君臨している老いた祖父（李天禄）の存在感ゆえか。恋人を失い兵舎で号泣した後、彼女がかつて作ってくれたシャツを着て故郷に帰り、畑作のきつさを嘆く祖父と向かい合って立つ時、阿遠は顔の定かでない集団の一人から個として祖父のように屹立する。この時、社会の中の名もなき群像を描いてきた四部作は最後に至ってはじめて顔のある一人の青年の成長物語として完結するのだ。こちらは脚本の呉念真の物語がベースで、四部作自体が様々な青年作家の物語によって群像劇的に作られていることにもなる。

ダンス評［2021年4月〜7月］

パフォーマンスのリアル
イスラエル・ガルバン
片山柊、増田達斗
佐藤ペチカ、望月隼人

志賀信夫

フラメンコ、といっても多くの人がイメージするものとは大きく違う。サパテアード、足踏みの音が中心だが、スマートなサパテアードではない。イスラエル・ガルバンはそれを遥かに超越している。超絶といえるまで技術を高めたうえの、まったく自由で圧倒的な踊りだ。

今回の公演（六月二〇日、神奈川芸術劇場）は、『春の祭典』（一九一三年）をピアノ・デュオの演奏とともに踊るプログラムで、ギター中心にカンテ（歌）とパルマ（手拍子）が入るものとは違う。ストラヴィンスキーの変拍子たっぷりの曲にどう立ち向かうのか。八分の六拍子が基本のサパテードで合わせていくことは、普通のフラメンコダンサーでは難しいだろう。

ガルバンの『春の祭典』は、二〇一九年一一月、スイス・ローザンヌの初演時には、二台のピアノの第一部と、『春の祭典』からインスピレーションを受けてシルヴィー・クルボアジェが作曲した第二部のオリジナル曲で構成されていた。今回、コロナ禍で音楽家が来日できないため、若手ピアニストの片山柊と増田達斗の演奏で、第二部は、武満徹が高橋悠治に作曲した『Piano Distance』（一九六一年）と増田達斗作曲の『Ballade』（二〇一四年）が上演されることになった。

舞台の下手に二台のピアノが向かい合うように置かれており、上手奥にはピアノのフレームに弦を張った箱のようなものが立てかけてある。その手前や奥などに、丸や四角の台のようなものがあちこちに置かれている。

舞台が始まると、奥の弦の装置から音が鳴り始める。ガルバンが床に横になって両足を上に伸ばして、弦を鳴らしているのだ。サパテアードは、足によるパーカッションだが、それをピアノの弦の上で行う。グランドピアノなら、縁に腰掛けたりして鳴らすことはできるがピアノが壊れる。そのためにつくられたものだろう。逆さになったガルバンとともに、ビジュアルと音のインパクトはなかなかなもの。ピアノ版『春の祭典』なら足でピアノを鳴らそうという発想。だが、重力と反対の向きで鳴らすのは、少々無理がある。

立ち上がったガルバンは、太鼓状につくられた大小の丸台、簀の子状の板、砂が撒かれた床などを駆使してさまざまな音を足で生み出す。ピアノの『春の祭典』とパーカッションのコラボレーション。そのパフォーマンスと生み出す音が見る者を引き込む。これは、身体そのものが生み出す音の魅力だ。足だけでこれほど多様な音を生み出すのが驚異的だ。

複雑な『春の祭典』とともにガルバンの足が躍動すると、観客も身体感覚から興奮せざるを得ない。始原的には声が先か動きが先か、音楽が先か舞踊が先か意見が分かれるが、身体パーカッションはどちらにも属す。第二部は、ピアノ演奏のみと、ガルバンとのコラボレーションがあり、若いピアニストの熱演と熟練のガルバンが見事に一つになり魅了された。

フラメンコには保守的な印象がある。限られた曲で音楽のコードも少なく構成も似ている。歌詞や説明を知らなければ区別できない。だが即興性が強く、ギターも踊りも声もサパテアードも技術や個性で実に多様だ。コードから逸脱しないモダンジャズのセッションに似て、その即興性がフラメンコの魅力だろう。

ガルバンの生み出す音はフリージャズに近く、現代音楽的である。フラメンコ以外で直接の影響を受けたのは舞踏で、竹之内淳志、大野一雄の名前をあげる。以前の『黄金時代』は、音楽も含めてフラメンコという枠で、そこからはみ出す踊りを見せたが、今回はもっと自由になり、フラメンコで培った技術で、新たな身体表現を生み出している。さらにどんな挑戦をしてくるのか、目が離せない。

佐藤ペチカは不思議なダンサーだ。コンテンポラリーダンス界に九〇年代に登場し、筆者は、二〇〇一年に新宿のパークタワーホールでソロを見ている。その後、舞踏やポストモダンダンスに近づき活動を広げた。その一つは、シュガーライスセンター（SRC）である。佐藤ペチカ（S：sugar）、飯田晃一（R：rice）、中川敬文（C：center）の頭文字をとったものだが、パフォーマンス的な舞台をいくつも展開し、全裸も辞さない潔さがありつつ、エロティックではない身体の意味を感じた。近年は、深谷正子の作品にも参加し、身体の強さでも存在を主張している。

五月三〇日には中野テルプシコールの「TARUPHO PLANETS vol.1」において、望月隼人のギターノイズで『Blue Yellow』を踊った。さらに六月には、東京の地下の実験的芸術フェスティバル「TOKYO REAL UNDERGROUND」（TRU）で踊った『花よ蝶よ』の映像が公開された。

★イスラエル・ガルバン『春の祭典』
写真提供：Dance Base Yokohama ©Naoshi Hatori

どちらもパフォーマンス的だが、『Blue Yellow』は、上手に置いた高い脚立に身体がどう絡んでいくかが一つのポイントで、モノとカラダの関りをとことん追求している。ライブで演奏する望月のノイズは、穏やかでありながら破天荒な行為も展開する佐藤の世界を、見事に拡張していた。

『花よ蝶よ』は、水の入った水槽を胸元に抱えた青い水泳パンツ一枚の佐藤を上から撮った印象的な映像から始まる。すると、蠢きながら佐藤は頭の方に移動していく。仰向けのまま、その先の階段を下っていくのだ。まさに「東京リアルアンダーグラウンド」で、上野の廃駅となった京成電鉄の旧博物館動物園駅の地下の階段。透明ビニールの敷かれた階段を仰向けで延々と下る佐藤は、水槽を抱えチャプチャプ音を立て、不自由な身体のリアルが強調される。パフォーマンス的だが、舞踏的行為といってもいい。ここでも望月の音が迫ってくる。渦巻状のブラジャー姿で、転がり去った佐藤は、赤い長いスカートで薬缶を持ち登場して、その水を少しずつ撒いていく。その後、歌を歌った後、巨大な透明の黄色い羽根をつけて蝶になり、水槽を抱えて去っていく。この姿のインパクトも相当だ。

脚立もそうだが、ここで佐藤が水槽と徹底的に絡むことで、身体も際立ってくるために、その後の黄色い羽根も意味を持つ。モノも自然と肉化していくのだ。また、考えてみると、地下には水音が似あう。古い建物の地下には水がたまり、水の染み出した跡が残る。そして、水音は地下に響いていく。

この企画「TRU」には、前号で述べたエイコ&コマの尾竹永子に始まり、川口隆夫、川村美紀子、松岡大、伊藤キム、小林嵯峨などから、小さい舞台が多い田辺知美、佐藤ペチカなど多様な表現者が登場している。佐藤ペチカを含めた多くの映像は、八月半ばまで公開中。登録すれば視聴できる（http://www.tokyorealunderground.net）。

Stage

「コミック・アニメ・ゲーム」×ステージ評
キューティーハニー、アナと雪の女王ほか

高　浩美

　新型コロナの影響が大きく、なかなか難しい状況下であることは変わりないが、少しずつ復活の兆しも垣間見える昨今。アニメ・ゲーム・コミック作品の舞台化は、ここ最近は原作に忠実にライブエンタメ化するのではなく、時代に合わせたスタイルや生身の人間が演じることへのこだわりが見られ、また、コミカライズ化、アニメ化、舞台化も含めた総合プロジェクト的なコンテンツの創生も大きな波となっている。

　国民的アニメ『キューティーハニー』、永井豪の傑作であるが、アニメ化、実写化に続き、2020年冬に初の舞台化。だが、この公演以降はコロナ禍の影響が大きく、第二弾は稽古日程の関係で音楽ライブ形式となり、この第三弾がファイナル、最終章公演となった。タイトルも「キューティーハニー・クライマックス」。如月ハニーは原作からのキャラクターだが、彼女と共に戦う4人のハニーは舞台だけのオリジナル。物語を深めるためにこの最終章だけに登場するオリジナルキャラクターが、永井豪原作に存在しても不思議ではないキャラであり、脚本の工夫、苦心が垣間見える。原作のキャラクターと舞台だけのオリジナルキャラクターを一緒に存在させて新しい物語を構築、さらにところどころ今風にアップ・トゥ・デイトし、4人のオリジナルなハニーは、タピ活したりマカロン食べるスイーツハニー、ITに強いサイバーハニーなど、今の時代らしいキャラクター。原作ではキューティーハニーが変身するのだが、スチュワーデス(CA)、モデルなど当時の女の子の憧れの職業だったりする。その世界観をそのままに21世紀の日本らしい要素を盛り込んだ形だ。ヒール役にも陰影のある物語を創作し、観客の共感を得た。ミュージカルではないが、ミュージカル風の演出も功を奏して盛り上がりを見せ、最新テクノロジーを使い映像を駆使したステージング、殺陣も武器を持ちながらは難しいところがあったと思うが、1作品ごとに上達し、最終章はアクションに次ぐアクション。そしてその本編が終わればミニライブがあり、あの歌はもちろん歌う。時代が変わっても受け継がれていく名曲を、登場した全キャラクターが歌う。

★舞台「キューティーハニー・クライマックス」
©永井豪/ダイナミック企画・舞台「Cutie Honey Climax」製作委員会

★ミュージカル「アナと雪の女王」
©Disney 撮影:阿部章仁

　また、本来は昨年に上演予定だった世界的大ヒットアニメ、ディズニーの「アナと雪の女王」のミュージカル版がようやく開幕した。訳詞に高橋知伽江を迎え、演出・振付はブロードウェイから招聘、キャストはオーディションで選出。こちらもアニメそのままを舞台にはしていない。上演時間もアニメ版は102分であるのに対してミュージカル版は正味2時間。ミュージカルに

する場合、ほとんど全てを歌にするので、必然的に楽曲は10曲以上増えている。エルサとアナの絆、愛を中心に描いていることや世界観は同じだが、ところどころ細かい変更が見られる。アニメではトロールが登場するが、ミュージカルでは〝隠れ人〟不思議な力を持っている民族に。新曲で目立ったのは、幼少時代にかかるナンバー「二人から少しずつ」、2幕冒頭のコミカルな「ヒュッゲ」、エルサがドラマチックに歌い上げる2幕6場の「モンスター」。1幕ラストで自分はこのままの自分で良いのだという気づきを高らかに歌い上げる「ありのままで」を受け、「モンスター」ではそこからさらに前進し、エルサが本来持っていた気高さや強さが開花、そこから、怒涛の展開となっていく。テーマは真実の愛、無私の愛、ギリシャ語で「アガペー」と言われる愛。時代を超えて受け継がれる舞台作品となった。

　ロックミュージカル『MARS RED』。こちらは、もともとは藤沢文翁の朗読劇だったが、コミカライズ化、アニメ化され、そして今回ロックミュージカルにもなった。このミュージカルには舞台だけのオリジナルキャラクターが2名登場するが、この2名が後半、物語の展開において重要な役割を果たす。ビジュアル的には、アニメ版を踏襲しているが、内容や表現はミュージカル版ならでは。ロックに乗って殺陣やアクション、演奏は生で、ライブの長所を生かす、原作ものの舞台化の可能性を示唆した作品。

　その他、大人気コンテンツ「刀剣乱舞」のストレートプレイの方は客席が360回転する劇場、IHIステージアラウンド東京でおよそ半年に渡る公演をやりきった。秋には明治座にて、現在アニメが放映されている「擾乱 THE PRINCESS OF SNOW AND BLOOD〜陽いづる雪月花編〜」の舞台が予定されている。

★ロックミュージカル「MARS RED」
©藤沢文翁/SIGNAL.MD/MARS RED製作委員会
©ロックミュージカルMARS RED製作委員会

100万ポンド(1億5千万円)を燃やしたのはなぜか? 大ヒットメーカー"The KLF"が傾倒したイルミナティ三部作とディスコルディア

ケロッピー前田

★The KLF ビル・ドラモンド(左)とジミー・コーティ

インダストリアル・ミュージックの第一人者、持田保氏と定期開催しているトークイベント「狂気音楽(aka クレイジーミュージック探訪)」が人気だ。

このイベントは、カウンターカルチャーの最先端・身体改造を日本に紹介してきた筆者が、『INDUSTRIAL MUSIC FOR INDUSTRIAL PEOPLE!!!』の著者である持田保氏とともに、数々の音源を振り返りながら、クレイジーミュージックのカリスマたちの文化的な背景やカウンターカルチャーとのかかわりを読み解くというものである。

去る6月7日の狂気音楽では、80年代末から90年代初頭にかけて、イギリスでのポストパンクからダンス・ミュージックへの移行期に、爆発的なヒット曲と様々な反骨的行為で伝説となってきたThe KLF(ケイエルエフ)を取り上げ、満員御礼となった。とはいえ、小さな会場は出演者スタッフ含めてちょうど23人でいっぱいであった。この「23」という数字はあとの説明で重要になるので覚えておいて欲しい。

ビル・ドラモンドとジミー・コーティは、87年からともに活動を始め、翌年、The KLF と名義となった。『What Time is Love?』『3 A.M. Eternal』『Last Train to Trancentral』を立て続けに大ヒット、それらはアッパーなリズムに、一部コーラスが入るスタイルで、のちのダンス・ミュージックに大きな影響を与えた。一方、90年リリースの『Chill Out』は、アンビエントハウスという新ジャンルを開き、コーティがアレックス・パターソンと始めたThe Orbに引き継がれる。

とはいえ、The KLFという名前を聞いてわかる人は限られているかもしれない。なぜなら、彼らはヒットチャートを席巻しながらも、その成功によって得た100万ポンド(1億5000万円)の現金を自らの手のすべて燃やし、ほんの数年間で業界から去っていったからである。

なぜ、The KLF は、100万ポンドを燃やしたのか?

ここからは理解できるのかどうかは別として、彼らが傾倒した地下文書『プリンキピア・ディスコルディア(陰謀論的偶然の一致の原理)』とその原理に基づいて書かれた小説『イルミナタス・トリロジー(イルミナティ三部作)』について説明したい。

ところで「イルミナティカード」は、ちょっと陰謀論に興味がある方なら、ご存知だろう。このカードは、先に挙げたイルミナティ三部作をカードゲームにしたもので、カードに描かれた出来事がたびたび実際に起こっていることから「予言のカード」として世界的に絶大な人気を誇っている。イルミナティカードが次々と未来を予言できるのも、60年代にごく一部の人たちの間で流布した地下文書で明かされたディスコルディアの原理に基づいているからである。

時代を遡って1963年、ケネディ大統領暗殺事件が起こった。時のアメリカ大統領が在任中に白昼堂々と暗殺されるという事件に世界中が驚いた。それればかりか、その捜査に関わった地方検事ジム・ギャリソンの事務所のゼロックスで、かくゆう地下文書『プリン

★イルミナティカード

キピア・ディスコルディア』がコピーされたのだった。文書の著者はマラクリプス・ザ・ヤンガーとされるが、正体は検事の事務所で働くレイン・カプリンガーの友人グレッグ・ヒルと主な著者はケリー・ソーンリーであった。さらには、ソーンリーは兵役時代にケネディ暗殺の主犯とされたオズワルドと親交があり、捜査対象にされてしまうというオマケ付きだ。

　そんな曰く付き満点の地下文書に世間の関心が集まるのは、当時エッチな大衆誌として絶大な人気を誇っていた『プレイボーイ』の読者投稿コーナーでのことだった。そのコーナーにいつしかディスコルディアンと称される信奉者たちが集まり、陰謀論的世界観を展開し始めたのだ。それを面白がって煽ったのが、当時編集部員だったロバート・アントン・ウィルソンとロバート・シェイで、その顛末をもとに陰謀論的な小説『イルミナタス・トリロジー（イルミナティ三部作）』を著してミリオンセラーとなった。

★（右）Greg Hill (Malaclypse the Younger) with Kerry Wendell Thornley "Principia Discordia" (1963)
（左）Robert Anton Wilson & Robert Shea "The Illuminatus! Trilogy" (1984) ※The first edition in 1975

　一方、The KLF のリーダー的な存在となるビル・ドラモンドは若かりし頃イギリスのリバプールでちょっと変わったカフェに出入りしていた。そのカフェのオーナー、ピーター・オハリガンは、ビート詩人で精神分析学のユングの自伝に書かれていた夢の話に大きく影響されていた。それによると、ユングはリバプールを一度も訪れたことはなかったが、その光景を夢で見たといい、克明な記録を残していた。オハリガンは、その記録をもとにリバプールでそれと全く同じ光景の場を発見してしまう。そこは街の中心部にある大きな交差点でちょうど空きスペースがあったので、彼はそこを借りてカフェ兼自主運営のカルチャースクールとした。その学校で指導を任されたのは、のちに俳優として成功するケン・キャンベルで、近所の書店で見つけたイルミナティ三部作を台本とし、教育的な演劇を披露した。その公演は評判となって、のちに国立劇場でも演じられた。その演劇で裏方として働いたのがビル・ドラモンドで、観客としてそれを見ていたのがジミー・コーティだった。

　奇妙な偶然が彼らを引き合わせ、The KLF（コピー・リバティー・フロンティア＝著作権解放戦線）となる以前、彼らは「ジャスティファイド・エンシェント・ムー・ムー（正当な古代人ムー）」と名乗っており、その名はイルミナティ三部作に由来していた。The KLF の大ヒット曲を改めて聞くと、随所に「ムームー」というコーラスが入っている。

　彼らの大ヒットの背後には、常にディスコルディアとイルミナティ三部作で描かれた陰謀論的偶然の一致を誘発させるような出来事があった。だからこそ、爆発的な大ヒット曲を連発したのち、その成功で得た巨額のお金は、再び無に帰されなければならなかったのではないか。

　「なぜ燃やしてしまったのかわからない」と、彼ら自身も証言している。ドラッグのやり過ぎでラリっていたんじゃないかという世間的な冷たい批判も多い。それでも、海外ではいまも彼らの熱狂的なファンがThe KLF にまつわる情報をリサーチして、数々の驚くべき偶然の一致を報告してくれている。

　ところで、ディスコルディアの実例として「23」という数字が特別視されてきた。

　この件はもともとウィリアム・バロウズが発見したもので、イルミナティ三部作が広めたものと言われる。「23」という数字に注目すると、日常のあらゆるところにこの数字が登場するようになるというのだ。それは誰かの陰謀だというのだろうか？

　2021年という陰謀論の時代に、The KLF は突如として公式 YouTube を立ち上げ、長らく封印されていたヒット曲の数々を無料で公開している。The KLF にアクセスせよ！ いっしょにムームー！

◉資料：『The KLF ハウス・ミュージック伝説のユニットはなぜ100万ポンドを燃やすにいたったのか』（河出書房新社）

Special Thanks to 持田保、阿佐ヶ谷TABASA、宇田川岳夫（盤魔殿）

チェーザレ・ロンブローゾの思想とその系譜〈41〉

「天才は狂気なり」という学説を唱え犯罪人類学を創始した奇矯な精神病理学者

LOMBROSO

村上裕徳

サン・ジャン・ド・ディオス

ロンブローゾは続けて言う。

（後にサン・ジャン・ド・ディオスつまり「神の聖ジョン〈＝ヨハネまたはヨハネス〉」と尊称で呼ばれた）ジャン・チュダドは一四九五年三月八日ポルトガルのモンテモル・オー・ノヴォ（中部エヴォラ地区の自治体）の町に生まれた。彼は少年の頃より冒険心（の疼《うず》き）に悩まされたように見える。彼が父の家を出たのは、わずかに八歳の時だった。ある僧侶が彼をオロベサ（スペイン中部トレド県の都市）方面まで連れて行った。彼は、そこでフランス人の使用人として羊飼いになった。数年後、その職に飽きて体格の頑健なのを幸いに、軍人として、ある部隊に入った。

彼が軍隊で、どんな生活を送ったかは定かではない。（しかし知ることが出来る記録の断片によれば）当時彼の軍隊では、士官が先導して兵士と一緒に略奪を恣《ほしいまま》にしていた。ある士官がジャンに略奪品を託していた。彼は、それを盗んだり紛失したりした。（そのせいもあって）彼は死刑を宣告され絞死刑になろうとした。（しかし幸いにも）軍籍を解かれるだけで済んだ。それから彼はオロベサに帰って元の羊飼いになった。一五二八年頃、彼は再び入隊してオロベサ（領主）の伯爵指揮下に入り進軍した。戦争がすんで、彼は両親に会うため故郷に帰った。しかし健忘症になって自分の親の名前を忘れてしまった。それから、そこを去って（スペイン南部の）アンダルシアのエイヤモンテ（不詳）に行った。そこで、またしても羊飼いになった。（そこで）彼は神からの使命を夢のお告げによって受け取り、自分が神と貧者のために献身することの確信を得る（おそらく三度羊飼いになった偶然に、「神の子羊」としての民衆を善導する神職としての使命を感じたせいであろう）。

その当時、飽くことを知らない残忍さで知られた海賊の群が横行していた。防備の手薄な国を襲撃して住民を奪いフエツやアルジェルスおよびチュニス（北アフリカのチュニジアの首都。前記二つの地名は不詳だが、キリスト教圏ではないイスラム圏の地名であろう）などに売り飛ばした。（そのため）奴隷市場に売られたカトリック教徒の身代金にするための、寄付金募集を専門にする（カトリック）宗派が二つあった。

ジャンは、この聖業に（自分の）一身を委《ゆだ》ねようとしたかに見える。彼は船でセウタ（アフリカ北岸モロッコに隣接するスペインの自治都市）に渡った。そこで工匠（細工物などの特殊技術を要する大工や左官などの職人、ないし工芸家か？）として働きながら、（戦争のために故郷を）追放されて逆境にある（難民である上に彼と同郷の）ポルトガル人の家族を扶助した。しばらくして彼は、その生活に飽き、別れを告げてジブラルタル（ジブラルタル海峡をはさみモロッコの対岸にあるスペイン南部の都市。現在はイギリス統治だが、当時はスペインが統治していた）に渡った。彼はそこで宝物《レリックス》（レリックは古代の遺物なので、地域的に流通する海賊による骨董品の宝を指す）などを売る店を開いた。この商売で小金を儲けた彼は、ジブラルタルからグラナダに向かい、そこでも店（出版業を兼ねた書店らしい）を開いた。四三歳だった。この時期から彼の生涯の天職（後の聖人を指す）を定める精神錯乱が始まった。

ジャン・チュダドの狂気

ロンブローゾは続けて言う。

一五三九年一月二〇日に（彼が）ジャン・ダ・ヴィラ（「アンダルシアの使徒」と呼ばれたカトリックの守護聖人サン・ファン・デ・アビラ〈一五〇〇〜一五六九〉のこと）の説教を聴いた時、急に熱狂的な発作に襲われた。彼は大声で懺悔をし始めた。埃まみれになって頭髪を引き抜き、着衣を引き裂いてグラナダの街路を走りながら神の許しを求めた。子供たちは彼を狂人呼ばわりしながら面白がって後をついてまわった。彼は（自宅書店の）書斎に入って、あらゆる現世的な書物を破棄し、宗教書だけを残した。そして、あらゆる家財と着物とを、（相手の）欲するがまま分け与えた。彼はシャツ一枚になって胸を叩き、（神の許しを請う）彼のために（一緒に）祈ってくれることを、すべての人に嘆願した。群衆は喚きながら聖堂まで彼についていった。彼はそこでもまた、半裸で絶叫して呻き狂った。神父ジャン・ダ・ヴィラは自分の言葉で求道の信仰を啓発されたという告白に、彼の懺悔をユックリ聴き、手厚く丁寧に慰めて罪を許してやった。しかし、それは、あまり効果が無かった。神父が去ってから彼はまたもや、糞尿の上に転びながら大声をあげて懺悔を始めた（当時は一般家庭にトイレは無く、簡易便器のオマルが使われ、窓から糞尿が街路に撒かれていた）。群衆は面白半分で石や泥を投げて彼を罵倒した。しかし、ある人が彼を憐れんで帝室病院の精神病者収容所に彼を入れた。彼はそこで、当時流行していた悪霊駆逐策（現在で言うエクソシズムの民間療法）として、縛られたり鞭打たれたりした。

　ロンブローゾは続けて言う。

この「躁狂」の発作が彼の生涯で最も激烈な例のひとつだった。一般に精神病者は錯乱状態が激しいほど、かえって容易に鎮静化するものである。彼は（エクソシズム療法で）乱打される間に「憐れな狂人を世話し、適切な処置を施してやる」という誓約をたてたということである。（そして）神経の一時的な興奮が冷めると、彼は病人の看護などを懸命に行った。しばらくして彼に退院許可が下り、そして正気の証明書をもらった。グワダルー（不詳）のマリア教会に巡礼する願いをたてたので、彼は真冬だというのに裸足で、おまけに一文無しで出発した（こうした禁欲的なリスクは贖罪と巡礼修行のためと考えられる）。森を抜けたり沼沢の側を通ったりしている時に（枯れ枝や流木などの）木片を集めて焚き付けの束をこしらえた。人里に入ると、それを食物の代価や宿賃の代わりにした。

★チェーザレ・ロンブローゾ

ジャンの神秘体験からからくる宗教的社会運動

　ロンブローゾは続けて言う。

　グワダルーに着いた時、彼は幻影を見た。それが彼に非常な影響を与えたといわれている。（それは）聖母マリアが彼の前に現れて、裸の幼児のキリストを衣に包むよう手渡したのだという。これに対して彼は、弱者を憐れみ、貧者に衣を与え、家無き者に対して雨露を凌ぐべき手助けをする使命を（神から）授けられたという解釈を下したのである。彼の天職は、その時から始まった。彼は非常に熱心に、それを実践した。彼は、崇拝する処女マリアが彼に命じてくださった使命であると、確信して疑わなかったのである（この精神分析的表現は一九世紀の記述であるにも拘《かかわ》らず、宗教的譫妄《せんもう》の分析として先駆的であろう）。（巡礼の帰還は）ハエロミイト僧（不詳・フェルマイトが金属加工の黒色染料のため、聖職を認可された黒衣僧の意味か？）が彼に与えた白い服（修行僧は白衣を着る）を着、旅の背嚢を背負い、巡礼の杖を突いてオロペサに帰った。そして貧しい一夜の宿を求めた（帰還しても住む家がない事を意味する）。すると泊めてくれた）その一家の悲惨な様子が、いたく彼の心を動かした。そのため市場に出かけて（そこで）乞食をし、自分の貰った物のすべてを、その家の人々に与えた。その後、四つ辻で薪の束を売り、その所得のすべてを貧者と病者に分配した。そして自分は汚い馬小屋で眠った。

　ある日（彼が）街を歩いていると「貧家あり――ただし貧乏人に限る」という掲示のある家を見つけた。彼は、ふと思いついて、ここを養育院にしようと考えた。それから（さっそく）金持ちの処へ行って寄付金を貰い、それで差し当たって必要な毛布や道具を買い込んだ。彼はそこへ四六人の病人や「不具の貧乏人」などを収容した。その人々を養うため、昼時には街を歩き回って金持ちの家の残飯を貰って歩いた。そして（相手に）「善いことをなさいまし、私の兄弟たち、今に幸福が巡ってまいります」と告げた。
（こうして）ジャン・ド・ディオスの行為が、だんだん人目を惹いて「競争者」（邪魔をするのでなく、われ先にと追随する同調者を指す）が現れるようになった。数人の人が彼を補助するためにやってきた。彼はその人たちに数々の新しい務めについて指導した。そうして自分は、その統領になった。それが次第に人数を増して、ついに大きな修道院が出来た。今でも現実に、その修道院が残っている。彼は、かつて誓いをたてたように、病人に対応できる財源を得た。

ジャンの医療改革と、その晩年

ロンブローゾは続けて言う。
ジャンは病人の取り扱いに関して、確実に様々な改良を行った。ひとつのベッドを一人以上の病人に割り当てることのなかったようなことは、その一例である（このことは当時の一般的な病院が、ひとつのベッドを、複数の患者に同じ寝床として使わせていたことを意味する。つまり一つのベッドに、同時に二人も三人もの人が寝ていたのだ）。病人（の種類）によって、その居場所を区別したようなことは、おそらく、彼に始まったのであろう。要するに彼は、近代的医療をおこなう最初の病院の創立者で、臨時避難所を兼備したような物を建てたのだった。家のない貧乏人、金のない旅人などが容易に、そこに留まることが出来たのである。

彼が自分で「ジャン・ド・ディアス」（訳註・神のジャンの意）と自称したのも、この頃からである。彼の行った善行はいつまでも知られずにはいなかった。やがて「神のジャン（国ごとの発音の違いにより「ジョン」ともいう。聖人ヨハネを語源とし、ヨハネスやジョバンニ、ヨカナーンも同様）」とか「貧民の父」とかいう呼び名がスペイン以外の国にも知れわたる様になった。彼は、それからグラナダの方まで旅行してたくさんの寄贈品や寄付金を貰って帰ってきた。

彼は年齢のせいよりも、むしろ過労と肉体露出のために、その死を早めたらしい。彼は旅行の時、常に裸足で帽子さえ被らなかった。身に纏うのは、わずかな灰色の衣一枚にすぎなかった。そうして非常に厳粛な生活をした。しばしば極端な断食を実行し、最も困難な仕事ばかりを選んで、それを無理してまで行った。彼は病人を救うために火の中に飛び込んだことさえある。子供を救うために何度、水に飛び込んだか数知れない。彼は、彼の耐えた過激な労働作業によって死んだと断言できる。

彼は一四九五年三月八日（訳本には「五日」とあるが訂正）に生まれ一五五〇年三月八日の土曜日に亡くなった（ロンブローゾが珍しく生没年を日にちまで正確に記しているのは、誕生日と命日が同日なのに、何か聖者としての神秘的なものを感じたためと、聖人ジャンへの敬意であろう）。葬儀は非常に立派だった。病人は病気回復の望みを抱いて、（聖物として）争って運ばれていく棺に触れた。遺骸を包んだ衣は細かく裂かれて、その裂《きれ》が聖物《レリック》になった（これは民衆個人に与えられる物ではなく、ジャンの宗派の各教会のための「聖物」であろう。こうした聖物は聖人の御神体として豪華な盒《ごう》〈蓋のある容器〉などに収められた）。彼は（死後八十年の）一六三〇年九月二一日アーバン八世（教皇ウルバヌス八世〈一五六八～一六四四〉のこと）によって尊者の位を授与された（加えて、死から一四〇年後の一六九〇年に、教皇アレクサンドル八世によって列聖され、病院、病者、精神病者、看護者、消防士、アルコール中毒者、書籍商の守護聖人になった。聖人の祝日は三月八日である）。そして一般に「神の聖ジョン（＝聖ヨハネないし聖ヨハネス）」として知られているのである。

ロンブローゾは禁欲的で、いかなる自己犠牲をも厭わない求道者に対して、非常に弱い。ロンブローゾのロマン主義者の気質が、病理学的診断を離れて過剰に反応し、まるで自分では叶わなかった禁欲的理想が、そこにあるかのように自己同一視して描かれている。ジャン・チュダドが異郷の地のスペインに住むポルトガル人であることも、カトリックの総本山のイタリアに住む、アイデンティティーとしての祖国を持たない、精神的に「さまよえるユダヤ人」のロンブローゾに共感を与えたであろう。カトリックに、おそらく批判もあったであろうロンブローゾにしても、こうした無欲な求道者には、無防備に反応するのである。

ここには、おそらく戦争体験をトラウマとして抱えたことで神経症となり、放埒な前半生を反省して宗教者になることで、その精神障害から逃れた過程が描かれている。これは現在で言う心的外傷後ストレス障害（ＰＴＳＤ）であり、戦争体験の場合も、加害体験者の方が非体験者よりも強いPTSDを持つことが知られている。ジャンの場合も放埓な反面、一方で潔癖症であり、内省的でない一般庶民であれば自己責任の悪行と感じなかった過去を、負い目に感じたための症状だった（部隊全員が略奪をしたのだから、ジャンが、そこに参加していないはずはない）。その症状を単に突発的な狂気と捉えるのではなく、「聖ジョン」の伝記ではあまり触れられることのない過去の悪行にまで遡ることで、その因果関係を探ろうとしているロンブローゾの視点が、病理学の歴史的観点から先駆的であろう。現在では驚くべき指摘ではないが、この著作の書かれた一九世紀では、誰も気付いていなかった精神の病理であった。こうしたロンブローゾの眼差しは、この著作の随所にみられる点である。

一般的な「聖ジョン＝ヨハネス」の伝記で、ロンブローゾの紹介では触れられなかった点を中心に、その差異を補足しておこう。

「神の聖ヨハネス（聖人伝のため、最初から聖人名である）」は没落したが信仰あつい、かつての名家に生まれた。母は幼時に亡くなり、父は修道会に入っていた。若い頃のヨハネスは羊飼いとして働き、勤勉さと体の頑健さもあって、牧場主から娘婿になり牧場の後継ぎになることを望まれたが、神の御名による霊的生活を望んでいたので、それを断った（聖人伝のため、ロンブローゾの「冒険心の疼き」というモラトリアム的解釈とは異なり、最初から聖人を目差していたかのような伝記である）。ヨハネスはスペインに行き、英雄的戦士としてスペイン王カルロス一世につかえ、多くの戦功をたてた（この部分も過大な評価だろう）。その後、神の言葉を伝えるためヨハネス・グーテンベルクの活版印刷機を使い、宗教書の普及に尽力した。そして聖セバスチャンの祝日の一月二〇日に、ヨハネスは霊的改心をする。その時に彼は「神により」一時的錯乱状態になったが、アビラの聖ヨハネス（「ヨハネス」が頻出するため混乱するだろうが、先行する聖人のサン・ファン・デ・アビラのこと）を再訪してから回復し、生涯を病人や貧者に尽くす決心をした。ヨハネス（ジャンを指す）の追従者が始めた慈善運動は、現在では「病院の兄弟たち」の修道会として知られる宗教組織として成長し、アイルランドのキルデア県にあるセルブリッジを拠点に、障害のある人々を支援している。

ロンブローゾの紹介と重複しないように抄録したが、いかにも聖人の伝記らしく、幼いころから迷いなく聖人を目指していたかのような、美談が語られていることがわかる。聖人伝では精神錯乱も、ジャンが「神により」善性を覚醒するために行われた、試練としての「恩寵」（多くの宗教では、こうした改善の場合、神罰とは考えない）のように解されるが、そこに精神病理学的メスを入れたのがロンブローゾだった。ロンブローゾによる小伝を読んでも、宗教的な潔癖症による神経症的な精神錯乱と、すぐには判らないかもしれないが、精読すれば、そのように理解できるような論旨で描かれている。あからさまに書かれないのは、聖人の内面を暴露することが、宗教的弾圧を受けかねないタブーだったからであろう。あと一つは、フロイト以前の一九世紀の認識ため、神経症の症状であることはロンブローゾにも理解できたが、その先の因果関係が曖昧だったからに違いない。少なくとも状況設定としてのデータは、現在の視点で見ても確実に把握しているのだから、ロンブローゾの慧眼と言うべきである。現在の心理学者であれば、例えば「薔薇の名前」に描かれる、中世の苦行僧が読経と同時に背中を鞭打つのを習慣とするような、受苦の宗教的マゾヒズムを読み取るであろう。

こうした記述は、ロンブローゾ（一八三九〜一九〇九）と同世代の「性的精神病理」を一八八六年に発刊したクラフト・エビング（一八四〇〜一九〇二）に加え、一世代後のフロイト（一八五六〜一九三九）や「性の心理」を書いたハヴロック・エリス（一八五九〜一九三九）に、絶大なる影響を与えていることは確実である（「性の心理」は全六巻〈最終巻は上下の実質七冊〉の大著で、第一巻は一八九六年にドイツで、第二巻は一九〇〇年にアメリカで出版された。三巻以降もアメリカでの出版である。出版国が異なるのは、性的な出版規制のためだった）。これらの先駆的著作の多くは当時、宗教界と思想界およびジャーナリズムを含む一般常識人から非難され、発刊にあたって規制や弾圧が加えられ、国によっては現在もなお禁書とされるものである。後続の彼らの著作もまた、理由は同様ではないが、ロンブローゾの著作以上に禁圧されたのだった。

山野浩一とその時代(16)
「中三時代」連載漫画『怒りの砂』と、幻の第一映画『白と黒』

岡和田晃

『青の森』が伝える関学闘争

本連載の前回で、神戸映画資料館の安井喜雄より、「『青の門』という映画にも山野さんが関わっているのでは」という示唆を受けたことを紹介したが、その後、安井とやりとりをするうちに、正しいタイトルは『ベタ撮り　関学斗争　青の森』だったということが判明した。こちらの非で伝言ゲームになってしまった、というのが事の真相。

『青の森』は二〇一九年、「前衛と闘争――関学映研特集上映 JISYU〈自主映画アーカイブ上映〉vol.9」というプログラム内において、神戸映画資料館にて上映企画が組まれた。そこでの案内文では、『青の森』は以下のように解説されていた――「『近畿自主上映組織会』が各大学に『反戦ベタ撮り映画』の撮影を呼びかけたことから、関学闘争の模様を記録することになった『青の森』は、その後映研に入部した者に必ず観せられたという」と。

後述するように、私も鑑賞の機会に恵まれたが、さまざまな角度から、ヘルメットをかぶりゲバ棒を抱えた学生たちのぶつかり合いが描かれ、当時の模様を伝える資料としても貴重だろう。関西学院大学は、学費が高かったため「お坊ちゃん大学」と揶揄されたらしいが、それでも、「入試実力阻止」など、かなりの過激さは伝わる。ただ、カメラの多くは機動隊側に位置しており、それゆえ画面構成は綺麗であるものの、安全地帯から撮ったと批判されることもあったという。音声が記録に残っていないのが、つくづく残念でならない。

一九六八年～六九年の映画で、三三分。関西学院大学内の同時期の学園紛争を「ベタ撮り」したものだという触れ込み、そのままの内容であったが、確かに山野が回想していたように、「後の世代の作品」であるのは間違いない。ただ、直接関わってはいなかったとしても、関西学院大学映画研究会の面々は、著名ＯＢの仕事を当然承知していただろうし、山野が彼らに有形・無形の支援をしたという可能性も充分あったものと思われる。

★『ベタ撮り 関学斗争 青の森』（1968～69）、神戸映画資料館ホームページより。

「首刈り」と『怒りの砂』

当時、山野浩一はすでに上京して久しく、プロ作家としてデビューも果たしていた。「ＳＦマガジン」の初代編集長であった福島正実からは――「Ｘ電車で行こう」が「ＳＦマガジン」一九六四年七月号に転載されて以降――小説は認められずにお蔵入りとなり、「宇宙塵」での小説発表は、「開放時間」（「宇宙塵」一九六六年四～六月号）が最後となっていた。

山野が「Ｘ電車で行こう」の次に「ＳＦマガジン」へ持ち込んでいたのは「首刈り」で、これは二代目の森優編集長時代に掲載されるが（「ＳＦマガジン」一九七一年九月号）、単純計算で五～六年間は〝塩漬け〟にされていたことになる。理由はおそらく、奇想の性質が、あまりにも既存の倫理観からかけ離れており、到底読者に受け入れられないとみなされたからだろう。なにせ「首刈り」は、トカゲのしっぽ切りで組合から捨て石にされた語り手が、ふと見知らぬ男が持っていたスーツケースを強奪したら、そのなかに生きている生首が複数入っていた……という話なのだから。

そして語り手は、人を殺さずに首を刈る組織の一員となるが、上司から組織の理由は説明されない。生首は、今の状況に満足している「順応型」、常に逃亡を企てている「現実型」、そして「狂人たち」に分けられるが、後半では山野が親しんでいたマックス・ピカートやベルジャーエフ流の存在論を思わせる、観念的な思弁が綴られる。「首刈り」には明確な寓意はなく、反対に既存の「存在すること」への疑いが、グロテスクな形で刻み込まれている。当時の日本SFとしては「早すぎだ」のだ。

こうした状況から、山野は批評家としての仕事へ軸足を移していく。あるいは一九六七年には、劇団表現座で一緒に仕事をしたことのある前田亜土(一九六三年に行われた表現座の第三回公演『アメデーまたは死体処理法』のパンフレットのレイアウトを担当した旨を、本連載の第一四回で言及した)とタッグを組み、「中三時代」に漫画『怒りの砂』を連載(一九六七年四月〜八月、全五回)、といった仕事も手掛けている。山野は原作、前田が作画という分担で、これが思いのほか面白い。

★『怒りの砂』/「中三時代」1967年7月号より。

『怒りの砂』は正統派の宇宙SFである。舞台は火星とその近郊。火星開発学校に通う兄ヨシオと、宇宙士官学校に通う弟タカシの兄弟。ある日その父が、火星の廃墟を調査中に命を落とす。タカシは「火星人の生き残り」と称する謎の人物から、父の遺志を次いで発掘の仕事に従事するように言われるが、タカシは宇宙航士となって広大な宇宙に飛び立つことを夢見ていた(第一回)。ヨシオはガールフレンド・リリーの父である実業家、ミスター・ジョーンズから、亡父の残した火星の農場を売らないかと持ちかけられる。兄弟はケンカし、タカシは火星人の廃墟と呼ばれる岩場以外は売ってもいいと妥協するが、ジョーンズが狙っていたのは、まさにその岩場だった(第二回)。タカシは宇宙士官学校のプログラムで、「処女航宙」へと出向くことになる。目的地は未開発星のロックサンド星。火星開発委員会を牛耳っていたジョーンズは、ロックサンド星への航行を差し止めようとするが抵抗に逢い、仕方なくヨシオを連れて別の宇宙船でロックサンド星へ向かうことにする(第三回)。

宇宙士官学校の練習船ヴァケーション号と、ジョーンズ財団の多用船ビルダー号は、ともに火星を離れ、二つの月を見ながら航行する。ビルダー号にはリリーが密航していた。二つの宇宙船は小競り合いになるが、ヴァケーション号はレーダーを妨害され、ビルダー号から発射されたミサイルを迎撃しきれない。間一髪で、タカシの動向を追っていた「火星人の生き残り」こと火星独立防衛隊に救われる(第四回)。

ロックサンド星は岩石しかないと思われていたが、実は火星人が遺した「原子力より進んだ永久のエネルギー」があった。しかし、その扱い方を知るには、兄弟の父が発掘していた火星人の遺跡を探る必要があった。そこでジョーンズはヨシオに、「あの遺跡をヨシオくんのものとして、そしてヨシオくんが私の協力者として、このエネルギーの開発を手伝ってくれればいい」と持ちかける。しかし、タカシが踏み込み「その男は火星人のエネルギーを使って地球を支配するつもりなのだ」と反論する。にらみ合いの末、ジョーンズは本性を表すが、そこに火星独立防衛隊が踏み込んでくる。追い詰められたジョーンズは未知のエネルギーに飛び込んで自殺し、兄弟とリリー、そして火星独立隊は火星の遺跡を開発し、新しい時代を拓いていくことになった(第五回)。

以上が作品の全貌である。作画に

はところどころ、シュルレアリスムや真鍋博風の未来イメージが用いられ、時代状況を加味しても、独特の味わいがある。筋書きは「首刈り」とはまるで異なる、正統派のスペースオペラが展開されているが、暗い表情をしたタカシの視点に比重が置かれており、そういった意味で叛逆性が強調されている。また、宇宙士官学校の設定は、後に「数少ない未来宇宙小説でストーリーテラーな作品ではあるが、非常に陰鬱なトーンが貫かれているがため、単行本に収録しようとすると編集者に必ずはじかれた」と山野自身が述懐したアンチ・スペースオペラなディストピア小説「死滅世代」(「小説推理」一九七三年九月号)にも踏襲されているようだ。

『白と黒』と『ザ・クライム』

　『青の森』について調べるうちに、二〇一九年に「前衛と闘争」企画で『青の森』や『⊿デルタ』と同時に上映された『白と黒』(一九五九年、28分、16ミリ)に、山野が関わっていたことがわかってきた。本連載の前々回(No.85に掲載)で、山野の自筆ノート『Note du Cinema』の二冊目に初監督作『⊿デルタ』が「製作参加2」と書かれていたものの、それ以前の「製作参加1」が不明だと書いたことをご記憶だろうか。神戸映画資料館で『白と黒』が『⊿デルタ』の前年の作品として上映されていることに鑑み、ひょっとしたら……と思って『白と黒』に着目して手書きの文章を注意深く読んでいくと、『Note du Cinema』の二冊目ではなく一冊目の一九五九年のところに、『白と黒』がリストアップされており、関西学院大学映画研究会の自主作品であるということが明記され、「1」と四角で囲まれていたのを発見したのだ！　山野の映画ノートでは、鑑賞した映画には作品名右に点数がつけられているが、それがない。製作参加したという証である。

　そこで二〇二一年三月に鑑賞がかなった『未来をつくる製鉄所』に次いで、二〇二一年六月、『白と黒』の現物を確認することができた。安井の協力で、しかも先述のように『青の森』とセットで、である。会場は神戸映画資料館で、高槻真樹と一緒に鑑賞した。以下、『白と黒』の内容を紹介していきたい。

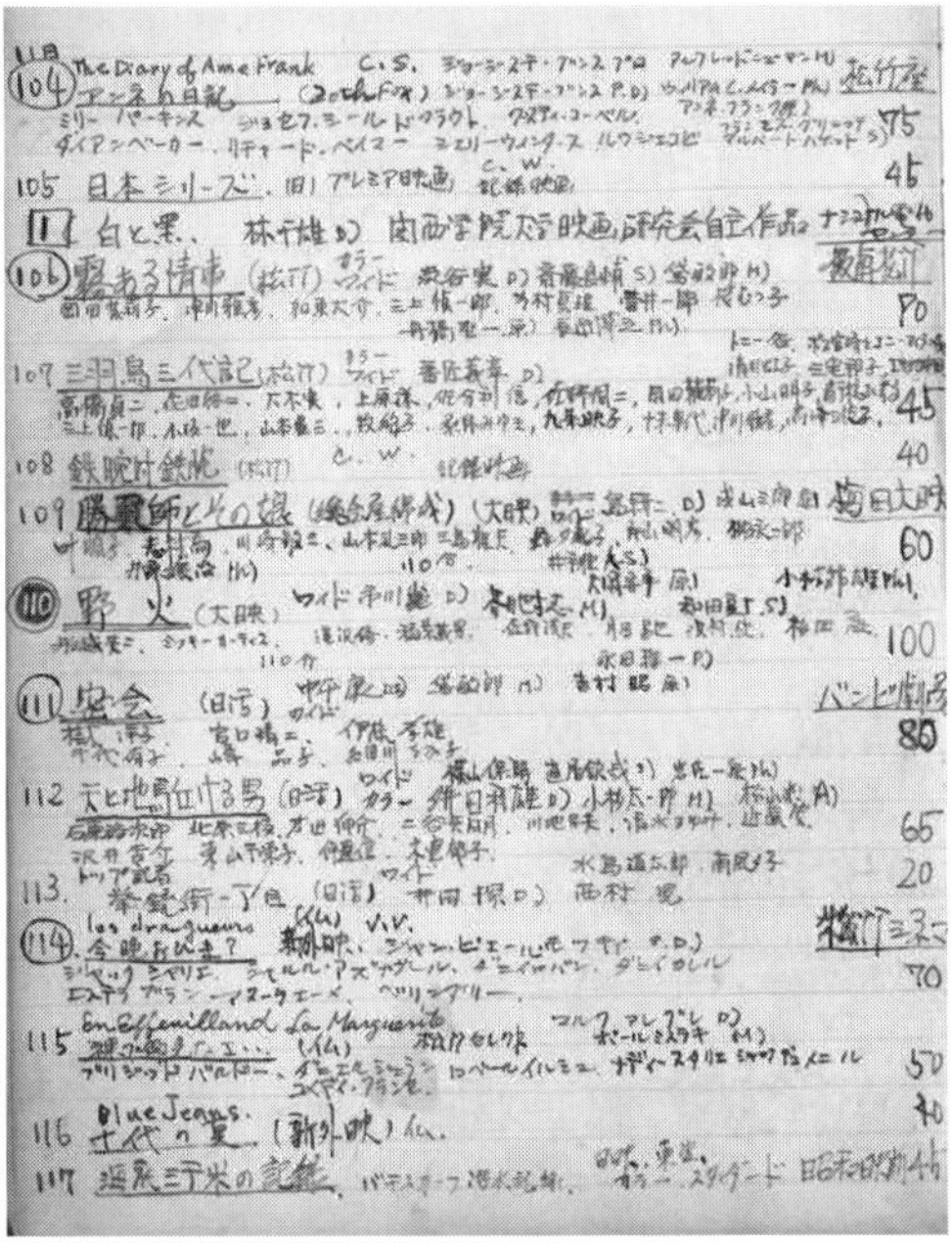

★山野浩一の映画ノート『Note du Cinema』Vol.1。『白と黒』の記述がある。

　舞台は雪山。「ぼくは、何かを求めて山に来る。山になんて登って、いったいどうするのかと尋ねられることがある。そんなとき、ぼくはこう答えることにしている。『山に登ることは、自己の魂に、試練の誓いを与えることなのだ』と」というナレーションがあり、次いで、二人の学生が冬山登山をしているショットが映し出される。しかし、片方の学生である桂泰雄(＝「ぼく」)が誤って足を滑らせ、骨折してしまう。

　クレジットは監督：林千雄、製作：今倉健・林千雄、脚本：木寺清美、撮影：四方邦夫、録音：酒田悦郎、照明：道家弘・土屋敏郎、編集：青木潤一、出演は桂泰雄役が奥本洋一、父親役が村上利明、母親役が宮崎洋子、恋人の美子役が池村周子……というのが主な面々で、協力者名を含めても、山野の名は見当たらない。

　それもそのはず。山野はこの年、関西学院大学法学部に補欠入学したばかりの一年生だった。自筆年譜によれば、山野は入学後、すぐに映画研究会に入ったとのことだが、まだまだ下っ端だったのだろう。「たちまちヘゲモニーを奪取し、3年生が制作する自主作品を2年生で脚本、監督する」のを待たねばならなかった、というわけだ。

なおスタッフのうち、脚本の木寺清美は少なくとも一九六四年から七九年頃まで、「映画芸術」や「映画評論」、「キネマ旬報」といった各誌に映画評論を寄せているのが確認できる。「ほんとうに十万人で創造したか——「ドレイエ場」が流す害毒」（「映画評論」二六巻一号、一九六九年一月）、「今井正のエロチシズム反応を叩く」（同二六巻一〇号、一九六九年一〇月）と、タイトルだけでも尖り具合が伝わるだろう。

スタッフロールが終わると、続いて「この映画は一人称主観描写による映画です」とのテロップが表示される。つまり、小説で言う一人称小説を、映画において表現したという謂いなわけだ。その語り手の桂は冬山で足を折り、その場から動けなくなった。友人が救助を求めて下山したが、助けが来るまでには八時間半は待たねばならない。その間、凍死することなく、生き続けねばならない……というのが大筋である。

桂は恋人にも恵まれ、また両親の理解を得て大学に通っており、就職も内定しているという恵まれた状況にある。しかしながら、何かが足りないと思っており、「魂の試練」のために雪山へ出かけた。滑落して動けないながらも、ピッケルを使って居場所を確保し、食料や飲み物で体力を回復しながら、ただ待ち続けているわけだが、その間、過去の記憶が蘇ってくる。

雪山にいる「現在」の描写は桂の一人称視点、回想シーンは三人称視点、かつ白黒反転したネガを用いた不気味な映像となっており、その対比的な演出が斬新である。語り手は、この生存の危機を、魂を練り上げるための絶好のチャンスと任じており、親や恋人の反対を押し切って、「魂を練り上げるために」そして「主体性を確立するために」山へ行ったことが明かされる。こうした背景には、同時代の実存主義な背景が根ざしているのは明らかだが、それに加え、後に山野が書く「ザ・クライム」（「SFマガジン」一九七五年一月号）を予告しているような部分もある。

> ここは自分が群衆と離れて自然と対面し得る場であり、少なくともここに最低限の物としての存在感は得ることができる。岩や這松や雲という単純化された自然に私という存在を割り込ませて実感することが容易なのである。おそらく『そこに山があるからだ』という表現もこうした存在論的実感が生み出したものに相違ない。それは論というほど確実な理性によって築かれたものではなく、むしろ理性よりプリミティヴに私自身に入り込んでいたものの実感であり、だからこそ山へこなければ得ることのできないものなのだ。
> （「ザ・クライム」、『ザ・クライム』、冬樹社、一九七八より）

『白と黒』では中盤から終わりにかけて、回想のなかの家の柱にかけられている仮面が、もう一つの自己として、不吉な予見を語りかけてくる。「お前はまだ助かると思っている、おめでたい話だ」、「お前なんか死んでしまえばそれでいいんだ」、「どうだ、思い知ったか、観念して素直に、あの世へ行くんだな」など、絶望と死を予言し、植え付ける存在として仮面は表象される。映画のラスト、母親や恋人、仮面とショットが切り替わり、死んだ魚、死んだ犬、割れた湯呑が映し出され、語り手の死がはっきりと提示される。そして桂と恋人の美子は両親に手を振り、「彼は、生への執着とともに死んだ。だが、最後まで生きんとした彼の行為こそ、真の人間の生き方なのだ。彼は魂の平安を得た」とのナレーションで終わる。

他方で「ザ・クライム」のラストにおいては、語り手の「私」と、山で雪渓に転落した——あたかも『白と黒』の桂を思わせる——男が、ブロッケン現象（山上で太陽を背にした時、虹の輪をともなった自分の影が霧をスクリーンにして映る現象）を介し、山という壮大な自然が作り上げた「内宇宙」へ、ともに同化していった模様が描かれる。「ザ・クライム」というタイトルは「Climb（登攀）」と「Crime（罪）」を引っかけているわけが、ここでもまた実存と原罪のテーマが問い直されているのだ。ちなみに、「登山家には評判のよくない作品で、登山家たちはこういうわけのわからない世界に足を踏み入れず、三点確保でまぎれのないルートをたどるものだから」というのは山野の弁である（『殺人者の空　山野浩一傑作選Ⅱ』著者あとがき、創元SF文庫、二〇一一）。

弦巻稲荷日記

井村君江先生と出会って——本や映画の企画など、妖精の輪の中でおもったこと

いわためぐみ

1917年初夏7月、二人の少女が4人の妖精を、9月には地霊を写真乾板にとらえました。

1920年8月に神智学協会のエドワード・ガードナーが娘たちを訪れた再度の撮影でも妖精たちは姿を写されましたが、1921年8月の再訪問では妖精達はもう現れず、妖精写真の事件は一旦閉幕しました。

この最後の撮影から100年目の2021年——もういちど妖精たちとその写真に向き合う夏が訪れる!!

——弊社、夏のコティングリー祭り（仮称）コピーより

この企画を始めたきっかけは、どこまでさかのぼったらいいのかわからない。…そうそう、本当の本当の根っこのところの出会いから話そう。

2019年春、ナイトランド・クォータリー誌（NLQ）「ケルト幻想」特集に、妖精さんこと井村君江先生のインタビューを収録することになった。NLQ編集長の交代による改編リニューアル第一号。改編は前編集長の個人的な理由による降板だったが、現編集長である岡和田晃は、快く引き受けてくれた。しかし、ひとつの条件をつけられた。私がきちんと表に出ること。牧原編集長時代から、本来なら編集長がやるべきことを私が一部行っていた。それは、企画そのものを数字という部分から見直したり、えいやーと決断する部分である。牧原前編集長にしてみれば、決定権をもたされなかったとおもっていたかもしれないが、正直なところ、「責任もてるのかい?」というところだった。とてもこれは重要なことで、それで数字がだせなかったとき「責任は誰がとるの?」ということ。なにか問題がおきたとき誰が責任をとるの?ということ。まあ、そんなことを考えると、心根のやさしい牧原前編集長には重荷とおもったし、いろいろな局面で、「どうしたら?」と問われて、私が決断する場面もあった。

というわけで、岡和田現NLQ編集長とは、最初から、私が「プロジェクトマネージャー」として、きちんとクレジットし「いいか、この企画のケツは私がもつ」ということを明確にしようということだった。

その体制でものを作り始めたのは、NLQ16号「化外の科学、悪魔の発明」だったが、これは牧原前編集長が原稿発注までは済ませていて、引き継ぎなしにその次の号からつくらねばならなかったため、スケジュールらしいスケジュール管理も手順もなく、本当に鉄火場という感じの進行だったことを覚えている。さて、リニューアル第一号の「ケルト幻想～昏い森への誘い～」。企画の調整から本当に鉄火場だった。休刊はしたくない。年4回の発行を遵守したい。

岡和田編集長が、私とツートップ体制と言ってくれたので、より企画にも私の意見を取り入れてもらうことになったそのときから、編集長交代のあとは、批評とインタビューには力を入れていきたいと思っていた。

そもそもナイトランドからナイトランド・クォータリーへの改編には、翻訳者が編集長なのだから、翻訳に力を入れたいと思った。ナイトランド時代のノンフィクション原稿連載を残さないという方針を私が打ち出し、井上雅彦さんの「異形コレクション」のように、作品中心で、その解題と周辺情報を足す形の批評や読み物は控えめに作っていく方針だった。そのため、誌面に登場していただきたいけど執筆スケジュールまでは調整できない諸氏をおまねきする手法としてインタビューを始めた…きっかけは菊地秀行氏であったと記憶している。

そのようなインタビューだったため、牧原前編集長の取るインタビューは、

インタビュアーが聞き出すというよりも、対象が語る部分の強いインタビューであったとおもう。そりゃそうだ。牧原前編集長は翻訳者であって、ご自分が表現者であって、編集者としての仕事を、辞めたいとおもうほど（まあ、結局は、戻られて仕事をされている様子だが）翻訳に専念したかったのだから、インタビューに対して積極的なイメージはなかった。

かたや岡和田編集長は、私の意図を組むだけでなく、ご自分の批評活動のひとつとして積極的に、インタビューに取り組んでくれることになった。この本当に一番最初が、井村君江先生であったのだ。

このインタビュー収録の校正中に、心不全の発作で入院することになり、搬送される救急車の中でも「校正が、校正が」と心配されていたそうだ。返送されてきた校正は真っ赤。それは、岡和田くんが聞き取れなかったというよりも、「私はまだ、こんなに言いたいことがある」という意思にあふれていた。

私はこの赤字を、ちゃんと井村先生の納得の行くものにしたい…と思った。そう。許可をいただき病院の病室を訪ねて、先生と読みあわせしながら、校正をしあげた。

あのスリリングな病室での時間は、私にとって、本気でもう一度インタビューという行為をきちんと形にしようというきっかけになった。時間がないからと、ＴＨ叢書でのインタビューは何年も前にあきらめてしまったが、ナイトランドクォータリーのインタビューは、きちんと仕上げていきたい。そんな、決意をするに、十分な経験だった。

その後、井村先生とは、月に一度のペースで、お茶を飲んだりしながら過ごすことになった。このインタビュー記事の抜き刷りが欲しいという申し出があったからだ。残念ながら何万部も印刷する週刊誌や月刊誌と異なり、抜き刷り…するほど、印刷していない。２００部ほどご入用というので、それなら、インタビュー部分を小冊子化しましょうと。すると、その小冊子に、まだ未整理の仕事リストをデータ化して掲載したいと、要望が増えた。データを加えた小冊子は、先生の米寿お祝いに配布したいということに。

というわけで、２０２０年3月1日、井村先生のお誕生日を目標に作業を始めた。約束を忘れていると、先生から電話がかかってくる。２０１９年。今思うとけっこう出張も多かったし、コロナ騒動の前だったので、演奏活動もけっこうあったが、月一ぐらいは通っていた。

その間に、「この本作らない？」と言われては「よそがやってくれることになった」と、まあ、そんな会話も多く、いろいろなものの実現は、よそがやらなかったら、私がやるよ…というゆるいスタンスで考えていた。

そんな２０２０年末に、降ってわいたのが、井村先生の生涯を原作にした映画を制作したいという話だった。「ケルト神話」のインタビューを気にいっており、私のことを理解してくれてる人に、プロット、脚本制作をお願いしたい。ついてはプロデューサーと会ってくれ。

企画書を見て、こいつはダメだと思った。この人が作れるものが透けてみえた。インターネットには、過去このプロデューサーが関わった映画の資料があった。「ダメじゃん」。このプロデューサーには降板していただこう。

私は、これを成立させてはダメだと思った。でも井村先生の想いを聞くに、ふとおもい出したことがあったのだ。

それは、「嵐電」「信虎」のプロデューサーである西田宣善氏からの宿題だった。「幻想映画を作ろうとおもう。良い原作はありませんかね？」というものだった。連絡をしてみると、感触が良い。二人で話すうちにどんどん映画のイメージが拡がっていく。単なるドキュメンタリーではなく、虚実ないまぜの幻想映画。たとえば「トールキン」や「メアリーのすべて」のように、実在の作家を描きながら、その作品世界を垣間見せる映像美をそこに映し出すような映画。企画をつくり直し新たな体制をつくる。それを、アトリエサードとは、何冊もその幻想的世界を共有している二階健監督で。

二階健監督は、「井村先生が、何かを考えるとき、頭の中で歯車がまわるんですよ」とか「井村先生の生活を知らない間に妖精が支えている」というイメージを膨らませ、三者の会話は、とてつもなく広がっていった。

井村先生にイメージを提示した。先生も、そのイメージにさらなる広がりをどんどん与えてくれる。この作業のなんと幸せなことだったろう。この作業は今も続いていて、私には新しい挑戦でもあり、その先をまだまだ学びながら続けていく体験でもある。年末年始、ショートステイの施設に入られた井村先生から、毎日のように電話もかかってきて映画の話、原稿の話をする日々。

　コロナでライブ的な展示の企画や、音楽演奏の企画、講演がどんどん閉じてしまう中で、映画は、映画館こそ打撃をうけていたが、この時期の配信ビジネスの発展はおどろくものがある。そう、紙の媒体、ライブにこだわってきた私が、映像という表現に、本気で取り組もう…それが、この映画話になったのだ。

　さて、2021年1月。私はこの映画のプロット作成のために、宇都宮を訪れた。そこで事件がおきたのだ。事件の詳細は、個人情報にも関わることなのでここでは割愛する。

　ただ、それをきっかけに、私は、井村先生との仕事を、より密接に行うことになった。

　いま、私は宇都宮にいて、井村先生を全面的にサポートしながら、THも作り、NLQもつくり…単行本もつくっている。テレワークという働き方は、私が宇都宮にいても、仕事ができる環境が構築できるということでもあった。かつて前橋と東京をいったりきたりしていたときと、まあ、あまり変わらない。

　ひとつ異なるのは、私がこの原稿を書いている時点で165日間ずっとここにいるということだ。

　米寿のお祝いはコロナで延期したが、ZOOMを利用して企画もやった。

　そんな井村先生のサポートの一環として、2016年ごろから、アシスタントの手がまわらないことで、出版が中座していた企画を現実のものにするために奔走している。

　そこで冒頭の、文章になる。

　コティングリー妖精事件に関わり、奔走する中で、1999年脳梗塞による闘病生活を余儀なくされたと、『妖精の輪の中で』（筑摩書房、2000年）で顧みている言葉を引用しよう。

　何故妖精にやられたのかと考えて思いあたるのは、最近「コティングリー妖精事件」の本を2冊訳し「アーサー・コナン・ドイル著『妖精の出現』あんず堂、一九九八年、ジョー・クーパー著『コティングリー妖精事件』朝日新聞社、一九九九年」と続けて出したのが近因なのかもしれません。この事件は一九一七年に実際に起こったわけですが、これは妖精体験に属するもので、妖精を見たか見ないか、妖精を信じるか信じないか、とつきつめていくと、最後には心霊術やオカルトのほうへ行く問題をはらんでいるのです。私がやろうとしている妖精学とちょうど境目の分野にあるわけで、この事件の解明は一歩まちがえば妖精自身が雲散霧消してしまう危険をはらんでいるようです。この妖精学という学問分野と妖精体験を上手く処理できないと。私は妖精にもっとやられるという危険を感じています。

　そんな危険な妖精さんと、今私は暮らしている。

　この『妖精の輪の中で』以降のコティングリー妖精事件と井村先生の関わりに関する顛末は、『妖精が現れる！〜コティングリー事件から現代の妖精物語へ（ナイトランド・クォータリー増刊）』の矢田部健史氏の寄稿に詳細にわたり記述されているので、ぜひ目を通していただきたい。

　先生とご飯をたべ、寝起きして、原稿を書き、とてつもない速度で、まだまだ執筆を続ける妖精さんと、原稿を形にして、前に進める。

　講演活動、インタビュー取材への対応補助もやっている。

　イトオテルミー親友会のPR誌「ザ・テルミー」のインタビュー取材の校正お手伝いを通じて、まだまだ、私はインタビューがやりたいんだ。明確にインタビューという仕事にとても想いが強いのだということを再確認した。

　さて、そんなサポートの日々の中で、2021年6月、青弓社から発行された『コティングリー妖精事件〜イギリス妖精写真の新事実』は、多くの人の想いの詰まった本でもある。お手伝いして形にできたことを心から喜んでいるとともに、私はこの本を援護射撃し補完するように、コナン・ドイル『妖精の到来』と『妖精が現れる！〜コティングリー事件から現代の妖精物語へ』の2冊の本を作った。

『妖精の到来』は、入手困難になっていた『妖精の出現』(あんず堂)を、あらたに編集して、大幅な改定復刻編集を行ったもの。それは、青弓社の本の中で、多くの論文が、このコナン・ドイルの文書に言及しているのに、日本語でこの資料にあたることができないことを、私はよしと想えなかったからだ。

そして、この本の制作過程をながめているうちに、私自身が、この世にまだまだコティングリー妖精事件とその周辺に、さまざまな問題提議と、世に出すべき資料があると、そう思って『妖精が現れる!〜コティングリー事件から現代の妖精物語へ』を作ることにした。こちらも編集を終えた今、それでも積み残した仕事を想い、まだまだやることは未来に続くと、思っている。

2021年夏、いわためぐみが勝手にやってる「夏のコティングリー祭り」。それは、私の妖精との関わりの始まりのセレモニー。

妖精の街うつのみやから、妖精さんこと井村君江先生と共に、いますこし、この妖精の輪の中で翻弄されながら、本をつくり、展示を企画し…そして、映画を作っていきたいと想うのであります。

八ヶ岳とニューヨーク、ともに活躍する母娘の２人展

井村君江のコレクションを始め、妖精関連の絵画、絵本などを展示する妖精美術館。11月９日まで、井村と同窓の秋好正子と、その娘でニューヨークで活躍する好恩との２人展を開催中。ちょっとアヴァンギャルドな世界だ。ニューヨークの女性監督 Cathryne Czubekが秋好恩を撮影したドキュメンタリー映画「ON Blooming Art」のモニター上映もあり。

★秋好正子+秋好恩「母娘2人展」

2021年6月1日(火)～11月9日(火) 水曜休(祝日の場合は翌日休) 9:00～17:00

入館料／大人(高校生以上)300円、小中学生200円

場所／福島県金山町 妖精美術館
福島県大沼郡金山町大字大栗山字狐穴2765 Tel.0241-55-3180
HPは「妖精美術館 金山町公式」で検索

「イラストレビュー」◎絵と文＝三五千波
サーリアホ「Only the Sound Remains ー余韻ー」
指揮・クレマン・マオ・タカス（英語上演）
演出・アレクシ・バリエール
振付・ダンス・森山開次　東京文化会館（6月6日）
一幕は Always Strong「経正」
二幕は Feather Mantle「羽衣」
フェノロサとパウンドによる
英訳の能を元にしている
羽衣と経正
双子の音楽　木下正道作品個展
出演・低音デュオ（松平敬・橋本晋哉）
うた×箏（薬師寺典子・吉原佐知子）
土橋＋山田ギターデュオ（山田岳・土橋庸人）
近江楽堂（6月23日）
「双子素数　llb」より
百人一首の
双子素数番の歌に作曲
43番
「逢い見ての
のちの心にくらぶれば
昔はものを思はざりけり」
権中納言敦忠
「うた×箏」は現代声楽と箏歌のデュオ
声が重なることで異次元の美が
百人一首の素数作品群から立ち上がる
ギターデュオは去年ラッヘンマンの
練習動画で知った
低音デュオは近江楽堂での
チューバの圧がすごい
カーテンコール後
一階客席で聴いていた
作曲者への降るような
拍手が止まなかった
弦楽四重奏にフルートと
フィンランドの民族楽器
カンテレと打楽器
ワキにはバスバリトン
この世の存在
シテはカウンターテナー
この世のものではない
あの世　幽界の声
低音デュオ　第13回演奏会
（5月19日　杉並公会堂）
夏田昌和「歌われない言葉」の
「施政方針演説」
詞はそもそも
公開されて
いるし
著作権は
ないの
だそう
「腐食のベルカント」
伊左治直の耽美な歌曲は
イラストと字幕をつけて
ボカロPな動画上げたら
若者に受けそうな気がする
羊腸小径
心の中で
ブラーヴォ！
5月22日のコンポージアム
「パスカル・デュサパンの音楽」は
作曲者の来日は叶わず
チェロ、弦楽四重奏
オーケストラをソロ楽器に見立てた
格闘技めいた協奏曲が三曲
両方の四重奏で
ファースト
ヴァイオリンを
勤めた
成田達輝が
印象的
40弦カンテレ
低音デュオの締めは
野村誠
「どすこい！シュトックハウゼン」
ホイ！
相撲のじかん
極端です
長い時間かけて
準備しても～
勝負は一瞬
中止は一瞬
待ったな～し！

二期会 Days
フセイノフ「光太夫」（演奏会形式）
脚本・青木英子　プロデューサー・岸本力
構成・太田麻衣子　指揮・長田雅人
サントリーホール・ブルーローズ（5月28日）
去年からの延期公演である
初演は1993年オーチャードホール（バブルだ…）
「風雲児たち」の光太夫
大山大輔演じるナレーターが光太夫のロシアでの冒険を回想 海などの映像が時々映され このスクリーンに字幕も投影される
曲は平易でミュージカル調 日本語訳詞で歌ってほしい分かりやすさだ
加耒徹の光太夫はタキシードなのに高潔さと光太夫感がみなぎる
同じく悲劇の帰国者 三善晃「遠い帆」での支倉常長を思い出すわ～
ソフィアはラックスマンの娘設定で登場
帰国の赦しの出た日に遊女との一夜など女性と歌うシーンのための盛った脚色もオペラらしい様式感
ペテルブルクの夢のごとき一夜
コーラスも女声陣も安定の歌唱 しかしラックスマンだけはちょっと… なんぼ長老でも作品が第一であろう
エカテリーナ女帝との謁見では愛用の三味線で熱く思いを伝える
三味線奏者は長唄東音会の中田誠
「北槎聞略」が原作の台本のため晩年の光太夫はロシアの話もできず軟禁状態で無念に終わったが…
実際は蘭学者とも交流 故郷を見ることも許されたそうな
ロシア服の磯吉
日本オペラ協会「魅惑の美女はデスゴッデス！」
藤原歌劇団「ジャンニ・スキッキ」
指揮・松下京介　演出・岩田達宗
テアトロ・ジーリオ・ショウワ・オーケストラ
テアトロ・ジーリオ・ショウワ（4月25日）
初演は1971年（三遊亭圓朝落語『死神』をもとにしたNHKテレビ・オペラ「死神」）1978年に舞台版 2010年上演より改題 作曲は池辺晋一郎 台本は今村昌平
突然現れた美人の死神にそそのかされて
偽医者になりすまし蘇生術を行う葬儀屋の早川
ふしぎだなー
おっかしなことーもあるもんだ～
こんな下世話で笑えるオペラが放送向きに作られていた70年代 …インポ・ヤクザ・キャバレー・愛人契約…
無調の響きが付いてるのにこんなにポップに聞こえるメロディは初めてだ
休憩後のジャンニ・スキッキも棺桶などを使い回してテンポの良い好演
ラウレッタとリヌッチョ役がパワフルだった
早川葬儀店
特売
棺桶
大 5万
中 3

宇宙論☆講座の変形合体ミュージカル「LOVEマシーン2021」
作曲・演出・台本・五十部裕明と宇宙論☆講座
花まる学習会王子小劇場（6月16日観劇）
池袋のビル地下での「ラーメン」「かなまら祭り」で本格的なミュージカルナンバーに驚愕
初の劇場公演とあって演奏に期待が高まったが
サックス歴3ケ月
ひな段に座ってるバンドメンバーのほとんどが楽器初心者……！
モニターでせっぷん映像
コロナ禍でよりタブーとなったキスとハグをしない文化日本人の接吻
ダメ！
このキスするたびに「ピンポーン」いうカウンターこそが「ラブマシーン」らしいのである（間接キッス可）
最後のキッスは「ド」の音で
フルート歴1ケ月弱
特にヴァイオリンの微分音程？が聴いたことも無い独特のサウンドをリードしていた
ヴァイオリン歴4ケ月
♪あす土曜日と〜あさっての〜受付スタッフがぁ〜足りな〜い
あるみほいる
ツイッターでは公演中にカジュアルに動画でメンバー募集
オルガン歴30年 座長
断片ストーリーとマルチな配役でより難解さが増していた
流しそうめんと蛍光塗料ボディとスモークと反町隆史のポイズンと…
ワンピースかぶき
のびるくん
A Charm of Lullabies
今年の東京・春・音楽祭は緊急事態宣言前ですべりこみ
行けたのは「ベンジャミン・ブリテンの世界 特別編」「マラソンコンサート メルヒェンの時代へ…フンパーディンク没後百年」
歌曲集「七匹の子ヤギ」などの知られざるメルヒェン曲の数々
meck meck
配信で熱かったのがムーティによる「イタリア・オペラ・アカデミーin東京」
半日しか見られなかったのが残念
新国立劇場「夜鳴きうぐいす&イオランタ」
指揮・高関健
東京フィルハーモニー交響楽団
演出・美術・衣装・ヤニス・コッコス
（4月8日観劇）
「夜鳴きうぐいす」N響デュトワの演奏会形式でしか見たこと無かったので華やかな舞台装置に酔う
メカうぐいす
三宅理恵のうぐいす素晴らしき
「イオランタ」は2019年の研修所公演の演出と美術を踏襲・拡大あれは伝説の名演だった
今回は満を持しての大劇場なのに主要な役で残念な人がいた事情は察せられるけどカバーに譲って舞台の質を優先して欲しかった
山のうぐいす

二期会ニューウェーブ・オペラ
ヘンデル「セルセ」 演出・中村蓉
指揮・鈴木秀美　ニューウェーブ・バロック・
オーケストラ・トウキョウ
めぐろパーシモンホール（5月23日観劇）
Ombra mai fù
この緑色の舞踏アンサンブルは
王の涼む緑陰　樹木を表しているのです
序曲から歌い手も
ダンサーに混じって
バッチリ踊るスタイルだ！
（チェーザレの時は
やや歌唱崩壊してたけど）
このセルセ役は全力で
バカ王様にならないと
決まらないやつだ…
ブルマはいてるし…
ロミルダ
アリアの後半を
省略する
簡略上演だと
思ったら
元々セルセは
ダカーポアリアが
少ないのだった
澤原行正の
セルセ役が
いまひとつ
弾けてなかった
のが残念…
試演会で
ヴェルテル
田丸演出で
アルフレードを
見たが
申し分ない二枚目
テノールなのだ
去年の春は外国語字幕にめげずに
海外オペラハウスの配信を見ていたが
今年は生業も多忙ゆえ追いつかない
そんな中でミヨーの「哀れな水夫」を
元にフィデリオや冬の旅などの楽曲を
引用したヴュルツブルク歌劇場製作の
菅尾友のオペラ映画が興味深い
これも一種の古典劇の翻案であろう
今季行ったオペラシティの
B→Cはホルンの濵地宗
ホリガーの峻厳たる難曲「怒り－夢」の次に
ベッケルJr.の「ガラス玉演戯」
演奏前に満面の笑み
新しいロマンチックな
レパートリーは
プレイヤーも
楽しそうだ
オンライン・リーディング
ボン・パーク「ハート泥棒」
（原作・シラー「群盗」）
翻訳・上演台本・演出・原サチコ
（ゲーテ・インスティトゥートより
6月〜7月配信）
ハンブルク・ドイツ劇場の昨年秋初演予定だった
作品を今年9月の上演前に日本でZoom配信
稽古場での対話から
「オーシャンズ11」や
ネフリ映像などを
自由に翻案
女性三人で男女三人を演じたり
俳優のジェンダーや人数も自在に
入れ替わる
嬉しや！神からの閃光
スパーク！
日本での出演者は260人からオーディション
配信と平行して三回にわたる座談会・対談もあり
多くの演劇人を巻き込んでの
演劇制作を考える試行の場であった…ようだ
「インターネットは演劇の敵」ボン
「俳優ができないと言っても否定しない
集団創作は妥協ではない　できないを肯定的に
とらえて次に進む」山本卓卓
第九合唱や
ウィリアム・テル序曲
オリジナル歌謡は
すべてハンブルクと別の
サントラなんだって
つづく…わけないっ！
終
なんでやねーん
マジックガール
大阪在住

TH特選品レビュー

(イ)イガラシ文章
(市)市川純
(岡)岡和田晃
(高)高浩美
(沙)沙月樹京
(関)関根一華
(田)田島淳
(馬)馬場紀衣
(日)日原雄一
(並)並木誠
(放)放克犬
(三)三浦沙良
(M)本橋牛乳
(八)八本正幸
(吉)吉田悠樹彦

J・G・バラード

旱魃世界

山田和子訳、東京創元社

★本書を読みながら、ずっと東京オリンピックのことを考えていた。

　オリンピックそのものに反対だし、まして東京オリンピックなんかコロナとは関係なく、開催すべきではないと思っている。スポーツの国際大会を否定するつもりはないけれど、誰かの努力に乗っかって勝手に感動しているのは気持ちが悪い。金メダルをとった選手がたくさんいる国よりも、誰もがやりたいスポーツを自由にできる国の方が豊かだと思う。スポーツ観戦はきらいじゃないけど、国を背負って競技しないでほしいとも思う。栄誉は個人のものだ。

　とはいえ、コロナの感染拡大が懸念されるという理由でオリンピックを中止すべきだということには、違和感がある。コロナがなくても中止されるべきなのに、何か言い訳をしているみたいで気持ちが悪い。

　でもその一方で、コロナの影響があるにもかかわらず、IOCとJOC、日本政府と東京都庁はオリンピック開催に向けて止まらない。そこには、狂気すら感じる。たとえ感染が拡大し、世界中で大きな被害が起きたとしても、IOCやスポンサー企業や電通やパソナを守るために、やめるわけにはいかない、ということだろうか。たかがそんなことのために、多くの人の生命を危機にさらす。破滅に向かわざるを得ない、そんな狂気だ。

　バラードの破滅三部作は、これまで『結晶世界』しか読んだことがなくて、なんかうまくその世界に入っていけなかった。それ以降のバラードの長編はだいたい入っていくことができたのに。おかげで、この時期のバラードの長編には手を出していない。でも、その理由として、バラードの作品をどう見ているか、先立つものがあるのだろう。『結晶世界』を破滅する世界でどうにか生きようとする、そんなストーリーの小説だと思って読み始めて、うまく入り込めなかったのではないかと考えている。そうではなく、破滅する世界にいる人がどのような光景を見ているのか、ということが描かれている小説なのだろう。それは、破たんするオリンピック大会を強引に開催しようという人たちの内面にも似ているのかもしれない。当事者たちには、それが見えていないし、どんな形にせよオリンピックを開催することが、望ましい世界なのだから。

　『旱魃世界』は、ある意味で奇妙な翻訳だ。訳者の山田和子があとがきで述べているのは、その後のバラードの作品をすべて読んだ上で、この本を訳しているということ。それは最初から、この本が破滅する世界で主人公がどう生き延びようとするのかというストーリーを扱った小説ではなく、破滅する世界にいる主人公が見ている光景を描いた小説だと、そのことが明確に意識されて翻訳されているということだ。ぼくもバラードの作品はだいたい読んでいるので、そういった前提で、『旱魃世界』のランドスケープを読むことができる。それは多分、『強風世界』と『沈んだ世界』しか読んでない人が訳すこと、読むこととは違うのだろう。だから新しく訳されたのは、『スーパーカンヌ』や『コカインナイト』につながる『旱魃世界』である。

　ごく普通のストーリーであれば、主人公たちは破滅する世界と戦うのだろう。しかしバラードの小説ではそうはならない。破滅する世界はユートピアでもあるのだから。コロナの中で開催するオリンピックもまたユートピアなのだろう。世界中のお金持ちが関係者だということでスポーツを観戦しながらお酒を飲むイベント、そんなことそのものが狂気の世界なのではないか。そこにいる人たちにとっては、オリンピックを開催しないことそのものが理解できないはずだ。もちろん、多くの人たちがそんな破滅の世界に巻き込まれるべきではないのだが。(M)

東海林さだお
マスクは踊る
文藝春秋、21年1月

★東海林さだおのエッセイなら、面白いにきまっている。だから、さいきんはちょっと離れていたところはあるのだけれど。今回の新刊は、「マスクは踊る」。

面白いに決まっている本の、タイトルもめちゃめちゃ気になって買ってしまった。読んでみたら果たしておもしろかった。

とくに巻末ちかくの「マスクと人間」、「コロナ下『月刊住職』を読む」はすごかった。「マスクと人間」では、「コロナ時代の誠実は目だけであらわさなければならない」、「同意の心は目だけで示さなければならない」。「怒りも目だけ」、「尊敬も目だけ」、「ということはいかなる心情も目だけで訴えればよい、ということになる」ってすごいショージ論法がはじまる。「会社で上役に叱られている場合、目には恭順の意を精一杯込めているが、マスクの陰で『このバーカ』と笑っていてもいいということになる」、「『死ね』なんてことを思ってもいっこうに差しつかえない」。

いや差しつかえあるだろうとおもうが。さすがショージ先生である。めちゃめちゃ面白い。

「コロナ下『月刊住職』を読む」では、「とりあえず手を洗うことである」とし、「今では外から帰ってきたらまず手を洗うという習慣が楽しく思われるようになってきた」という。

「ぼくらは戦時下で育った」、空襲があり防空壕生活も経験し、「そういう戦時下を経験している者にとってはコロナ下などはものの数ではない。何のこれしき。手を洗うなど、何のこれしき」という。できればうがいもしてほしいなと思いながら、東海林さだお先生、長生きしてほしいなと思った。だれがいつ死ぬかわからない世の中だもの。

長谷川式認知症検査で著名な、長谷川和夫先生との対談も収録されている。HDS－R、しょっちゅう診療のなかでつかわせていただいている。自身も認知症となったことを公表されている長谷川先生は、認知症は「王侯貴族の気分」、「認知症になるということは、神様からの『大丈夫だよ、死ぬのはなんともないよ。だから安心して生きなさい』というメッセージなんです」ということだそうだ。

私もさいきんものわすれが多い。私が勤めていた病院でも、大規模クラスターがでていたが、私も、あなたも、いつ死ぬかわからないこの世の中だが、大丈夫。うがい、手洗い、マスクで「何のこれしき」だ。安心して生きて死にたい。（日）

橋本一監督
『HOKUSAI』

★とにかく田中泯の存在感が凄い！自画像に描かれた画狂老人が、そのまま抜け出して来たようだ。

青年期を演じた柳楽優弥も好演だったけど、やっぱ田中泯が圧倒的だった。

高齢に達して偉大な業績を上げた江戸時代の人物としては、伊能忠敬と双璧をなす人物だろう。その画業に対する尋常ではない情熱は、舞踏で鍛えられた肉体だからこそ体現出来たものと思われる。

特に、風や波と対峙した姿勢に凄味を感じた。

そうした北斎の画業一筋の生き方を描く一方で、本作は、浮世絵や戯作などの自由で豊穣な江戸文化が、常に幕府からの制限や弾圧にさらされていた側面をしっかりと描いて行く。美人画で有名な歌麿（玉木宏）や、版元の蔦屋重三郎（阿部寛）も、そうした弾圧と戦い、あるいは上手く身をかわしながら、世界にも類を見ないほどの町民文化を築き上げたのである。それだけに、武士でありながら戯作者として活躍した柳亭種彦（永山瑛太）の末路が無惨であり、怒りをかき立てる。北斎もまた、そうした弾圧から逃れるために小布施へと向かい、終生の大作に挑むのである。

老境の北斎が旅をする姿を観ながら、ああ、このスタッフで松尾芭蕉の映画が観てみたいなと思った。

北斎の娘で、自身も絵師として名を残すお栄を演じた女優さんは、ちょっと観たことがない人だなと思ったら、企画・脚本を担当した河原れんという人だということを、プログラムを読んで知った。ああ、それならこの人の主演で『北斎の娘』

もアリだなと思った次第である。

本作は、本来なら昨年公開されるはずだったが、コロナ禍で公開が遅れて、今年、やっと観ることが出来た。待っていた甲斐があったというものだ。(八)

ビレッジマンズストア
2021 春ワンマンツアー"HAPPY"
下北沢シャングリラ、21年4月18日

★ロックミュージックほど、この1年余りの間にその意義を変えた文化はないように思う。大きな力への反撃／攻撃を意図としていたはずのそれは、気がつけば大きな力に居場所を奪われないための、強靭な盾としての役割を持つようになった。
今年4月に行われた、名古屋を拠点として活動する5人組ロックバンド・ビレッジマンズストアのライブは、そんなロックミュージックの意義の変容を改めて感じるに充分な内容だった。昨年はご多分に漏れずオンラインライブでの活動を主としてきた彼等にとって、この時の公演は全国ツアー再開後初の前楽。真っ赤なスーツ姿で今どき珍しいほどド王道の日本語ロックを情熱的に奏でるのが彼等のライブの何よりの売りで、ボーカルの水野ギイは前列の客を足台にし、フロアに身を乗り出してお客に語りかけるように歌うのが常だったわけだが、現在は当然、お客の歓声すらタブーだ。しかしそれまで通りの完璧な演奏と感情も顕なパフォーマンスを、舞台から1ミリもはみ出さずに披露する彼等の姿を観ている限り、そんな制限などは些事に過ぎないと思えた。

公演中、水野は「〝ロックバンドがいつだってライブハウスでライブをやっている〟という日常を作る事が俺達の役目だ」と語った。ともすれば諸悪の温床とされてしまいかねない場所を仕事場としている以上、彼等がその仕事場を守り続ける事は、ロックミュージックの体現者として至上の表現とも言えるだろう。(イ)

小池結衣 銅版画展
現代短歌を駆け抜けた笹井宏之のことばに寄せる
それから彼を見ないのですが
ワイアートギャラリー、21年4月20日〜5月1日

★昨年一月から二月にかけて思わぬ病で入院、退院後も生と死について否応なく考える中で笹井宏之の歌集に出会った作家が、その短歌に寄せた新作を制作。加えて、歌に呼応する如き旧作と共に展示した個展が開催された。

https://yartgallery.shop-pro.jp/?mode=f8

柔らかでありながらどこまでも深い、夜または水底を思わせる漆黒が広がり、差し込む光や月、星の瞬きとのコントラストが、夢のまた夢を見るかのようなシュールで静謐な情景を生む、小池結衣のメゾチント。年々その作風は深化し洗練されているが、本展で発表された新作は、モチーフとなった笹井宏之の短歌の、自身の病のみならず世界まで俯瞰するかのような突き抜けた明るさに「共鳴」(DMより)した故か、これまで以上に作中に現れた光の明度が上がっているように見えた。

短歌と並べて展示された旧作も、詠まれた言葉を反射するように異なる顔を見せていて、新鮮な驚きがあった。これが言霊の力なのか、作家が新たな道を拓いたさまを目の当たりにしたと思える、背筋の伸びる展示だった。(三)

みこいす
みんなの愚痴、聴かせて!!
みこいす(八田拳)チャンネル(YouTube)

★何十回、何百回、この動画に助けられたかわからない。朝の布団のなか。片道二時間かかる通勤先に、いきたくないなあとからだはうごかない。ぴくりともしない。
それが、みこいすさんのやわらかくてやさしい声をきいていると、少しずつからだも気持ちもほぐれてくる。この動画は、「みんなの愚痴を、ぶったおしていこうって」いう企画だそうだ。

元カレ。めんどくさい上司。時間を守らない友人。みこいすさんは「きついよねー」、「ううー」とひとつひとつ共感しながら、解決策をかんがえていく。その姿はとっても素敵で、カッコいい。

また、みこいすさんの声がすばらしいんですハイ。朝の入り込めないようなきつさをゆっくりと溶かしてくれるような、爽やかでおちついた声。この声に癒され助けられながら、私は今日もなんとか、職場にむかえているのです。(日)

舞台 サンソン
～ルイ16世の首を刎ねた男

東京建物Brillia HALL、21年4月23日～5月9日（4月28日以降は中止）／大阪・オリックス劇場、21年5月21日～24日（全公演中止）／久留米シティプラザ、6月11日～13日／KAAT神奈川芸術劇場、21年6月24日～27日

★この作品の主人公であるシャルル＝アンリ・サンソンは、フランス革命期にパリの死刑執行人（ムッシュ・ド・パリ）を勤めたサンソン家の4代目当主。ルイ16世やマリー・アントワネット、エベール、デムーラン、ダントン、ラヴォアジエ、ロベスピエール、サン＝ジュスト、クートン、シャルロット・コルデーといった著名人の処刑のほとんどに携わった人物である。1739年にパリでシャルル＝ジャン・バチスト・サンソンの長男として生まれ、15歳の若さで死刑執行人代理の職に就き、翌年最初の処刑を行う。

サンソンは、どの身分にも偏見を抱かない平等論者だったといわれているが、死刑執行人という社会の最底辺で最も偏見を受けながらも、貴族並みの暮らしを営んでいた。また彼は熱心な死刑廃止論者で、何度も死刑廃止の嘆願書を出しているが実現されなかったどころか、人類史上2番目に多くの死刑を執行する結果に。死刑制度が廃止になることが死刑執行人という職から自分が解放される唯一の方法であるとサンソンは手記に書き記している。

★撮影：田中亜紀

この公演は、安達正勝『死刑執行人サンソン』を舞台化したもので、演出は白井晃、サンソン役は稲垣吾郎という布陣。

重い音が鳴り響く、人々が交錯する、不安げな表情で。サンソン（稲垣吾郎）が登場し、手を振り下ろす、ギロチンの音が響き渡る、倒れる人々。誰もが知っている歴史、フランス革命、恐怖政治、処刑される大勢の人々。サンソンは唯一の死刑執行人ゆえに人々から忌み嫌われるが、自分の仕事にプライドがあった。彼の父バチスト（榎木孝明）も、だ。時代は大きく揺れ動く。処刑見物は一種のレジャーであった。バチストは足が悪く、サンソンは若くして処刑を任されていたが、父の旧友のラリー・トランダル将軍（松澤一之）の処刑がうまくいかず、父バチストが処刑台に上がり、やり終えた。そんな時に蹄鉄工の息子ジャン・ルイ（牧島輝）による父親殺し事件が起こるが、実際は事故、しかも父は息子の恋人であるエレーヌ（清水葉月）に横恋慕したから。そんなエピソードと並行するように王室の様子が描かれる。ルイ15世が崩御し、ルイ16世が王位に就く。妻はマリー・アントワネット。この二人の顛末、もはや記すまでもないくらいに有名。ルイ16世はオルゴールも作れるほどの腕前。実はサンソンは王党派であり、ルイ16世をリスペクトしていた。もちろん後の皮肉な運命はこの時点では知る由もない。

物語はサンソンが中心であるが、彼を取り巻く人物たちのサイドストーリーも充実。それだけでも一つの物語ができるくらいドラマチックで数奇な運命が交錯し、ルイ16世、ナポレオン、ロベスピエールなどなど群像劇の要素もある。

配役の妙、稲垣吾郎演じるサンソンは死刑執行人としての苦悩、プライド、正義、時代を見据える眼差し、実際のサンソンもきっとこんな人物であったのかもと思わせてくれるほど深みがあり、また、時代を先読みする知的な役創り。またサンソンの父を演じる榎木孝明も、重厚な役創りで、2幕ではロベスピエールも演じる。内科医で憲法制定国民議会議員のギヨタンは、田山涼成が温厚さを滲ませて好演。

原作の力にプラス、白井晃はじめスタッフ陣の手腕が光り、史実とフィクションをうまく交差させ、ドラマチックな演劇に。デュ・バリー夫人（智順）のエピソードなどを効果的に挿入している。また、ギロチン誕生のくだり「公平に、平等に」とサンソンが考え、ギヨタンらと考案するが、冒頭でもその鋭い刃が落ちる音が響いたが、恐怖のイメージになってしまった。1幕で、車裂きの刑の公開処刑のエピソードが出てくるが、これをきっかけに苦痛を伴わない処刑法を求める流れができたのである。そういった史実をいくつか押さえておくと、この物語は一気にリアルさを帯びてくる。

世界史において、エポックメイキングな出来事であるフランス革命。時代の波に揉まれながらも人間として気高く生

きた人々の顛末は、現代と根本は変わらない。それは人としてどう生きていくのかという普遍的なテーマであり、重く、そして永遠の課題。そうして歴史は紡がれる。彼らの生き様は決して今とは無縁ではないのだ。(高)

鋤田正義 写真展
時間〜TIME BOWIE×KYOTO×SUKITA

美術館「えき」KYOTO、21年4月3日〜5月5日

★写真家・鋤田正義が、一九八〇年代のある時期、京都に滞在していたデヴィッド・ボウイを撮影した写真と、現在の京都を撮影したものとで構成された展覧会。

開催地も京都のため、会場自体がこの地とボウイの関わりの記憶を封じ込めたタイムカプセルのよう。古川町商店街や京絵具専門店の彩雲堂、阪急電車の前にたたずむボウイの姿は、流石のフォトジェニックさだが、旅人というより〝滞在者〟として場に溶け込む姿に、この街への愛着がやわらかく滲む。

タイムカプセルの鍵は、ともに展示された同じ場所の〝現在〟。佇まいは変化しているが、並べられた風景には、かつてボウイが居たという記憶も含め、京都が重ねてきた〝時間〟が写し出されていた。

四月にヨシモトブックスから発行された同名写真集に=写真=これらも収録されているが、撮られた時間と地続きの場での鑑賞には、ひと味違うトリップ感があった。(三)

ふじたあさや作・構成・演出
『おりん口伝』伝

座・高円寺2、21年4月21日〜22日

★松田解子という作家がいた。1905年秋田県出身、荒川炭鉱の生まれ。そして炭鉱での経験をもとに書いたのが、「おりん口伝」。プロレタリア作家として、小林多喜二とも交流があった、というか小林が亡くなったときに、小林の家に駆けつけてもいる。

おりんのモデルは松田の母親。炭坑夫と結婚し、子どももできるが、その夫がなくなると社宅に住むことができなくなる。そこでしかたなく、別の炭坑夫と再婚するが、DVにあう一方、夫もまた炭坑で身体を壊していく。そうした母親の姿を子どもとして目の当たりにしながら育つ。

松田は後に、タイピストとして生計を立てながら文学に触れ、作家となる。「おりん口伝」が書かれたのは1960年代、そしてけっこう長生きして、2004年に99歳で亡くなる。

「『おりん口伝』伝」は、2007年に初演の松川真澄によるひとり舞台で、今回が再々演となる。書斎を模した舞台で、松川は「おりん口伝」の一部を朗読し、あるいは松田の生きた時代と場所について語る。また、背景にはさまざまなスライドが映し出される。

現在ではあまり読まれることのない松田の作品に対し、舞台という形でそのエッセンスを紹介していくことには意味があると思う。プロレタリア文学ということではなくとも、その作品が、戦前の炭坑労働の非人間的な面、そしてその炭坑を経営していた会社が今も存続しているということも含め、それは歴史の中に記されるものだし、それを人の目を通した物語として残すことにも意味がある。同時に、松田の作品はフェミニズムの視点からも捉えることができる。男性が企業において搾取される一方で、家庭において女性が搾取される、と書けばいいだろうか。そして、夫がいなくなれば社宅から追い出される。

こうしたことは、現在でも地続きでそこにある話ではないだろうか。数年前に小林の「蟹工船」が売れたけれども、街中を走るUber eatsのバッグを背負って自転車に乗っている人を見ると、それは現在の話でもあるなあと思う。その進歩のなさを確認するだけでも、プロレタリア文学が読まれることには意味があるし。

コンパクトに、松田の生きた時代と語っていることがまとまった舞台だったと思う。そうしたことが語られることは大切なことだとも思う。

そうなんだけれども、何かそれ以上の広がりを感じない舞台でもあった。どうしても朗読以上のものにならない。舞台の上に、松川の身体の存在感がないせいなのだろうか。それはそれで、かまわないのだけれども、だとしたらもう少し別の演出があったのではないだろうか。空間の構成も含めて、ちょっと残念だなって思う。(M)

カラスアパラタスアップデイトダンスNo.83
佐東利穂子・勅使川原三郎
静かな息

カラス・アパラタス B2ホール、21年5月14日〜23日

★荘重幽玄たるプネウマ(気息)のダンス。世知辛い時代の呼吸の切実さ。息きることが、生きることに繋がる。より善く生きることの充溢をダンスで示した。踊ることでしか分からない事があると

勅使川原はアフタトークで真摯に語っていたが、踊ることとは、最早、彼の生理以上の事であるのだ。勅使川原の安寧ながらも厳しいプネウマのダンスに、其々、感じることも多彩である。深い陰翳と呼吸の沈黙の根底に、決して停滞しない命の美しさを秘めている。ただダンスを消費するだけではなく、その意味や意義をそれぞれの生活に即して考えることが肝要であるのだ。(並)

流山児★事務所公演
彗星の一夜

スペース早稲田、21年4月23〜29日(27〜29日は中止)

★この10年ほど岸田國士の戯曲と接することは多い。今回は近代劇のによる笑劇「麺麭屋文六の思案」・「遂に『知らん』文六」に着想を得た作品(芸術監督・演出協力 流山児祥)が上演された。流山児★事務所による岸田作品上演は初めてだという。

関東大震災から数年後に発表された彗星接近による地球滅亡の日をコミカルに描いている。コロナ禍の世相と重ねながら、台本の世界を鈴木光介による音楽・演奏、北村真実による構成・演出・振付・美術を通じてノン・バーバルな音楽劇に広げてみせるという興味深い試みだ。客席第一列目はフェイス・シールドを着用し、客席とステージの間に幕を張りながら、この世の週末が予言される第一部がはじまる。背後からARのように関東大震災や次第に検閲・統制が進む当時に関する映像が投射される。緊急事態宣言が複数回でることになった現代日本の中で歴史を寓意の様に描く演出だ。そして幕がなくなり通常の劇場空間の中で第二部から最後の第四部まで明日が世界の週末ということでパニックになった人々の姿や夢想が繰り広げられる。

極限のような精神状態と絶望、そして高揚の中での踊る肉体の振付に挑んだのが北村だ。流山児のポップでありながら皮肉を込めた台本の世界を振付や演出を通じて広げてみせる。北村はコンテンポラリーダンスでは美的感覚を活かした洒落た構成とムーヴメントを得意とするが、その感性が台詞の世界を拡張する。登場人物たちの可愛らしい衣裳や美術も

あたかもファンタジーのように現実から離れており効果的だ。ラヴェルの名曲「ボレロ」を鈴木がユーモラスに演奏してみせると、壁際に並んだ男女たちも身も心も揺れていく。二人の現実と距離を置きながら無理なく軽やかに笑い飛ばそうとする。〝笑いのツボ〟が近いということも成功の要因といえるかもしれない。「創造力が試される」とされる岸田の世界を見事に上演してみせた。流山児は国際的にも活躍をみせているが、北村とのパートナーシップはより注目されてよい。鈴木光介も熱演し喝采を浴びた。(吉)

玉川奈々福、柳家喬太郎
喬太郎アニさんをうならせたい The Final

紀尾井小ホール、21年4月16日

★最終回だそうだ。「奈々福」さんの7回目で、ひとくぎり。

奈々福さんの新作は、入門当時の木馬亭を舞台にした、名人伝。五月一朗先生に、葵わか菜先生…。現役では沢村豊子師匠に、伊丹秀敏師匠、玉川祐子師匠…。

ネタにされてる豊子師匠が、わきで三味線ひいてるのがなんだかめちゃめちゃ素敵だった。奈々福さんには「豊子・奈々福の浪花節更紗」という名作もあるんだけど、それに匹敵するくらい面白かった。

喬太郎師匠は、「ぜったい浪曲好きなんだから」って奈々福さんに発破かけられてたけど、きょうは「ハンバーグができるまで」。その前に、このコロナのさなか、新幹線で酒盛りをするサラリーマンのおじさんたちへの愚痴を長々と。やっぱりめっちゃ面白かったなあ…。

明日も仕事あるし、八時をすこし過ぎたくらいのこの辺で去った。(日)

マーカス・デュ・ソートイ
レンブラントの身震い

新潮社

★数学者にして、リチャード・ドーキンスの後任として「科学啓蒙のためのシモニー教授職」もつとめる。科学ノンフィクションであるにもかかわらず、本書は海外文学のブランドの新潮クレストブックスの1冊。でも、十分に文学作品でもあるし、これまでの作品はいずれも、何かを探していくミステリーのようなスリリングな物語でもある。

ソートイは数学者なので、最初の頃は素数とリーマン予想、あるいは対称群とモンスター(とよばれる対称群がある)を扱い、さらに前作『知の果てへの旅』ではさまざまな科学の分野の最前線に足を

運んでいった。そこには、シモニー教授職として、数学以外の分野にも接近していくモチベーションがあった。

ということで、今回のテーマはＡＩ（人工知能）である。ＡＩはどこまでクリエイティブになれるのか、もしなれるとしたら、人のクリエイティビティには意味がなくなるのか、ということだ。あるいは、シンギュラリティはやってくるのか。

例えば、ＡＩがどれほどまで囲碁が強いのか。現時点では、囲碁も将棋も人間より強い。では、音楽はどうなのか。作曲家のテイストをＡＩが学ぶことで、テイストを合わせた新たな作品をつくることができる。では、レンブラントの絵は描けるのだろうか。数学者にとっても、他人事ではなく、ＡＩによる証明をどのように考えるべきなのか。

もっとも、ＡＩのすさまじい学習機能とそれを通じたアウトプットに対して、人間はそれすらも利用することができる。将棋や囲碁において、新たな手が発見されれば、棋士はそれを自分のものとしていく。音楽家もまたＡＩがつくったリフを取り入れていく。数学の証明の場合、検証しようがなくて困るかもしれない。手塚治虫の新作が描かれているというのも、それはそれで魅力的ではある。

では、ＡＩはレンブラントの絵を描くことができるのか。というのは、ミステリーの犯人を書いてしまうことに等しいので、伏せておくけれども。今回もスリリングな知的探求の本であり、専門知識不要で楽しめる本でもあった。ソートイとＡＩの距離感が、なんかいい。（Ｍ）

法喜晶子歿後30年メモリアル舞踊公演
桜幻 はなまぼろし

芦屋市民センタールナホール、21年4月22日

★法喜晶子のメモリアル公演が行われた。法喜晶子の作品で活躍した5人のダンサーたちがそれぞれ作品を上演した。舞台が始まると能の小鼓が響き、ポストモダン期に和の表現の可能性を探求し当時注目され、泉鏡花の舞踊化などで知られた晶子の映像が流れる。

やがて和田敦子、奥山由紀枝、江原朋子、野々村明子、五木田勲がそれぞれ鏡を持って登場―「開」くというオープニングとして、各々が自らを映しながら、それぞれがその表現を見定める。

和田の「追憶（時に埋もれた言葉）」は記憶の形象を探るような小品だ。シンプルな動きや東洋的な演出を通じて日本人の感性の可能性を捉えている。奥山による「粧蛾舞戯《しょうがぶき》」（短縮版）は彩り豊かな妖しい蟲に扮したアーティストたちが一列に並び、腕の表情を変えていくと衣裳が視覚を楽しませてくれるというシンプルな作品だ。やがて江原がジーンズ姿で登場し素の自分と向かい合う踊りから「赤い靴」が始まる。江原は異人であり、高田清流が少女になるという展開に自然に連なり、この才能の得意とする表現が集約された力作となった。野々村明子の「花は咲く」が桜と女の情念を重ね大衆路線で盛り上げたかと思えば、五木田の「橋の向こうに」のサイコドラマともいえるような心理描写から現代人の苦悩が目の前に広がった。やがて「切」としてのエンディングとなる。晶子が探求した表現と5人それぞれが探求した作風を楽しめる優れたプロデュースだ。

法喜晶子は近年では岡登志子（Ensemble Sonne）の師として知られているが、ポストモダンダンスの代表作家の一人である厚木凡人に師事し、出演した5人や五井輝、舞台美術の前田哲彦らと活動し注目された。その父・法喜聖二は関西の児童舞踊で島田豊らと活動した児童舞踊家で詩も発表したユニークな存在として知られ、かつてはバレエの法村・友井、現代舞踊の江口乙矢と並び御三家として称された。広島出身の聖二は若き日には小説家を志し詩歌を発表していた。やがて学校ダンスで活動するようになり、西日本の児童舞踊を大きく担うようになる。藤田佳代をはじめ関西を中心に活動する門下も多い。その存在を未来へと語り継いでいきたい。（吉）

脳内干渉 02.26
アイツとこいつがそうなってたの

TOKYO FM

★今年2月26日に公開されたサウンドコンテンツ。脚本を7月2日に2作目の小説単行本『夜行秘密』を刊行したばかりのカツセマサヒコが担当し、西山宏太朗、井上麻里奈、江口拓也が3人の主人公の声を演じている。内容としてはどこにでもいそうな男女の遭遇と別れの気配を描いた物語なのだが、一般的なボイスドラマと比べ、小説的なモノローグや説明的なセリフが一切排されており、その代わりに最低限のセリフと主人公の心の声、そしてリアルな環境音のみで構成

コティングリー妖精事件
最後の撮影から100年!

1917年初夏7月、ふたりの少女が4人の妖精を、
9月には地霊を写真乾板にとらえた。
1920年8月に神智学協会のエドワード・ガードナーが
娘たちを訪れた再度の撮影でも妖精の姿は写されたが、
1921年8月の再訪問では妖精達はもう現れず、
妖精写真の事件は一旦閉幕した。

しかし、この最後の撮影から100年目の2021年、
『コティングリー妖精事件〜イギリス妖精写真の新事実』
（井村君江・浜野志保 編著）が青弓社から発売されるなど、
妖精たちが再び話題に!!

〝妖精事件〟を広めたコナン・ドイルが、
妖精の実在を世に問いかけた1冊!
世界を騒がせた最初の雑誌記事から証拠、反響などまで!

アーサー・コナン・ドイル　訳・解説◉井村君江　好評発売中!

妖精の到来〜コティングリー村の事件

四六判・カヴァー装・192頁・税別2000円　ISBN:978-4-88375-440-3　発行:アトリエサード／発売:書苑新社

シャーロック・ホームズで名を馳せていたドイルによる記事
「妖精の写真が撮れた!──人類史上に新時代を画す一大事件」を載せた雑誌は3日で完売!
写真が大衆に普及する前に起きた〝事件〟の時代の熱を感じさせるドキュメント!

妖精が現れる!〜コティングリー事件から現代の妖精物語へ（ナイトランド・クォータリー増刊）

2021/7/30発売!

幻想文学の立場から、コティングリー妖精事件に向き合う──。
井村君江らの紀行文、エドワード・L・ガードナーの文書など、
コティングリー関連の記事や、妖精に関する評論・エッセイをはじめ、
タニス・リー、パトリシア・A・マキリップ、高原英理など妖精をテーマにした小説も数多く収録。

A5判・並製・200頁
税別1800円
発行:アトリエサード
発売:書苑新社

※うつのみや妖精ミュージアムにはコティングリー妖精事件にまつわる常設展示があります。http://www.fairy-link.net/

ダン・アダン・デリー

好評発売中!

妖精たちの輪舞曲《ロンド》

イギリスの児童文学・幻想文学の名手、デ・ラ・メアが、
妖精、魔女、夢などをモチーフに幻想味豊かな詩を綴り、
アメリカのイラストレータ、ラスロップが
愛らしく想像力豊かな挿画を添えた、
読者を夢幻の世界へいざなう、夢見る大人の絵本!

著：ウォルター・デ・ラ・メア、絵：ドロシー・P・ラスロップ
訳：井村君江、人形彫刻：戸田和子
A5判変形・カヴァー装・224頁・税別2000円 ISBN：978-4-88375-443-4　発行：アトリエサード／発売：書苑新社

されている。鑑賞においてはやや不便かもしれないが、実はその不便さこそがこの物語の核心だ。何故なら、本作は公開日「02.26」に、リアルタイムで配信されていたからだ。

つまり、7時頃に目覚めたばかりの井上演じる文香の脳内をオンタイムで耳にし、10時頃に出勤する西山演じる時生が乗る憂鬱な満員電車の喧騒を彼と一緒に体感する事が出来たのだ。この演出は、実際に見知らぬ男女の脳内を盗聴しているような気分を味わうのに最も適していると言えよう。

現在は主人公それぞれの脳内音声をリアルタイムでなく一括で連続再生する事も可能。個人的な主観だが、最も〝鈍感な男〟時生の音声から順番に聴いていくのを推奨したい。3人の関係図が、段々と明らかになっていく推理ゲーム的な面白さがある。江口が演じる、3人の中である意味最も〝どうしようもない男〟である将史の悔恨が最も深そうに思える情景描写がイイ。(イ)

イエス玉川

徂徠豆腐

浅草・木馬亭、21年2月6日

★イエスさまは気まぐれだ。浅草の浪曲定席・木馬亭に、ずっと出ていなかったのに、一昨年の九月から急に出始めた。それも、毎月。

夢のような日々だった。「平手の駆けつけ」、「石松代参」、「たぬきと和尚さん」、「朱書きの鍾馗」……。どの演目も、すばらしかった。ほんとうにすばらしかった。この芸が、演じられそのまま消えてゆくのが、じつにかなしくせつなく思われた。「靖國を護った男」なんて、めずらしい演目もあった。イエス玉川の大師匠、わかの浦孤舟もやった演題だという。

気まぐれなイエスさまは、今年三月以降、きゅうにまた木馬亭定席に出なくなってしまった。病気とかではないようだが、ナニゴトかあって休んでいるのか。

二一年の二月六日が、さいごの定席出演だった。演目は「徂徠豆腐」。名人・廣澤菊春が演じ、いまは弟子の澤孝子も十八番にしている。

イエス師匠の「徂徠豆腐」は、「えらいねえ、なんだかわからないけど」、「えらすぎるっ」と豆腐屋が荻生徂徠に感心するくだり、節回しなど、さすがの迫力がきいて、とても面白かったのです。

現役の浪曲師のなかで、いちばん面白くていちばん上手いイエス玉川師匠が浪曲定席に出ないのは、ほんとうに困ったことだ。落語界で人気も実力も最高峰の立川談志、志の輔が寄席に出なかったのとなんだか似ている気もするけれど。談志や志の輔はCD・DVDも多くあった。志の輔はしょっちゅう独演会をやっている。イエスさまの独演会は、年にたった一度きり。教会のミサなら週一であるのだから、もっと観に行きたいと思う。(日)

Ryoko Hirabayashi Solo Exibition

海の夢 私がみる夢と海がみる夢

NEW PURE+、21年5月29日〜6月13日

★柔らかく浮遊感のある線で表現される、夢見るような少女像とチャーミングな生き物たちを彫り込んだ鏡やアクセサリーを制作する作家、平林涼子。幼い頃から訪れていた、和歌山の海中展望台で得たインスピレーションを形にしたという今回の展示は、全ての作品に、海中に浮かんでは消える泡や、差し込む光のきらめきが確かに感じられるものだった。

少女はじめ多くの像は鏡に彫り込まれているため、見るためには映し出される自分の姿と対峙しなければならないが、今回はその行為が、海中展望台という安全圏から海の営みを眺める際におぼえる、喜びと紙一重のいくばくかの罪悪感にも重なるように思えた。鏡にたゆたう少女たちは皆、儚げで愛らしいが、閉じた瞼の内で見る夢は、描かれたドーナツの如き甘い毒をはらんでいるのかもしれない。鏡が美しく透き通るほど、見る側の内なる毒も映されるのでは、などと想像させられる、奥行きある甘美さに惹かれる展示会だった。(三)

手塚治虫原案、桜庭一樹著

火の鳥 大地編

朝日新聞社、21年3月、

★『火の鳥』の続篇を書くということは、全手塚ファンを敵に回す覚悟が要る暴挙である。その度胸を認めた上で、こちらも全面否定する覚悟で読み進んだ。

とにかく、一言一句にひっかかる。

気になることを挙げたらきりがない。キャラクターの使い方にも違和感があ

る。マンガチックな誇張も鼻につく。

物語は一九三八年の上海にはじまり、時空を遡って一六世紀の楼蘭王国(作中での時代設定は一五一三年になっている)へ、さらに終戦直後の日本へと繋がって行く。

本作に於ける火の鳥の力は、時間の巻き戻し能力にあり、それも確かに、不老不死の力には違いないだろう。その力を使って、日清・日露戦争から日中戦争、太平洋戦争へと至る歴史が、何度も書き換えられるのだけれど、あんまり回数が重なると、いいかげんにしろよと思ってしまう。時間を巻き戻すということは、その都度パラレルワールドが展開するわけで、それはSFの技法としては、万能すぎる。むしろ、限定された条件の中で、いかに歴史を覆すか、あるいは覆せないかというところに歴史SFの醍醐味があると思うのだが、作者は全くそういうことには興味がないように思われる。

川島芳子をはじめとして、山本五十六、東条英機、石原莞爾など、歴史を彩る実在の人物も登場するのだけれど、有効に活躍しているとは言い難い。

そして、目次を見ただけで、大体の話の流れが読めてしまう。

最終章の舞台が広島なのだから、手塚治虫が最後まで心を痛めていた核の問題について真摯に向き合わなくてはならないのではないのか?

ちなみに、「楼蘭の美女」と呼ばれるミイラが埋葬された時代は、紀元前一九世紀らしいのだが……。

色々と不明な点も多い。

と、否定的な意見を山ほど積み上げた上で、これもまた『火の鳥』のヴァリアントのひとつであることは間違いない。

本作の中で、唯一本質を突いていると思われる猿田博士の台詞に、あるいはすべてが込められているのかも知れない。

「火の鳥の力を手にしたとき、人間はみな、真に一人きりになり、まさかと思うような、己の真実の望み、本当の姿を見てしまうのじゃ。まるで火の鳥が魔界の鏡になったように……」と。

『火の鳥』という作品の魅力に取り憑かれた者はみな、そうした魔界の鏡に己の姿をあぶり出されつつ、それぞれの火の鳥を追い求めて行かざるを得ないのだ(そう考えると、萩尾望都の『ポーの一族』や、浦沢直樹の『BILLY BAT』、あるいは村上もとかの『JIN―仁―』なども、『火の鳥』のヴァリアントとして読めなくもない)。そういう意味で、『火の鳥』は永遠に未完であるがゆえに魅力的であるのだ。(八)

韓国新人劇作家シリーズ第6弾

ジョ・ギンジュ作、吉村ゆう演出

今日とは違いますように

ホン・ジニョン作、金世一演出

家族芝居

イム・ジニョン作、ヤン・ヒョユン演出

たいまつ

イ・スジン作、鈴木アット演出

親切なエイミ先生の一日

キム・ヨンミン作、ファン・ユンドン演出

名誉かもしれない、退職

北とぴあ、21年5月26日〜30日

★定期的に行われている、「韓国新人劇作家シリーズ」、昨年はコロナ感染拡大の影響で延期となり、今年は客席を半分にして開催。

韓国の新聞などが主催する戯曲新人賞の受賞作からセレクトした作品を上演してきた。

韓国といえば、K-popとか韓国ドラマのイメージがあるけれど、ここで上演される演劇については、むしろ韓国の社会問題を扱った作品が多い。

今回は、韓国の演出家による作品が上演されたこと、韓国の劇団による公演(結果としてオンライン配信になったが)があったこと、という試みもみられた。

「たいまつ」は、韓国の演出家による舞台。来日できなかったため、オンラインで演出していたという。ストーリーは戦場、歯科医は一人の少年をともなって、戦死者の銀歯を集めて回る。回収した銀によって生計をたてている。ついてくる少年はたいまつを燃やすマッチを買ってくれという。しかし、たいまつに火をつけたら、狙撃されるため、歯科医はそれを許さない。少年を同行させている理由は、検問を通るためなのだが。

この二人に加え、舞台では3人のダンサーが死体の役などさまざまな動きを見せる。

照明を落とした暗い中で、緊張感ある舞台だった。演出を韓国人が担当したせいかのかもしれないけれど、作品に対する理解が深かったのではないかと感じた。日本は戦後70数年ということになっているけれども、韓国はその後に朝鮮戦争を経験し、現在も北朝鮮とは戦争状態。間にあるのは国境ではなく軍事境界線。とはいえ、その朝鮮戦争は中国と米国との代理戦争という面を持つ。という認識でこの作品を考えると、そこにはいまだに戦争継続中で傷が痕になっていない面が感じられる。たいまつを使えない、銀歯を集めることでしか生きられない社会は、日本人が感じるよりも遠くないのかもしれない。

「今日とは違いますように」は、決して裕福ではない、親子3代が暮らす家庭の話。祖父はバスの運転手、生活のためにいまだに引退できないでいる。父はタクシーの運転手だが、お金をギャンブルに使ってしまい、借金だらけ、息子からもお金を借りようとする。妻とは別れている。そこにバイク便運転手の息子が箱に入っていた赤ん坊を拾ってくる。祖父母は赤ん坊をいとおしく世話をするが、警察に引き取られることになっている。祖母は日常生活を営むことができるものの、進行した癌を抱えている。

コメディだけれども、韓国の決して裕福ではない世帯の姿を見せられることになる。格差があっても体面を保たなきゃいけないし、そうであってもささやかな幸福を感じたい。舞台全編を通じて、一人だけ悪役を演じている父だが、離婚の原因は両親が妻を差別していたこと。水商売の女性との結婚は認めない、という。格差の下にさらに格差があり、そのことが父のギャンブル依存の原因ともなっている。

役者陣の演技力が高く、安心して観ていられた。祖父のコミカルな怒り、祖母の静謐さ、父のダメさかげんとそれを軽蔑する息子。そんな家庭であっても、明日は今日よりも良くなるといい、せめてそのくらいは思いたいという。そうでも思わなきゃ、生きていけないというのが現実なのかもしれない。

「親切なエイミ先生の一日」は、舞台は学校。退職近いベテランのエイミ先生が主人公。世代のことなる他の先生とは話が合わない。エイミ先生はもう現在の学校にはついていけないのかもしれない。でも、日本の学校でもそういうベテラン教師がいることに思い当たる。豊富な経験よりも過去の価値観がじゃまになって、学校のお荷物になっている教師。でも、悪い人ではないのだけれど。

冒頭、誰よりも早く出勤してきたエイミ先生は蘭に水をあげる。でも、エイミ先生は植物には水さえたっぷり与えておけばいいと思っており、水をあげすぎてしまう。だから植物は育たない。

エイミ先生の気がかりは、常習的に遅刻する生徒のこと。その日は午後にようやく登校。家庭に電話をかけ、彼の母親に怒りをぶつける。相手の母親は女手ひとつで息子を育てるために、夜、仕事をしている。そのため、息子の生活に気が回らない。実はエイミ先生もシングルマザーで息子を育ててきた。教師という仕事からしたら、同じシングルマザーなのに夜間の仕事で子どもに対応できないのが許せない。生徒に怒りをぶつけてしまうのは、ゆがんだ愛情なのだが。

パソコンが使えず、生徒との距離も遠いエイミ先生は、同僚にとってはお荷物なので、いないときには笑いの対象。そういった情景を交えつつ、エイミ先生のある種の狂気が暴走するのだけれども、舞台としては、周囲を固める同僚の教師たちが、エイミ先生の狂気についていっていなかったような気がする。

教師は全員女性、エイミ先生がシングルマザーになったのは、夫が戦死したからではなかったかな。日本以上の男性社会の中で、その矛盾を押し付けられ、骨を拾っていかなきゃいけない女性の姿もそこにはあるのではないか。

「家族芝居」でも、シングルマザーの問題が繰り返される。余命いくばくもない妻とその介護をする夫。妻と娘は不仲だった。しかし娘はすでに亡くなっていた。そこで、父はかつての不倫相手が育てた実の娘に、娘の役を依頼し、妻を定期的に面会するように依頼する。

不倫相手の娘は、実の父親であるにもかかわらず、何もしてこなかった父を憎しむが、とりあえずお金のためにがまんして死が間近のいわば義理の母親にやさしく接する。

不倫相手は苦労して娘を育てた上で、すでに亡くなっている。母子家庭に対する韓国の視線は厳しく、娘は差別されながら育つ。一方、死にそうな母親の方は、夫と家庭を築いてきたことで、自分は不倫相手の女性とは違うという。自分の方が優れている、と。

家族といいつつ、そもそも社会が勝手に家族を壊し、差別のラベルを貼っていくことに対し、人々は差別されない家族を演じることでしか生きていけない。多様性を認めない、そうした韓国社会の現状というのがあるのだろう。

とはいえ、舞台はというと、それぞれの役者が役に入りきっていなかったように感じた。どんな人物なのか、理解しきれないまま演じたのではないだろうか。

「名誉かもしれない、退職」は、オンライン配信による上演。セリフは字幕。登場人物はカフェに集められた3人。インターンの男性、課長代理の女性、男性の課長。コロナ危機の影響で会社の業績が悪化し、この3人のうち誰がリストラされなきゃいけない、という(念のため、コロナというのは演出で出てきたもので、戯曲が書かれたのはもっと前)。

　こうした状況の中で、3人はそれぞれ他の2人のどちらかを対象させようと、言葉の揚げ足をとったり、結託したり、とまあ、そんなやりとりが45分にわたって続く芝居。カウンターテーブルと紙コップくらいしかない舞台で、3人がコミカルな演技が続く舞台は、オンラインでもけっこう楽しめた。韓国の場合、大企業と中小企業の社員の収入格差は倍くらいあるというし、失業率も高いともきいているので、まあ、日本のサラリーマン以上に大変だよな、とも思うけど、そうしたことが反映された舞台なんだな。

　次回は日本で上演してもらいたいな、と思う。

　実は、もう1本、オンライン配信があった。「この人生をもう一度」という作品で、こちらは日本人の演出家と役者によるリーディングだったんだけど、画像そのものの工夫がなく、セリフを棒読みしているだけのようなところがあって、観て入れられなくて寝てしまった。まあ、オンライン用の画像の製作もリーディングの演出も慣れていないんだろうな。コロナ危機が去ったら、舞台でがんばってほしいと思う。(M)

島田角栄監督・脚本
惑星スミスでネイキッドランチを
サンテレビ、21年4月6日～6月29日

★尼崎の路地裏にあるSMクラブ「グラナダ」。クールな志穂(リアルバービー人形の如き長い手足にボンテージが映える佐藤江梨子!)をはじめ、在籍する三人の女王様が、店に集う一癖も二癖もある者たちと向き合い、「思いもよらない方法でその愛を昇天させていく」(公式サイト)という、サンテレビ制作の深夜ドラマ。
　舞台こそSMクラブだがセクシャルさは希薄で、全編を覆うのはシュールでブラックな笑い。あっけない暴力に人の命が軽く吹き飛ぶのもしばしばで、同監督・脚本の「元町ロックンロールスウィンドル」(二〇一九)から、さらに過激に振り切れた印象。

　エロスとタナトスは紙一重だが、喜劇と悲劇も同様。時に下品で、どうにもマニアックなギャグ(主にロック関連)の畳みかけから、〝愛〟や〝情〟と呼べる何かが瞬くさまは、ズルいけれども美しい。月曜深夜の憂鬱をつかの間かき消す、しょーもなくも滑稽で、狂騒的で、崖っぷちを照らす夕陽のように切ないドラマだった。(三)

Tempalay
ゴーストツアー
Zepp Haneda、21年5月13日

★気鋭の3ピースサイケデリックバンド・Tempalayのメジャーデビューアルバム『ゴーストアルバム』を引っ提げたツアー楽日。アルバムがメジャー盤でありながら今までで一番クセと個性とエゴが剝き出しになったような作品に仕上がっていたからライブもかなり期待していたのだが、想像を軽々と越えてきた。SEの代わりに人工的な喧騒のような音声が流される開演前の空間から既に演出は始まっており、開演を報せるサイレンの音がけたたましく鳴り響くなか、緞帳の隙間から青白い光が粒子のように零れ出す。クリエイター集団PERIMETRON所属のユニット・Margtによる映像演出が繊細かつ轟音のバンドサウンドを最大限に底上げし、ライブハウスに架空の異国の祭事に紛れ込んでしまったような空間をあっという間に形成した。
　特に冒頭のサイレンから流れるように披露された楽曲『シンゴ』は圧巻。楳図かずお著『わたしは真悟』を発想源とした楽曲の不穏なイメージを、漫画のワンシーンのコラージュや無声映画のようなイメージカットを重ねた映像、そしてギターボーカル・小原綾斗とキーボードのAAAMYYYの綱渡りのようなバランスのユニゾンによる歌が何倍にも増幅させる。アルバム1曲目に収録されていた祭囃子のようなインタールード曲を退場SEに使用していたのもまた秀逸。没入感が半端じゃない。公演名通り、黄泉の国から帰還したような気分で帰路についた。(イ)

サンライズ×アソビシステム
Artiswitch(アーティスウィッチ)

★原宿が〝若者の聖地〟でなくなって、どうやら久しいらしい。確かに最近ではタピオカ屋も幻のように姿を消してしまったが、〝あの頃の原宿〟への憧れが単なる懐古趣味になってしまったのかと思うとなんだかやるせない。
　本作は、原宿の〝どこか〟に存在する

「裏裏原宿」と呼ばれる場所に謎めいた店を構える魔女・ニーナが、若者達の秘めた願いを叶える物語を描いたショートアニメ。色鮮やかで立体的な映像に気鋭の若手ミュージシャンを起用した挿入歌、更に1話8分弱で終わるコンパクトな構成など、いわゆる〝Z世代〟の若者をターゲティングしているのが明確にわかる。それを承知の上で、本作は〝あの頃の原宿〟を知っている大人にも観てほしいと思う。そう、まだ本屋さんに「KERA!」が並んでいた、あの頃だ。

カラフルな壁の落書き、細く入り組んだ路地、妖しげで可愛らしいネオンサインが輝く雑居ビル。ニーナの変身ヒロインのような緑色のミニドレスと白黒ボーダータイツというファッションを観ているだけでもワクワクする。

ただ、毎回変わる主人公達がニーナの見せる幻を介して叶える〝願い〟は、現代の若者を取り巻く風潮がかなり反映されている。だからと言って、〝あの頃の原宿〟に憧れた我々が観てもグッと来ないなんて事はない。それは、世代や世界がどうであれ若者が抱える根源的な悩みを受け入れ、欲望を解放させる不思議な力を原宿という地が持っているからかもしれない。(イ)

シン・エヴァンゲリオン劇場版:||

鶴巻和哉、中山勝一、前田真宏監督
庵野秀明総監督

★「新劇場版」がとにかく完結した、ということなのだけれども。どうしてもぼくには新劇場版を評価する気になれない。なぜ、わざわざリメイクしなきゃいけないのか。庵野はどこかで「エヴァンゲリオン」について「もう終わった話」だと言っていなかったか。もっと言うと、「新劇場版」には後退しか見えない。

「旧劇場版」については、ぼくはけっこう納得している。碇シンジの成長物語として観たときに、母親である綾波レイではなく、他者である惣流アスカ・ラングレーを選ぶ。選んだけれども「気持ち悪い」と拒否される。それが、シンジの宇宙だとして、それでもそれを乗り越えていかなきゃいけない、ということが宿題として観客に残される。それで良かったと思っていた。だから、「新劇場版」をつくることの意味がなかなか見出せなかった。

「新劇場版」の「序」はリメイクでしかなかった。「破」は新しい展開をしたけれども。真希波・マリ・イラストリアスという新しいキャラクターが登場したけど。世界はサードインパクトに向かう。「Q」では、この展開はどうつながるのか。「Q」は意味不明だった。シンジもアスカもマリも28歳なのに容姿は14歳のまま。渚カヲルとのささやかなエピソードが描かれる。迷走するシンジをアスカが回収する物語でしかない。

ということで「シン・エヴァンゲリオン」だけど、結局のところ、28年間かけてものすごくチープな話だったのかな、と感じた。まあ、村の場面はいいとしよう。無理がある光景ではあるけれど。後半、エヴァンゲリオンに乗ったシンジと父親の碇ゲンドウが戦うのだけれども、そこで明かされることは、なぜゲンドウが人類補完計画を実行しようとしたのか。あまりにもプライベートな話でしかないので、だまされた気になる。そんなことのために世界を滅ぼしてしまうのかよ、と。ここまでひっぱっておいて、それかよ。

ラストシーンは、成長したシンジが駅のベンチに座っている。そこに現れるマリ。二人は手を取りあって走っていく。マリの役割は、アスカとシンジに対する、オルタナティブな母親だったと思う。マリは一貫して、アスカとシンジを守ろうとする。結局のところ、シンジはレイという母親から別の母親のところに行くだけじゃないのか。シンジが他者と向き合った、旧劇場版のラストから、ものすごく後退しているんじゃないのか。

ビジュアル的に優れた映像だったとしても、中味がこれでいいのかなあ、と思うのだ。(M)

夏への扉
―キミのいる未来へ―

三木孝浩監督

★とにかく期待しないこと! ということを肝に銘じて鑑賞に臨んだ。

何もそこまで、と思われるかも知れないが、ロバート・A・ハインラインの(そして福島正実・訳の)原作小説のファンの方なら、たぶん同意してくれるものと思う。特に、若き日にこの原作と出逢った読者なら、半端な映像化は許さない! というくらいの気持ちはあるだろう。タイムトラベルもののSFとして傑作というだけでなく、ある種の青春小説としても心に残る作品だからだ。

というわけで、心を無心にして(なんて

出来るわけないけれど）観た。

結論から先に言うと、悪くない出来だった。

原作に忠実、というほどではないけれど、外せないポイントはしっかりと押さえているので、素直に物語を楽しむことが出来た。

そして何よりも、ピート（猫の方）を演じたパスタとベーコンが素晴らしい。まあ、猫好きならもう、それだけで許しちゃうよね。

あと、これはちょっとネタバレになるけど、ヒューマノイド・ロボットのPETEを演じた藤木直人が好演だった。原作でいうと、万能フランクってところだろうね。

正直言って、主演の山﨑賢人には違和感あったけれど、ヒロインが清原果耶だから絵的には許せる（まあ、あくまでも個人的な嗜好で言ってるので、許してくれたまえ）。ただし、年齢設定の関係で別れと再会の場面が、原作ほどの感動シーンには至らなかったことは確かだ。

あと、主人公をだまし、どん底に突き落とす女秘書を憎々しく演じきり、なおかつ醜く太った未来の姿までちゃんと演じた夏菜にも拍手を送ろう。

原作もそうだけど、未来がディストピアじゃないところもいい。科学万能とまでは言わないけれど、科学は人間の幸福のためにあると思いたい。

きっと、原作を書いた時のハインラインも、そう思ったに違いない。

もし原作のファンで、観るのをためらってる人がいたら、とりあえず一見の価値はあるよと言っておこう。

気に入る気に入らないは、個人の自由だけど、ね。（八）

錬肉工房
盲人達
KAAT神奈川芸術劇場、21年6月24日～27日

★メーテルリンクといえば「青い鳥」しか知らないのだけれど、1890年にはこんな暗い戯曲を書いていたんだ、と。

錬肉工房はといえば、現代能楽集を演じてきて、今回がその15作目とのこと。ということで、能楽師や能に知見を持った役者による公演。

ストーリーはというと、盲人達を引き連れて施療院を出た神父が、森の中で急死し、盲人達が取り残されたという設定で、そこで語りあい、途方に暮れる、というもの。死を覚悟し、暗闇の森の中に閉じ込められ、あるいは彷徨う姿は、何かを暗示しているのだとは思う。解説を読めばわかるのだけど、というか読んだけど。重要なことは、2021年にこれを上演する意味だろう。

舞台は暗くかすかな照明のみ。役者の動きは最小限、何度かのゆっくりとした移動が場面転換になっている。対話というよりは、互いにどこにいるかわからないもの同士のモノローグ。このあたりは、能楽らしい（能を観たことないけど）。

思い浮かべるのは、サミュエル・ベケットの「芝居」かな。こうした芝居は嫌いじゃない。嫌いじゃないけど、今回の舞台が良かったかどうかは別。作る側の過剰さが見えてしまって、ちょっとつらかったな。もっと言葉を刈り込んでも良かったんじゃないかな。ちょっと言葉が多すぎて、かえって伝わらないんじゃないか、というのがある。それと、死んだのは神父ではなく僧侶で良かったんじゃないか。これってけっこう重要で、能楽ということもあるのだけれど、日本人が作品に入っていけるかどうかということにもなる。その上で、キリスト教ではなく仏教世界を前提にして、組み立て直すこともできたんじゃないか。そしてその先に、2021年に演じる理由があるんじゃないか。1890年の戯曲を能と組み合わせただけでは、足りないような気がする舞台だった。（M）

ロベール・パンジェ
パッサカリア
水声社

★ロベール・パンジェの名前を最初に知ったのは、遠い昔、新潮社から出ていた「フランス文学13人集」全4巻の解説。そこで、どういった基準で13人を選んだのかが記されているが、次の機会に見送られた作家もいる。その中にパンジェの名前があった。次の機会がまさか今年だったとは、と思わずにいられない。同じく見送られた作家としては、ベルナール・パンゴーは『囚人』以外見るものないとされ、ピエール・ド・マンディアルグはその後ずいぶんと訳されている。今さら、フランソワーズ・サガンもないだろう、と。

そのパンジェの『パッサカリア』である。ヌーヴォ・ロマンである。冒頭、馬小屋の堆肥の中で死んでいる男性の姿から始まる。それが誰なのかわからない。推理小説のように始められたこの作品は、けれども真相にせまることはなく、農村の光景がさまざまな時系列で描かれ、いつのまにか男性が死ぬ場面にたどりつく。人の営みが、かつてあったことが、音楽のように変奏されていく。何だかわからないけど読んでいるのが快感、というもので

もある。記憶はつねに変奏され、個人的なものとして記憶に定着していくものなのかな。(M)

JUN(斉藤淳一)編・発売
あだちひろしの頭の中

21年1月

★本誌No.86で『ネクロスの要塞』から『メタモスの魔城』という記事を書いたが、そこでタイトルに出ている両作品のメイン・スタッフである、あだちひろしの仕事を集成した、全三巻＋別冊からなる大型企画である。カードと人形がついてRPGが遊べてしまう画期的な食玩『ネクロスの要塞』(一九八七〜八九頃)。その発売元だったロッテの協力を得て、全カードが原寸大で採録されている。のみならず、箱絵全パターン、未発売となった第九弾や復活企画案、それらの精神的後継作でもある『メタモスの魔城』(ワイエスコーポレーション、二〇一五〜)を含む大量のラフ絵・線画、ゲームデザインのノート、マップやカードのゲラ、フィギュアの試し打ち、さらにはデジタルゲーム『ダンジョン・エクスプローラーDS』(ハドソン、二〇〇六)に使われたと思われるスケッチから学生時代の絵画に至るまで、作品創造の裏側が惜しげもなく公開されている。イラストとゲームデザインの発想が、綿密にリンクしているとよくわかる内容だ。

何より感慨深かったのは、一九七九〜九一年にロッテから発売された食玩『ジョイントロボ』の第八弾以降に、あだちが関わっていたのが確認できたこと。これはアンガス・マッキーやクリス・フォスを彷彿させる英語圏SFアート直系の原色を効果的に使うタッチ。『ネクロスの要塞』もラリー・エルモアのファンタジーアートやジョン・ブアマン監督の映画『エクスカリバー』等の影響を感じさせるが、幼少期の私は、これらの異世界感に強い衝撃を受けてクリエイターになりたいと思ったものだった。予約者には、二〇〇〇年復活用にデザインされた「DARK SOUL」シール、『ネクロスの要塞』未折り曲げカード(サイン入り)に試打ち人形と、他では入手不可能な特典がついていた。限定版のためたいへん高価だったが、食費を削って微塵も後悔しない創造性を刺激する内容となっており、感動を禁じえない。(岡)

劇団やりたかった
みんなのご機嫌よかれが肝心かなめ

参宮橋TRANCE MISSION、21年6月16日〜28日

★高円寺で演劇を観て、なみの湯で入浴をしたあと、高円寺の駅前でチケットを売っている人につかまってしまった。路上割引で安いよ、というから、こういうのも縁だと思って買ってしまった。買ったら、まあ、観に行きます。

ということで、舞台は江戸時代の小田原。兄弟仲たがいしているういろう売りの店の前。弥二さん喜多さんが通りかかり、女の尻についていってそれぞれの店に入ってしまうわけだけど。

とまあ、そんな感じで始まる喜劇は、まあ、観客はそれなりに笑っていたのだけど、うーん。

仲たがいしているういろう売りの店先、丁稚、女将、主人どうしのいさかいが、ちょっと見苦しい。まあ、口喧嘩はわかるんだけど、なんか、汚い言葉を並べてしまうだけで、観ているとちょっと不快になる。ちょっと感覚がずれているのかなあ。

弥二さん喜多さん、お調子者で、ほいほいとお金を出そうとするのだけど、実はぜんぜんなかったりする。女郎を目当てに泊まり込んでいる弥二喜多ともども、どうするんだろう、という一方で、ういろう売りの兄弟は反目しあったっきり。

結局、お金がないのがばれて、それぞれの店で弥二さん喜多さんともに犬として飼われることになる。犬としてお客を引っ張ってくる役割。うーん、犬にしちゃうんだ、笑えないよな。

まあ、こまかいギャグもあって、退屈せずには観ていられたけど。

でもまあ、最後の見せ所、喧嘩する兄弟を前に、弥二さん、ういろう売りの口上を披露、それを聞いて通りすがりが買っていくという。これを見た兄弟、女将と丁稚、この口上を覚えてういろうが売れるようにしよう、と。ハッピーエンド。

喜劇としてがんばっていたなあって思う。弥二さんの口上、ほんとうに見せ場だった。でも、笑いがちょっとずれる。そこがなあ、と思うのでした。(M)

村田兼一 写真集「天使集」
978-4-88375-328-4／B5判・96頁・ハードカバー・税別3200円
●天使というタナトスの闇に浮かぶ、エロスの残像。天使や人鳥を受難の女性を見守る死の影として配置した村田ならではの禁断の世界。

村田兼一 写真集「少女観音」
978-4-88375-259-1／B5判・96頁・ハードカバー・税別3200円
●幼少の頃から仏像に魅了されていた村田が長年温めていたテーマが、ついに写真集に！ モデルの慈愛のオーラが魅惑的な一冊！

村田兼一 写真集「パンドラの鍵」
978-4-88375-166-2／B5判・48頁・ハードカバー・税別2800円
●禁忌のエロスを探求し続ける写真家・村田兼一が特殊モデル七菜乃の無垢な心と身体を秘密の鍵で解放する―撮り下ろし写真集！

谷敦志 写真集「Flowers and Nudes」
978-4-88375-284-3／A4判・64頁・ハードカバー・税別3800円
●透き通るような静けさをまとう、ヌードと花。進化し続ける孤高のアーティストの「今」が詰まった、最新写真集！ A4サイズの豪華版！

谷敦志 写真集「アンビバレンス」
978-4-88375-148-8／A5判・64頁・ハードカバー・税別2800円
●ダークでカオティック、フェティッシュでアヴァンギャルド、そして最高にスタイリッシュ！ 異型の写真家の処女写真集！！

堀江ケニー 写真集「恍惚の果てへ」
978-4-88375-139-6／A5判変型・96頁・カバー装・税別2200円
●澄んだ空気感の中で恍惚の果てへ導かれる―湖や廃墟で撮った、堀江ケニーならではの幻影的作品を集めた待望の写真集！

◎杉本一文の本

「杉本一文『装』画集〜横溝正史ほか、装画作品のすべて」
978-4-88375-287-4／A4判・128頁・カバー装・税別3200円
●横溝正史といえば、杉本一文。数多く手がけてきた装画作品の中から、横溝作品を中心に約160点を精選して収録した待望の画集!!

「杉本一文銅版画集」
978-4-88375-286-7／A5判・128頁・カバー装・税別2500円
●幻想とエロスの桃源郷――杉本一文のもうひとつの顔、銅版画の代表作を装画作品から蔵書票まで約200点収録！

◎幻想系・少女系

九鬼匡規 画集「あやしの繪姿」
978-4-88375-426-7／A5判・64頁・カバー装・税別2000円
●このうえなく美しき妖怪たち――妖艶なるファム・ファタールから、愛らしい少女まで、怪異や妖怪を女性像で描く、九鬼匡規の初画集!!

東學 作品集「東學肌絵図鑑 DRESS CODE」
978-4-88375-420-5／A5判変型・576頁・税別15,000円
●一夜限りで消えていく、墨絵師と女神たちの共犯作。180名余りの女性の肌に筆を走らせ撮影した「肌絵ヌード」をまとめた576頁の写真集！

高田美苗 作品集「箱庭のアリス」
978-4-88375-393-2／B5判・64頁・ハードカバー・税別2700円
●混合技法によるタブローから銅版画まで、少女をモチーフとした夢幻世界を描き続ける高田美苗の軌跡を集約した、待望の作品集！

スズキエイミ 作品集「Eimi's anARTomy 102」
978-4-88375-358-1／B5判・64頁・ハードカバー・税別2750円
●"美の本質は肉体、肉体の本質は死"。名画などを巧みに組み合わせて作り上げられた、解剖学的でシニカルな美の世界！

たま 画集「Calling〜少女主義的水彩画集VI」
978-4-88375-357-4／B5判・52頁・ハードカバー・税別2750円
●ダーク＆キュートなたまの少女画集第6弾！ 切り取って楽しめる「折り込み塗り絵」や中野クニヒコによる立体作品も収録！

◎小説・コミック・評論・エッセイ

◎ナイトランド・クォータリー（ホラー＆ダーク・ファンタジー）

〈増刊〉妖精が現れる！〜コティングリー事件から現代の妖精物語へ
978-4-88375-445-8／A5判・200頁・並製・税別1800円

ナイトランド・クォータリー vol.25 メメント・モリ〈死を想え〉
978-4-88375-441-0／A5判・176頁・並製・税別1700円

ナイトランド・クォータリー vol.24 ノマド×トライブ
978-4-88375-437-3／A5判・192頁・並製・税別1700円

◎ナイトランド叢書（TH Literature Series）いずれも四六判

アーサー・コナン・ドイル「妖精の到来〜コティングリー村の事件」
井村君江訳／978-4-88375-440-3／192頁・税別2000円

キム・ニューマン「《ドラキュラ紀元一九五九》ドラキュラのチャチャチャ」
鍛治靖子訳／978-4-88375-432-8／576頁・税別3600円

キム・ニューマン「《ドラキュラ紀元一九一八》鮮血の撃墜王」
鍛治靖子訳／978-4-88375-327-7／672頁・税別3700円

キム・ニューマン「ドラキュラ紀元一八八八」
鍛治靖子訳／978-4-88375-311-6／576頁・税別3600円

クラーク・アシュトン・スミス「魔術師の帝国《3 アヴェロワーニュ篇》」
安田均他訳／978-4-88375-409-0／320頁・税別2400円

クラーク・アシュトン・スミス「魔術師の帝国《2 ハイパーボリア篇》」
安田均他訳／978-4-88375-256-0／272頁・税別2300円

クラーク・アシュトン・スミス「魔術師の帝国《1 ゾシーク篇》」
安田均他訳／978-4-88375-250-8／256頁・税別2200円

E&H・ヘロン「フラックスマン・ロウの心霊探究」
三浦玲子訳／978-4-88375-361-1／272頁・税別2300円

E・H・ヴィシャック「メドゥーサ」
安原和見訳／978-4-88375-339-0／272頁・税別2300円

M・P・シール「紫の雲」
南條竹則訳／978-4-88375-336-9／320頁・税別2400円

エドワード・ルーカス・ホワイト「ルクンドオ」
遠藤裕子訳／978-4-88375-324-6／336頁・税別2500円

アルジャーノン・ブラックウッド「いにしえの魔術」
夏来健次訳／978-4-88375-318-5／320頁・税別2400円

E・F・ベンスン「見えるもの見えざるもの」
山田蘭訳／978-4-88375-300-0／304頁・税別2400円

サックス・ローマー「魔女王の血脈」
田村美佐子訳／978-4-88375-281-2／304頁・税別2400円

A・メリット「魔女を焼き殺せ！」
森沢くみ子訳／978-4-88375-274-4／272頁・税別2300円

◎TH Literature Series

石神茉莉「蒼い琥珀と無限の迷宮」
978-4-88375-365-9／四六判・320頁・カバー装・税別2400円

図子慧「愛は、こぼれるqの音色」
978-4-88375-345-1／四六判・256頁・カバー装・税別2200円

朝松健「邪神帝国・完全版」
978-4-88375-379-6／四六判・384頁・カバー装・税別2500円

朝松健「アシッド・ヴォイド Acid Void in New Fungi City」
978-4-88375-270-6／四六判・256頁・カバー装・税別2200円

友成純一「蔵の中の鬼女」
978-4-88375-278-2／四六判・304頁・カバー装・税別2400円

橋本純「百鬼夢幻〜河鍋暁斎 妖怪日誌」
978-4-88375-205-8／四六判・256頁・カバー装・税別2000円

ケイト・ウィルヘルム「翼のジェニー〜ウィルヘルム初期傑作選」
安田均他訳／978-4-88375-241-6／256頁・税別2400円

◎TH Art series

◎コミック

eat「DARK ALICE」
978-4-88375-227-0／A5判・224頁・カバー装・税別1295円
●不死身のアリスとその仲間たちが繰り広げる残酷寓話《Dark Aliceシリーズ》17編のほか、「けんたい君」など短編3作品を収録!

eat「DARK ALICE-Heart Disease-(ハート・ディジーズ)」
978-4-88375-438-0／A5判・224頁・カバー装・税別1295円
●摩訶不思議な世界で、奇妙な境遇を生きる者たちのトラウマティック・メルヘン!! 描き下ろし・ホワイト誕生の秘話も収録!!

◎PICK UP

ウォルター・デ・ラ・メア「ダン・アダン・デリー～妖精たちの輪舞曲」
978-4-88375-443-4／A5判変形・224頁・カバー装・税別2000円
●デ・ラ・メアの幻想味豊かな詩に、ラスロップが愛らしく想像力豊かな挿画を添えた、読者を夢幻の世界へいざなう、夢見る大人の絵本!

駕籠真太郎 画集「死詩累々」
978-4-88375-403-8／B5判・128頁・カバー装・税別3200円
●奇想漫画家・駕籠真太郎、初の本格的画集! 猟奇的だけど可愛らしく、アブノーマルだけどユーモラスな、不謹慎すぎるアートワークの全貌!

北見隆 装幀画集「書物の幻影」
978-4-88375-398-7／B5判・96頁・ハードカバー・税別3200円
●赤川次郎、恩田陸、中島らも、津原泰水…あのワクワクは、この絵とともにあった! 40年の装幀画業から、約400点を収録した決定版画集!

北見隆 作品集「本の国のアリス～存在しない書物を求めて」
978-4-88375-223-5／A5判・64頁・ハードカバー・税別2750円
●本そのものが、「アリス」の物語の、愉快な舞台〈ワンダーランド〉に! 本の形をした"ブックアート"を中心に、不思議な物語に満ちた作品集!!

小川貴一郎 作品集「監禁芸術 confinement art」
978-4-88375-419-9／A5判・128頁・カバー装・税別2500円
●1日目、イヴ・サンローランに蟻を描いた。COVID-19の流行で渡仏が延期になり、緊急事態宣言発令中、家にこもって制作し続けた芸術の記録。

鳥居椿(絵) 最合のぼる(文・写真・構成)「青いドレスの女～暗黒メルヘン絵本シリーズ3」
978-4-88375-427-4／B5判・64頁・カバー装・税別2255円
●こんな美しい悪夢なら毎晩でも見たい——深澤翠／不穏な空気感で少女を描く鳥居椿と、最合のぼるによるヴィジュアル物語!

たま(絵) 最合のぼる(文・写真・構成)「夜間夢飛行～暗黒メルヘン絵本シリーズ2」
978-4-88375-392-5／B5判・64頁・カバー装・税別2255円
●《暗黒メルヘン絵本シリーズ》第2弾は少女主義的水彩画家・たまが登場!「残酷で愛らしい、手加減なしの毒入り絵本です」—林美登利

黒木こずゑ(絵) 最合のぼる(文・写真・構成)「一本足の道化師～暗黒メルヘン絵本シリーズ1」
978-4-88375-370-3／B5判・64頁・カバー装・税別2255円
●妖しい世界へいざなう、絵と写真によるヴィジュアル物語! アンデルセンなどの童話を元に生まれた《暗黒メルヘン絵本シリーズ》第1弾!

◎人形・オブジェ作品集

神宮字光 人形作品集「Cocon」
978-4-88375-378-9／A5判・64頁・ハードカバー・税別2700円
●ビスクなどで作られた愛おしい人形達がさまざまなシチュエーションの中で遊ぶ、かわいくも、ときにシュールでミラクルな世界!

田中流 写真集「Dolls～瞳の奥の静かな微笑み」
978-4-88375-373-4／A5判・96頁・カバー装・税別2300円
●数多くの人形に接してきた写真家・田中流が、28人の人形作家の作品を撮影し、現代の創作人形の潮流をも浮き彫りにした写真集!

清水真理 人形作品集「Wonderland」
978-4-88375-364-2／B5判・64頁・ハードカバー・税別2750円
●肉体と霊魂、光と闇、聖と俗…それらの狭間で息づく、人形たちのワンダーランド。多彩な活躍を続ける清水の近年の作品の魅力を凝縮!

ホシノリコ 作品集「蒼燈のばら」
978-4-88375-326-0／B5判・64頁・ハードカバー・税別2750円
●艶かしく息づく球体関節人形、幻想的な物語奏でるオブジェ。ホシノの10年の歩みをまとめた待望の作品集! 写真＝吉田良、田中流

森馨 人形作品集「Ghost marriage～冥婚～」
978-4-88375-236-2／B5判・64頁・ハードカバー・税別2750円
●妖しい美しさと、哀しいエロスを湛えた、森馨の球体関節人形。その蠱惑的な肢体を写真家・吉成行夫が撮影した、闇の色香ただよう写真集!

林美登利 人形作品集「Night Comers～夜の子供たち」
978-4-88375-288-1／A5判・96頁・ハードカバー・税別2750円
●異形の子供たちは、夜をさまよう——「Dream Child」に続く、人形・林美登利、写真・田中流、小説・石神茉莉のコラボ、第2弾!

与偶 人形作品集「フルケロイド FULLKELOID DOLLS」
978-4-88375-265-2／A5判・68頁・ハードカバー・税別2750円
●園子温推薦! 多くの人の心に突き刺さっている、凄みのある作品たち。20年の作家生活をここに総括。横4倍になる綴じ込み2枚付!

木村龍 作品集「光速ノスタルジア」
978-4-88375-245-4／B5判・96頁・ハードカバー・税別3500円
●ボックスアートから彫像的作品、球体関節人形、絵画などまで、妖美で奇矯、かつ純真な世界を濃密に凝縮した、待望の初作品集!!

芳賀一洋 作品集「錠前屋のルネはレジスタンスの仲間」
978-4-88375-331-4／A5判・224頁・並製・税別2222円
●パリの街並みや日本の昭和的風景などを精巧なミニチュアで再現した驚異の作品群。その40作以上を郷愁あふれる写真に収めた作品集。

◎写真集

美島菊名 写真作品集「HOPE」
978-4-88375-308-6／B5判・64頁・ハードカバー・税別2750円
●少女よ あなたは 世界を変える——少女の無垢と欲望を、インパクトあるヴィジュアルで表現してきた美島菊名、初の写真作品集!

珠かな子 写真集「いまは、まだ見えない彗星」
978-4-88375-371-0／B5判・64頁・ハードカバー・税別2700円
●私にとってセルフポートレートは、〝可愛さと強さの脅迫〟だ。女の子は強くなれる、そう願っている——珠かな子、待望の写真集!

トレヴァー・ブラウン×七菜乃「トレコス」
978-4-88375-298-0／B5判変型・80頁・ハードカバー・税別2750円
●トレヴァー描く、かわいくてシニカルな少女に七菜乃が扮した〝トレコス〟全作品! トレヴァーの原画はもちろん、メイキング写真も収録!

村田兼一 写真集「女神の棲家」
978-4-88375-416-8／B5判・96頁・ハードカバー・税別3200円
●古の女神を現代の少女に重ね合わせる——魔術的なエロスやタナトスと、御伽のような叙情性が混交する村田兼一写真集、第7弾!

村田兼一 写真集「月の魔法」
978-4-88375-354-3／B5判・96頁・ハードカバー・税別3200円
●禁忌を解く魔法——月乃ルナをモデルに生み出された、マジカルで濃密なエロスに満ちたおとぎの世界。

No.79 人形たちの哀歌
A5判・240頁・並装・1389円（税別）・ISBN978-4-88375-363-5
●［図版構成］田中流写真作品（人形＝日隈愛香・SAKURA・ホシノリコ・舘野桂子）・清水真理・野原 tamago・神宮字光、現代の〝生き人形〟〜中嶋清八・井桁裕子・衣・森馨・佐藤久雄、菅実花、ロボット・アンドロイド演劇、映画『オテサーネク』ほか。追悼・遠藤ミチロウなども。

No.78 ディレッタントの平成史〜令和を生きる前に振り返りたい私の「平成」
A5判・256頁・並装・1389円（税別）・ISBN978-4-88375-350-5
●私たちが感じ取ってきた「平成」を振り返る。TH的・平成年表、極私的平成の三十年間（友成純一）、平成ゾンビ考〜「終わりなき日常」から「サバイバル」へ、舞踏の平成、アニメ『どろろ』に見る内実の変容、死体ビデオと90年代悪趣味ブーム、SNSという「ネオ世間」の出現、IT盛衰、「今日の反核反戦展」、酒見賢一論ほか。

No.77 夢魔〜闇の世界からの呼び声
A5判・224頁・並装・1389円（税別）・ISBN978-4-88375-340-6
●不穏さに満ちた夢の世界へようこそ。mizunOE、飴屋晶貴、亜由美、林良文、タイナカジュンペイ、「メアリーの総て」と『フランケンシュタイン』の悪夢、《夢》は現実を超えるか〜古代記紀神話から『君の名は。』まで、ラース・フォン・トリアー「ヨーロッパ」、『エルム街の悪夢』、『鏡の国の孫悟空』、『ルクンドオ』ほか。

No.76 天使／堕天使〜閉塞したこの世界の救済者
A5判・224頁・並装・1389円（税別）・ISBN978-4-88375-330-7
●天使や堕天使から発した想像力。村田兼一、ホシノリコ、『ベルリン・天使の詩』、ボカノウスキー『天使』がいたころ、天使と日本人、イスラムの堕天使たち、「天使の玉ちゃん」と〈失われた子供時代〉、『デビルマン』飛鳥了、熊楠の天使／天子と男色ほか。ジャ・ジャンクー論（藤井省三）、アジアフォーカス2018レポなども。

No.75 秘めごとから覗く世界
A5判・256頁・並装・1389円（税別）・ISBN978-4-88375-316-1
●秘めごとが生む物語。ステュ・ミード、中井結、宮本香那、『檸檬』『四畳半襖の裏張り』などに見る秘めごとの諸相、文学における「告白」、J・T・リロイの事情、自販機本の原稿書きが「映画芸術」の編集長に教えられたこと ほか。小特集としてマッケローニと映画「スティルライフオブメモリーズ」、追悼・ケイト・ウィルヘルム。

No.74 罪深きイノセンス
A5判・224頁・並装・1389円（税別）・ISBN978-4-88375-309-3
●無垢への信奉とそれが持つ残酷さ。美島菊名、村田兼一、蟲川ギニョール、Hajime Kinoko、ドストエフスキーと無垢なるもの、わたなべまさこ『聖ロザリンド』と萩尾望都『トーマの心臓』、『悪童日記』と『フランケンシュタイン』、『小さな悪の華』と『乙女の祈り』、少女ポリアンナほか。

No.73 変身夢譚〜異分子になることの願望と恐怖
A5判・224頁・並装・1389円（税別）・ISBN978-4-88375-299-7
●miyako（異色肌ギャル）インタビュー、トレヴァー・ブラウン×七菜乃、別人化マニュアル、変身譚としてのギリシア神話、バルテュスと鏡〜少女の変身を映すもの、変装から変身へ〜怪盗から見る映画史、女性への抑圧が生み出す変身〜『キャット・ピープル』とその系譜ほか。

No.72 グロテスク〜奇怪なる、愛しきもの
A5判・224頁・並装・1389円（税別）・ISBN978-4-88375-289-8
●林美登利〜異形の子供に惜しみのなく注がれる愛情、立島夕子〜瀬戸際から発せられた生命の賛歌、たま〜可愛らしい少女の中に秘められた不気味な何かを暴く、黒沢美香〜既成の価値観に収まらない名前のない景色の豊満さ、畔亭数久とその時代、謎のバンド ザ・レジデンツ ほか。

No.71 私の、内なる戦い〜"生きにくさ"からの表現
A5判・224頁・並装・1389円（税別）・ISBN978-4-88375-273-7
●生きにくさから生まれてきた表現—。渡辺篤（現代美術家）〜ひきこもり体験からアートへ／若林美保（ストリッパー）インタビュー／与偶（人形作家）〜人形によって人に何かを与え、それが自身の〝生〟も支えている／石塚桜子（画家）〜一筆一筆に感じられる、祈りのような叫び ほか。

No.70 母性と、その魔性〜呪縛が生み出す物語
A5判・224頁・並装・1389円（税別）・ISBN978-4-88375-260-7
●母性による呪縛がなにをもたらし、どんな物語を生んだのか—。「母がしんどい」などで共感を呼ぶマンガ家・田房永子や、ラブドールを妊娠させた作品が話題になった菅実花のインタビューのほか、「三島由紀夫の同性愛と母性の不在」など、神話や文学等多様な見地から俯瞰します。

No.69 死想の系譜〜いま想う、死と我々の未来
A5判・240頁・並装・1389円（税別）・ISBN978-4-88375-251-5
●死を想うことで育まれる想像力。釣崎清隆×笹山直規によるメキシコ死体合宿レポ、LOVSTARのエッセイ漫画「死体愛好家」、「死の舞踏絵画からブリューゲル、ボス、そしてヴァニタス」、「ショーペンハウアーの『自殺について』」、「ボルタンスキー巡礼」、「SFにみる近未来の死生観」ほか。

No.68 聖なる幻想のエロス
A5判・208頁・並装・1389円（税別）・ISBN978-4-88375-244-7
●エロスとは、幻想だ。木村龍、村田兼一、甲秀樹、七菜乃、林良文などの作品を幻想のエロスの見地から解題・紹介したほか、「戦争とエロティシズム」、カナザワ映画祭「昼下がりの前衛的エロ映画特集」ルポ、「イケメンゴリラから日活ロマンポルノまで」など、さまざまなエロスを逍遥。

No.67 異・耽美〜トラウマティック・ヴィジョンズ
A5判・240頁・並装・1389円（税別）・ISBN978-4-88375-234-8
●トラウマを植え付けるほどの強度を持つ「異・耽美」＝「異端・美」を特集。対談・沙村広明×森馨、インタビュー［林良文、劇団態変・金滿里、舞踏家ケンマイ］、図版構成［森馨、衣、真条彩華、安蘭、夢島スイ、七菜乃×GENk他］、写真物語・一鬼のこ、『禁色』とその周辺ほか。

No.66 サーカスと見世物のファンタジア
A5判・208頁・並装・1389円（税別）・ISBN978-4-88375-230-0
●サーカス・見世物には光と影がつきまとう。われわれを惹きつける、夢と禁忌の国。「映画 少女椿」、道化的知性は復権するか、現代道化考、らくだ・ランカイ屋・オリンピック、見世物としての公開処刑、舞踏と見世物考、フランスのサーカス、奇異なるものへの憧憬ほか。

No.65 食と酒のパラダイス！
A5判・224頁・並装・1389円（税別）・ISBN978-4-88375-222-5
●食と酒で愉しむアート＆フィクション！ 現代海外アーティストによる食をモチーフにした一風変わった作品を数多くピックアップ。また、フィクションに登場する奇妙な食や酒の光景を解題＆紹介。料理研究家・上田淳子インタビューもあり。他に国際人形展「Fusion Doll」レポ等も。

No.64 ヒトガタ／オブジェの修辞学
A5判・224頁・並装・1389円（税別）・ISBN978-4-88375-216-4
●ヒトガタとオブジェのはざまについて考える。対談・三浦悦子×吉田良、映画「さようなら」〜石黒浩教授インタビュー、綾乃テン、上原浩子、清水真理、菊地拓史×森馨、伽井丹彌、七菜乃、敗者の人形史、生人形の系譜、ゴーレム伝説、人造美女、レム＆クエイ兄弟版「マスク」比較ほか。

No.63 少年美のメランコリア
A5判・224頁・並装・1389円（税別）・ISBN978-4-88375-208-9
●短い期間の輝きでしかない少年の美には、メランコリア＝憂鬱がつきまとう。図版＆紹介［七戸優・甲秀樹・neychi・カネオヤサチコ・神宮字光・清水真理］、「ベニスに死す」、タルコフスキーの少年、グレーデン男爵とタオルミナ、阿修羅像と『少年愛の美学』、維新派「透視図」ほか。

No.62 大正耽美〜激動の時代に花開いたもの
A5判・240頁・並装・1389円（税別）・ISBN978-4-88375-201-0
●好景気に米騒動、関東大震災…激動の大正時代を、耽美を切り口に俯瞰する。図版構成［橘小夢、高畠華宵］、異国への憧憬/谷川渥、大正の幻想映画、大正オカルトレジスタンス、鈴木清順・大正浪漫三部作とパンタライの時代、大正年表など。

◎ExtrART(エクストラート)〜異端派ヴィジュアルアート誌

file.29◎FEATURE:見る/見えることの異相
A4判・112頁・並装・1200円(税別)・ISBN978-4-88375-442-7
●金巻芳俊、倉崎稜希、泥方陽菜、山村まゆ子、根橋洋一、平良志季、晝正、吉田有花、高齊りゅう、奥村あか、須川まきこ ほか

file.28◎FEATURE:少女への夢想曲
A4判・112頁・並装・1200円(税別)・ISBN978-4-88375-436-6
●イヂチアキコ、くるはらきみ、九鬼匡規、鈴木那奈、傘嶋メグ、蕾、吉岡里奈、中尾変、吉田和夏、清水真理、田中流、林美登利

file.27◎FEATURE:死を想い、生を描く
A4判・112頁・並装・1200円(税別)・ISBN978-4-88375-430-4
●亀井三千代、伊東明日香、村上仁美、ある紗、田中童夏、キジメッカ、多賀新、東學、山本竜基、髙瀬実穂子、北見隆、後藤麦×今大路智枝子

file.26◎FEATURE:リアルを紡ぎ出す
A4判・112頁・並装・1200円(税別)・ISBN978-4-88375-417-5
●戸泉恵徳、建石修志、山中綾子、田川弘、中島綾美、吉田有花×宮崎まゆ子×きゃらあい、蠅田式、四学科松太、萌木ひろみ×生熊奈央、寺澤智恵子ほか

file.25◎FEATURE:ヒトガタは語る
A4判・112頁・並装・1200円(税別)・ISBN978-4-88375-408-3
●三浦悦子、Mekkedori、ヒロタサトミ、垂狐、田野敦司、日隈愛香、横倉裕司、羅入、成田朱希、サワダモコ、山本有彩、塙興子、遊(アトリエ夢遊病) ほか

file.24◎FEATURE:幽玄を垣間見る
A4判・112頁・並装・1200円(税別)・ISBN978-4-88375-395-6
●上田風子、高田美苗、濵口真央、奥田鉄、土田圭介、南花奈、白野有、武田海、村山大明、日影眩、神宮字光、黒木こずゑ×最合のぼる

file.23◎FEATURE:秘めた、この思い
A4判・112頁・並装・1200円(税別)・ISBN978-4-88375-385-7
●池田ひかる、新宅和音、谷原菜摘子、野原tamago、井桁裕子、朱華、日野まき、菊地拓史・森馨、田中流、渡邊光也、千葉和成、TOKYO 2021 美術展 ほか

file.22◎FEATURE:隠されていた"美"
A4判・112頁・並装・1200円(税別)・ISBN978-4-88375-372-7
●蛭田美保子、スズキエイミ、椎木かなえ、たま、Kamerian.、ディナ・ブロツキー、井上洋介、生熊奈央、衣(はとり)、垂狐、ベルリン・悪魔の山 ほか

file.21◎FEATURE:うつろう、イメージ
A4判・112頁・並装・1200円(税別)・ISBN978-4-88375-360-4
●菅澤薫、大河原愛、有坂ゆかり、大塚咲×七菜乃、夜乃雛月、ニコライ・バタコフ、亜由美、櫻井紅子、吉田有花×ある紗、大島哲以 ほか

file.20◎FEATURE:夢幻の国を逍遥する
A4判・112頁・並装・1200円(税別)・ISBN978-4-88375-346-8
●佐久間友香、木村了子、中村キク、永井健一、長谷川友美、P.ファーガソン、池島康輔、須川まきこ、立島夕子、こやまけんいち、松下まり子 ほか

◎トーキングヘッズ叢書(TH Seires)

No.86 不死者たちの憂鬱
A5判・224頁・並装・1389円(税別)・ISBN978-4-88375-439-7
●不死は幸福か?苦しみか?──『ポーの一族』、ヴァンパイアと浦島太郎、『ガリヴァー旅行記』、『火の鳥』からヒーラ細胞へ、クレア・ノースの孤独、ドリアン・グレイ、韓国SF、不老不死になれる(かもしれない)秘薬・霊薬・仙薬、荒川修作、不老不死を生きる童話世界の住民たち、サザエさんシステム、不死の怪物プルガサリ ほか

No.85 目と眼差しのオブセッション
A5判・208頁・並装・1389円(税別)・ISBN978-4-88375-433-5
●窃視、邪視から千里眼、眼球まで、オブセッションの数々! 図版構成/泥方陽菜・神宮字光・下田ひかり、邪視にまつわる民俗史、眼球考〜ルドンの絵から、映画から考えた覗き見の功罪、「屋根裏の散歩者」の愉悦、法医学オプトグラフィー、千里眼事件、『ジャガーの眼』を通して唐十郎が寺山修司に捧げたもの、panpanyaが「見る」世界 ほか

No.84 悪の方程式〜善を疑え!!
A5判・224頁・並装・1389円(税別)・ISBN978-4-88375-421-2
●「悪」を意識することは、この世の「善」に対して疑いを差し挟むことだ──ダークナイト・トリロジーにみる悪の本質、〈アート〉と〈革命〉は常に悪である〜テロ的アートの系譜、「黒い幽霊団(ブラック・ゴースト)」には悪意がない、警官を蹴るチャップリン、悪いヤツはだいたいイケメン〜少女漫画におけるモラルとエロス、娼婦と聖性ほか満載!

No.83 音楽、なんてストレンジな!~音楽を通して垣間見る文化の前衛、または裏側
A5判・224頁・並装・1389円(税別)・ISBN978-4-88375-412-0
●音楽は文化の結節点だ。パンクや電子音楽、ノイズなどから、クラシックまで、音楽をめぐる、少々ストレンジなイマジネーション! 恍惚のアヴァンギャルド音楽偏愛史、パンクとポストパンクの思想的地下水脈、イスラムにおける音楽、近代日本の音楽の闇、ワーグナーの共苦と革命、バッハのもとに本当にニシンは降ったのか他

No.82 もの病みのヴィジョン
A5判・224頁・並装・1389円(税別)・ISBN978-4-88375-402-1
●「病み」=「闇」のヴィジョン。人形作家・与偶トークイベントレポ、梅毒をめぐる幾つかの逸話と謎、舞踏病と死の舞踏、「吸血鬼ノスフェラトゥ」とペストのパンデミック、草間彌生の小説『すみれ強迫』、美人薄命の文化史、病と日本人、舞踊家・土方巽の〈病み〉、澁澤龍彥と病、病弱な少年、「ジョーカー」、「ベニスに死す」ほか

No.81 野生のミラクル
A5判・208頁・並装・1389円(税別)・ISBN978-4-88375-389-5
●野生からわれわれは何を学び、何を表現の糧にしてきたか。ケロッピー前田インタビュー〜野生を取り戻してテクノロジーを乗りこなせ、管理された野生、粘菌、牧神、人豚、八化けタヌキ、シュルレアリスムのアフリカ、スクリーンの変身人間、キム・ギヨンが描く〝オス〟と〝メス〟、異類婚姻譚、動物フォークロア、映画『ZOO』ほか

No.80 ウォーク・オン・ザ・ダークサイド〜闇を想い、闇を進め
A5判・224頁・並装・1389円(税別)・ISBN978-4-88375-376-5
●新たな想像力は闇から生まれる。[図版構成]濵口真央、C7、新宅和音、紺野真弓、宮本香那、萌木ひろみ、谷原菜摘子。タスマニアの美術館MONA、書肆ゲンシシャの驚異のコレクション、日本の闇を感じさせるゲゲゲスポット紀行、闇の文学史〜連鎖する自死、萩尾望都が描き始めた「楽園の裏側」、カタコンブという世界の裏ほか。

トーキングヘッズ叢書（TH series） No.87

はだかモード
〜はだける、素になる文化論

編　者　アトリエサード
編集長　鈴木孝（沙月樹 京）
編　集　岩田恵／望月学英・徳岡正肇
協　力　岡和田晃

発行日　2021 年 8 月 12 日

発行人　鈴木孝
発　行　有限会社アトリエサード
東京都豊島区南大塚 1-33-1 〒 170-0005
TEL.03-6304-1638 FAX.03-3946-3778
http://www.a-third.com/
th@a-third.com
振替口座／ 00160-8-728019
発　売　株式会社書苑新社
印　刷　株式会社平河工業社
定　価　本体 1389 円＋税
ISBN978-4-88375-444-1 C0370 ¥1389E

出版物一覧

http://www.a-third.com/

ご意見・ご感想をお寄せ下さい。
Web で受け付けています。
新刊案内などのメール配信申込も
Web で受付中!!

●Facebook　http://www.facebook.com/ateliertthird
●編集長 twitter　https://twitter.com/st_th

アトリエサード HP

AMAZON（書苑新社発売の本）

A F T E R W O R D

■小中学生くらいの頃、親の前でも裸でいるのは恥ずかしかった、ような気がする。風呂あがりもさっさとパジャマ着て、親からそんなにすぐ着なくても…とか言われたり。なぜ恥ずかしかったのかは不明だが、なぜか忌むべきものだったのかもしれない。でもだれでも「裸」は持っている。そこから目をそらすことは、最も本質的な個性を見落とすことにはならないか。「裸」は多様性を認識する重要な表徴ではないか…だけど人前で裸になるのは、私は今も恥ずかしいけど…。で、次はExtrARTが9月下旬、THが10月末です！（S）
★弦巻稲荷日記ー宇都宮のティル・ナ・ノーグで妖精さんと暮らしてる。不自由もあるが頑張って本を出してる。テレワークってすごいよね。NLQは5月の号が6月に遅れたが、7月にはちゃんと増刊が出るよ。猫企画も擬態美術協会も文学フリマもアフターコロナにどう関われるか。以下次号（め）

■展覧会・個展や上映・上演等の情報は、編集部あてにお送りください（なるべく発売の1カ月半前までに。本誌は1・4・7・10の各月末発売です）。
■絵画等の持ち込みは、郵送（コピーをお送りください）またはメール（HPがある場合）で受け付けています。興味を持たせて頂いた方は、特集や個展など、合うタイミングでご紹介させて頂きます。
■巻末の「TH特選品レビュー」では、ここ数ヶ月の文学・アート・映画・舞台等のレビューを募集中。1本400字以内で、数本お送り下さい。採用の方には掲載誌を進呈します（原稿料はありません）。THの色にあったものかどうかも採否の基準になります。投稿はメール（th@a-third.com）でOK。
■詳しくはホームページもご覧ください。
※応募の際には、本名・筆名・住所・TEL・E-mail・年齢・職業・趣味の傾向等簡単な自己紹介・本書のご感想を必ずお書き添え下さい。
※恐れ入りますが、原則的に採用の方にのみご連絡を差し上げています。ご了承ください。

アトリエサードの出版物の購入のしかた・通信販売のご案内

● TH series（トーキングヘッズ叢書）の取扱書店は、http://www.a-third.com/ へ。定期購読は富士山マガジンサービス及び小社直販にて受付中！（www.a-third.com のトップページにリンクあり） ●書店店頭にない場合は、書店へご注文下さい（発売＝書苑新社と指定して下さい。全国の書店からOK）。●ネット書店もご活用下さい。

●アトリエサードのネット通販でもご購入できます。
■各書籍の詳細画面でショッピングカートがご利用になれます。■郵便振替 / 代金引換 / PayPal で決済可能。

■インターネットをご利用になれない方は、郵便局より郵便振替にて直接ご送金いただいても結構です（送料の加算は不要！ 連絡欄に希望書名・冊数を明記のこと）。入金の通知が届き次第お送りいたします（お手元に届くまで、だいたい 1 週間〜10 日ほどお待ち下さい）。振込口座／00160−8−728019　加入者名／有限会社アトリエサード
■また TEL.03-6304-1638 にお電話いただければ、代金引換での発送も可能です（取扱手数料 350円が別途かかります）